BEAT

Mord in

Buch

In Schönbrunn wird ein grausiger Fund gemacht: Im Park des Schlosses liegt die Leiche einer Frau, liebevoll zwischen Grablichtern aufgebahrt. Der blasse Körper ist in ein Brautkleid gehüllt, das dunkle Haar mit Rosen geschmückt, die Lippen rot geschminkt – wie Schneewittchen. Wie sich herausstellt, ist die Ermordete keine andere als die vor fünf Jahren verschwundene Exverlobte des prominenten Wiener Hoteliers Felix Beermann, der in wenigen Tagen seine neue Liebe heiraten will. Auch die Journalistin Sarah Pauli, die für eine Sonderausgabe des *Wiener Boten* gerade über Hochzeitsbräuche recherchiert, fasziniert der Fall. Als ihr kurz darauf ein Strauß roter Rosen geschickt wird, glaubt sie zunächst an einen heimlichen Verehrer. Doch dann entdeckt sie, dass sich hinter den Blumen eine geheimnisvolle Verbindung zum Mord in Schönbrunn verbirgt. Sie beginnt zu ermitteln und stößt dabei auf weitere mysteriöse Spuren, die sie in gefährliche Nähe zum Täter bringen …

Weitere Informationen zu Beate Maxian
sowie zu lieferbaren Titeln der Autorin
finden Sie am Ende des Buches.

Beate Maxian

Mord in Schönbrunn

Ein Wien-Krimi

GOLDMANN

Der Verlag weist ausdrücklich darauf hin, dass im Text enthaltene externe Links vom Verlag nur bis zum Zeitpunkt der Buchveröffentlichung eingesehen werden konnten. Auf spätere Veränderungen hat der Verlag keinerlei Einfluss. Eine Haftung des Verlags ist daher ausgeschlossen.

Nachweis:
Die Zitate aus den Märchen der Gebrüder Grimm entstammen der Ausgabe *Die Märchen der Gebrüder Grimm*. Vollständige Ausgabe der »Kinder- und Hausmärchen« nach dem Wortlaut der Ausgabe letzter Hand (Göttingen 1857). Copyright © 1957 by Wilhelm Goldmann Verlag, München.

Dieses Buch ist auch als E-Book erhältlich.

Verlagsgruppe Random House FSC® N001967

4. Auflage
Originalausgabe Oktober 2016

Umschlaggestaltung: UNO Werbeagentur, München
Umschlagmotiv: Getty Images / Sergio Del Rosso Photography; FinePic®, München
Redaktion: Karin Ballauff
KS · Herstellung: Str.
Satz: Buch-Werkstatt GmbH, Bad Aibling
Druck und Bindung: GGP Media GmbH, Pößneck
Printed in Germany
ISBN: 978-3-442-48296-2
www.goldmann-verlag.de

Brautjungfern sollen die bösen Geister von der Braut ablenken und vertreiben. Deshalb tragen sie Kleider, die dem der Braut ähneln – eine Tradition, die auf die Römerzeit zurückgeht.

Prolog

Hell und freundlich die Wände. Kinderbettwäsche mit Bambi darauf. Ein rosarotes Wandtattoo über dem Bett:

»Spieglein, Spieglein an der Wand,
wer ist die Schönste im ganzen Land?
Frau Königin, Ihr seid die Schönste im Land.«

Das gilt heute Morgen sicher nicht für mich, dachte sie. Sie atmete tief durch und setzte sich auf. Ihr Kopf schmerzte. Verfluchte Party! Sie hätte nicht so viel trinken sollen.

Sie sah sich um. Die Möbel waren weiß und rosarot. Märchenfiguren zierten die Tapete an den Wänden. Ein Glas Wasser stand auf dem Nachtkästchen. Daneben lag ein Aspirin. Sie riss die Verpackung auf und ließ die Brausetablette ins Glas fallen. Es perlte.

Was war letzte Nacht passiert? Sie versuchte angestrengt, sich zu erinnern. Bildfragmente. Tanzende Menschen. Laute Musik. Ausgelassene Stimmung. Gelächter. Oberflächliche Gespräche. Filmriss.

Mit wem zum Teufel war sie nach Hause gefahren? Sie schloss die Augen und versuchte, sich an den Moment des Aufbruchs zu erinnern. Eine Szene, konturenlos, unscharf. Nicht einmal eine vage Vermutung. Sie öffnete die Augen wieder. Der Einrichtung nach zu urteilen lag sie in einem Kinderzimmer. Sie trank das Glas ex, stellte es zurück und stieg schwerfällig aus dem Bett. Gott, war ihr das peinlich! Sie würde sich, bei wem auch immer sie gelandet war, entschuldigen und so schnell wie möglich nach Hause fahren. Felix, dachte sie. Er macht sich sicher schon Sorgen. Was hieß Sorgen? Er war sicher schon in voller Panik, weil sie letzte Nacht nicht nach Hause gekommen war.

Sie suchte nach ihrer Handtasche, fand sie jedoch nicht. Ihr wurde übel, und um sie herum begann sich alles zu drehen. Hatte man ihr gestern womöglich etwas in den Wein gemischt?

Sie bemühte sich um eine gerade Haltung, ging zur Tür, öffnete sie und kam in ein Wohnzimmer. Zum Glück war niemand anwesend. Ihre Blase meldete sich. Wo war hier das Klo? Sie entschied sich für eine schmale weiße Tür und war erleichtert, auf Anhieb die richtige erwischt zu haben. Auch hier zierte eine Tapete mit Märchenmotiven die Wand. Sie setzte sich und pinkelte. Ihr Blick musterte die Handtücher mit Cinderella-Applikationen. Und noch ein rosarotes Wandtattoo.

> *»Frau Königin, Ihr seid die Schönste hier, aber Schneewittchen ist tausendmal schöner als Ihr.«*

Also bei aller Liebe zu Kindern – aber das schien ihr jetzt doch ein bisschen übertrieben, auch noch die Toilette danach auszurichten. Sie erhob sich, betätigte die Klospülung und wusch sich die Hände. »Klar, ein Schneewittchen-Seifenspender«, murmelte sie fast schon amüsiert.

Dann ging sie zurück in das Wohnzimmer. Noch immer niemand da. Ihre Handtasche! Sie musste doch irgendwo hier sein! Sie nahm eines der Kissen auf dem Sofa in die Hand und sah sich die Stickerei darauf an – ein kleines Mädchen saß neben einem Baum, vor ihm blickte ein weißes Kaninchen mit Weste gehetzt auf die Taschenuhr in seinen Pfoten.

»Alice im Wunderland«. Wo war sie hier bloß gelandet? In einem Märchenfilm? Man konnte es auch übertreiben. Sie ging zur Eingangstür und drückte die Klinke nach unten. Doch die Tür war verschlossen.

Sie klopfte mit der Handfläche dagegen.

»Hallo! Hört mich jemand?«

Wo war ihre verdammte Handtasche? Die Vermutung, sie auf der Party im Palais Pallavicini vergessen zu haben, drängte sich auf. Sie hörte Schritte. Sie kamen näher.

Na endlich!

»Hallo!«, rief sie noch einmal.

Am unteren Ende der Tür öffnete sich eine Luke. Eine Flasche Mineralwasser rollte durch die schmale Öffnung.

Fünf Jahre später

Donnerstag, 16. April

1

SCHNEEWITTCHEN

Sie lief.

Drei Mal die Woche. Immer derselbe Weg. Valentina Macek war so etwas wie ein Gewohnheitstier. Sie begann mit ihrer Joggingrunde jeden Morgen um halb sieben. Sobald die Tore zum Schlosspark Schönbrunn geöffnet wurden, passierte sie das Meidlinger Tor. Um diese Uhrzeit begegnete ihr in dem weitläufigen Areal kaum jemand. Sie genoss die Stimmung in der Frühe: kühle Luft, friedliches Vogelgezwitscher und der Duft eines noch unverbrauchten Tages. Inzwischen war der Frühling in Wien erwacht. Frühjahrsblüher schossen aus der Erde, Bäume schlugen aus, und Menschen, die darauf allergisch waren, liefen mit knallroten Augen und triefender Nase herum. Zwei Wochen zuvor hatte es in Österreich vielerorts noch geschneit, und heute kletterten die Temperaturen im Laufe des Tages bereits auf sommerliche 28 Grad – das jedenfalls hatte der Wetterbericht im Radio prophezeit.

Als sie am Ende der Lichte Allee ins Große Parterre einbog, schickte ihr Gehirn die Botschaft, dass an dem Bild der Parkanlage etwas nicht stimmte. Komisch, dachte sie noch im Laufen. Unvermittelt fiel ihr die Märchenszene mit Schneewittchen im gläsernen Sarg dazu ein. Eine Figur oder Puppe – so genau konnte sie das nicht erkennen – lag wie aufgebahrt auf einem

Tisch mitten auf dem breiten Weg zwischen den Rasenflächen. Vom Schloss aus gesehen die dritte Reihe der Parterrefelder. Brennende Grablichter umrahmten das seltsame Setting. Eine Kunstinstallation? Oder wurde hier gerade eine Filmszene gedreht? Allerdings fehlten die Crew und die Kameras. Hier war überhaupt weit und breit kein Mensch zu sehen, weder weiter vorne beim Neptunbrunnen noch sonst irgendwo.

Deshalb blieb Valentina Macek stehen und schärfte ihren Blick. Neugierde machte sich in ihr breit. Valentina stand zu dieser kleinen Schwäche: neugierig zu sein. Sie machte das Leben spannender. Valentina gab sich einen Ruck und ging auf die Szene zu. Eine Frau lag dort. Sie trug ein langes weißes Spitzenkleid, das seitlich über den Tisch drapiert worden war. Sie hielt die Hände über der Brust gefaltet, und ihre Augen waren geschlossen. Kleine zartrosa Rosen zierten das zu einer eleganten Frisur hochgesteckte brünette Haar, und ihre Lippen waren rot geschminkt. Eine schlafende Braut, dachte Valentina. Doch war das wirklich eine Kunstinstallation? Valentina zwang sich, ihr ins Gesicht zu sehen, und erkannte auf der Stelle, dass diese Frau tot war. Augenblicklich spannten sich Valentinas Muskeln an, und reflexartig wollte sie davonlaufen. Doch ihr Geist sträubte sich dagegen. Sie blieb wie angewurzelt stehen und starrte die aufgebahrte Frau an.

Unter dem weißen Kleid lugten zarte Arme hervor, die Handgelenke so schmal wie die eines Kindes. Ihre blasse Haut war durchscheinend wie Seidenpapier, unter dem sich die Knochen deutlich abzeichneten. Ein Wesen wie aus der Feder der Brüder Grimm, wären da noch Haare schwarz wie Ebenholz gewesen. Schneewittchen. Die Haut so weiß wie Schnee, die Lippen so rot wie Blut …

Valentina traute sich nicht, näher an den Tisch heranzugehen oder die Tote gar zu berühren, aus Angst, sie zu zerbrechen. Die Frau war tot, und irgendjemand hatte sie sorgsam hier aufgebahrt. Valentina war sich plötzlich sicher, sie schon einmal gesehen zu haben. Ihr fiel nur partout nicht ein, wann und wo das war.

Sie griff nach dem Handy in ihrer Bauchtasche und rief die Polizei an.

Während sie wartete, tauchten immer mehr joggende und walkende Menschen auf, blieben neugierig stehen und fragten sie, was geschehen sei. Was Valentina ihnen selbstverständlich nicht beantworten konnte.

Ob sie Ruth anrufen sollte, um ihr Bescheid zu geben, dass sie erst später ins Büro kommen würde? Da sah sie die Polizei kommen. Die Gruppe aus Schaulustigen um Valentina und den Tisch herum löste sich langsam auf und bildete stattdessen ein Spalier, das den Polizisten den Weg bis zu der Toten säumte.

Einer der Älteren in Uniform fragte in die Menge, wer angerufen habe. Valentina meldete sich. Der Uniformierte notierte ihren Namen, die Anschrift und Telefonnummer, obwohl sie das schon alles am Telefon angegeben hatte. Dann beantwortete sie ein paar Fragen und versprach zu warten, bis die Ermittler der Kriminalabteilung eintrafen. Der Rest der Umstehenden wurde aufgefordert weiterzugehen. Nur widerwillig setzten die Leute sich in Bewegung, doch die nun gezogenen Absperrbänder drängten sie immer weiter vom Geschehen weg. Das geschäftige Treiben erinnerte Valentina an einen Bienenschwarm. Es war nicht erkennbar, wer wofür zuständig war, doch schien die chaotisch anmutende Vorgehensweise einer Logik zu folgen und äußerst produktiv zu sein. Denn innerhalb kürzester Zeit war der gesamte Fundort abgesperrt. »Fundort« – das klang, als hätte sie ein verloren gegangenes Schmuckstück wiedergefunden.

Bald darauf traf ein Schwarm neuer Bienen ein. Sie trugen weiße Overalls, packten verschiedenste Instrumente aus, fotografierten, prüften, vermaßen. So etwas kannte Valentina nur aus dem Fernsehen. Sie vermochte nicht zu sagen, wie viel Zeit inzwischen vergangen war, als ein recht massiv wirkender Mann in ihrem Blickfeld erschien.

»Martin Stein, ich bin der Chefinspektor. Würden Sie mir bitte noch einmal erzählen, was passiert ist?«, fragte er, und es war keine Frage, sondern eine Anweisung.

Valentina schilderte zum wiederholten Mal die Ereignisse des frühen Morgens und suchte in den Augen des Inspektors nach einer Reaktion. Doch der stechende Blick des Ermittlers verriet keinen seiner Gedanken. Unbewegt sah er sie an, während sie sprach. Nein, sie habe die Tote nicht näher gekannt, und ja, sie jogge immer um diese Uhrzeit. Sie sei nämlich Frühaufsteherin und beginne bereits um halb neun zu arbeiten.

»Zuerst dachte ich, dass hier gerade ein Film gedreht wurde. Oder dass es eine Kunstinstallation ist. Jedenfalls hab ich erst begriffen, dass sie tot ist, als ich näher an sie herangegangen bin.«

Valentina senkte den Kopf. Ihre Finger verkrampften sich ineinander, ihre Knöchel traten weiß hervor. Sie sah wieder auf.

»Und dann habe ich die Polizei angerufen.«

Die Antwort auf die Frage nach ihrem Beruf entlockte dem Mann ein spöttisches Lächeln, und er wiederholte das Wort »Hochzeitsplanerin«, als habe Valentina es soeben erst erfunden.

»Ja. Seit es im Fernsehen diese Hochzeitssendungen gibt, ist's halt immer mehr angesagt, sich Hochzeitsplaner zu leisten«, fügte Valentina fast entschuldigend hinzu. Sie strich sich über ihre ebenfalls brünetten langen Haare, die zu einem Pferdeschwanz zusammengebunden waren. Der Ermittler musterte sie. In dem Moment schien ihm etwas einzufallen, denn sein Blick durchdrang sie wie ein Röntgenstrahl: »Die Tote trägt ein Brautkleid.«

Valentina schluckte. »Das bedeutet aber noch nicht, dass ich sie kennen muss!« Sie klang erschrockener als sie wollte.

Doch der Ermittler zeigte sich nicht weiter beeindruckt. »Kennen Sie die Frau?«

»Ich … weiß es nicht. Sie kommt mir irgendwie bekannt vor.« Sie hob unsicher die Hände.

»Woher könnten Sie sie kennen?«

»Ich weiß es einfach nicht … Kann auch sein, dass ich mich täusche.«

»Haben Sie ein gutes Personengedächtnis?«

»Ja. Normalerweise schon.«

Was waren das für eigenartige Fragen? Sie schüttelte den Kopf. »Ich kann gar nicht klar denken. Eine Leiche zu finden ist der blanke Horror, da kommt einem ja alles Mögliche in den Sinn.«

»Was?«

»Wie, was?«

»Was kam Ihnen in den Sinn?«

Valentina schüttelte erneut den Kopf. »Ich weiß nicht. Ich hab mich gefragt, warum ausgerechnet mir das passieren muss.«

Der Polizist machte sich Notizen.

»Haben Sie sonst irgendjemanden gesehen?«

Valentina schüttelte den Kopf. »Nein. Niemanden.«

»Laufen Sie öfter hier?«

»Nein. Ja.«

»Also was jetzt?«

»Ja … Ja, ich laufe drei Mal die Woche hier, immer dieselbe Route.«

Er schien nachzudenken.

»Vielleicht war's eben kein Zufall, dass ausgerechnet Sie die Tote gefunden haben.«

Wollte der Kerl sie provozieren?

»Der blanke Horror«, wiederholte sie.

Wenn sie geahnt hätte, dass ihr heute so etwas passiert, wäre sie zuhause geblieben oder zumindest woanders gelaufen. Es gab viele Wege im Schlosspark Schönbrunn, etwa die Rusten Allee entlang und beim Neptunbrunnen den Schlossberg hinauf zur Gloriette … Allerdings hätte sie auch dann die Tote entdeckt. Wäre. Hätte. Wäre das Leben leichter, wenn es keine Möglichkeitsform gäbe? Sie versuchte, sich wieder zu konzentrieren. Ihr Magen knurrte.

»Sie können jetzt gehen. Ihre Daten haben wir ja. Wenn es noch Fragen gibt, setzen wir uns mit Ihnen in Verbindung. Oder soll Sie jemand nach Hause bringen?«

Valentina schüttelte den Kopf. »Nein, danke, es geht schon.« Sie atmete erleichtert auf.

In dem Moment trat eine junge Polizistin neben den Chefinspektor und zog ihn zur Seite. Valentina rührte sich nicht vom Fleck, als ahnte sie das bevorstehende Unheil. Die Polizistin gab dem Ermittler einen Ausweis und flüsterte ihm irgendetwas zu. Valentina sah, wie sich die Augenbrauen des Mannes in die Höhe schoben und wusste, dass es noch nicht vorbei war.

Dann kam der Ermittler zu ihr zurück. »Kennen Sie den Namen Daniela Meier?«

»Daniela Meier«, wiederholte Valentina leise. In Österreich hießen Millionen von Menschen Meier. Doch dann begriff sie augenblicklich, und sie wurde blass.

»Ist die Tote etwa Daniela Meier?«

Martin Stein nickte. »Wir haben ihren Ausweis im Ausschnitt gefunden.«

Valentina schluckte. Wer steckte einer Leiche den Ausweis ins Dekolletee? Schneewittchen. Sie sah aus wie Schneewittchen, dachte sie.

2

ROTE ROSEN

Was ist mir da zu Ohren gekommen?«

Jetzt ist es also so weit, dachte Sarah Pauli.

Die Journalistin hatte mit sich selbst gewettet, wie lange es dauern würde, bis die Gesellschaftsreporterin Conny Soe von dem Geschenk erfuhr, das sie erhalten hatte. Sie tippte auf eine halbe Stunde – und hatte gewonnen. In Gedanken klopfte sie sich anerkennend auf die Schulter. Wien war ein Dorf und der *Wiener Bote* der dazugehörende Dorfplatz. Ihre Kollegin war die Königin darin, heimliche Affären aufzudecken, und das hier roch nach einem Verhältnis der Extraklasse. Sarah seufzte laut und lehnte sich in ihrem Stuhl zurück: Lasset die Spiele beginnen!

»Unsere Sarah!«, sagte Conny belustigt. »Was sagt man dazu?«

Conny und Gabi – Sarahs Freundin und zugleich Sekretärin des Herausgebers – lehnten in der offenen Tür zu Sarahs Büro. Keine der beiden Frauen machte Anstalten, sich in nächster Zeit von dort wegzubewegen.

Conny trug ein luftiges ärmelloses Kleid in Hellgelb, farblich perfekt abgestimmt auf ihre kupferrote Löwenmähne. Die Ohrringe glitzerten wie Morgentau im Sonnenschein, und natürlich hatten ihre High Heels dieselbe Farbe wie das Kleid. Gabi stand in weißer Bluse, Jeans, blauen Sandalen und rot lackierten Fußnägeln neben ihr. Mit unverhohlener Neugier starrten die beiden den Blumenstrauß an, der mangels passender Vase in einem großen Eimer voller Wasser vor Sarahs Schreibtisch sein Dasein fristete. Sissi, Connys schwarzer Mops, stand zwischen ihnen und wedelte heftig mit dem ganzen Hinterteil. Worüber sich der kleine Hund auch immer so freuen mochte, blieb ein Geheimnis, denn er hatte weder die Frauen noch den Blumenstrauß im Blick.

»Rote Rosen«, meinte Gabi, und ihre tiefblauen Augen blitzten belustigt auf. »Was sagt man dazu?«, wiederholte sie Connys Worte.

»Ja, was sagt man dazu?«, wiederholte nun auch Sarah und tat ebenso überrascht. »Mädels, ihr könnt es noch zehn Mal wiederholen. Ich weiß trotzdem nicht, was es mit diesen Rosen auf sich hat.«

»Von David sind sie jedenfalls nicht«, stellte Conny fest, was allen im Raum und vermutlich längst der ganzen Redaktion klar war.

»Nein, von David sind sie nicht«, bestätigte Sarah dennoch.

Natürlich wurde im *Wiener Boten* darüber geredet. Über jede Kollegin, die einen riesengroßen Blumenstrauß via Botendienst bekommen hätte, wäre getratscht worden. Dass dieser ausgerechnet in Sarahs Büro gelandet war, machte die Sache jedoch doppelt spannend. Immerhin war sie mehr als eine Kollegin. Sie war die Lebensgefährtin des Herausgebers des *Wiener Boten,* und David Gruber war auch in den Augen der Kolleginnenschaft ein erfolgreicher und vor allem attraktiver Mann. Doch David hätte Sarah einen solch üppigen Strauß wohl eher in trauter Zweisamkeit überreicht als durch einen Fahrradkurier in Radlerhose und vor Publikum. Insofern sprach viel dafür, dass Sarah einen heimlichen Verehrer hatte.

»Sagt, habt ihr nichts Besseres zu tun? Solltest du dich nicht längst der Romy widmen? Ist doch bald die Preisverleihung. Es gibt sicher jede Menge Promis in der Stadt, die etwas dazu sagen wollen. Wer ist denn dieses Jahr nominiert?« Sie versuchte, vom Thema wegzukommen, und wusste, dass Conny sich die Verleihung des Film- und Fernsehpreises nicht entgehen ließ, auch wenn dies von einer Mitbewerber-Zeitschrift organisiert wurde. Conny war Gast in der Wiener Hofburg, wo die Auszeichnung alljährlich über die Bühne ging. Konkurrenz hin oder her. Der *Wiener Bote* berichtete auf Connys Seite über die Gewinner. Inzwischen hatte man dort auch das Sisi Museum zur Gänze wiederhergestellt, das nach einem Handgranatenattentat erhebliche Schäden aufgewiesen hatte.

»Und dich, Gabi«, wandte Sarah sich an ihre Freundin, »wird David gewiss schon vermissen. Also, war schön, euch gesehen zu haben, und jetzt ciao. Baba!«

Gabi und Conny warfen sich einen raschen Blick zu, kicherten, stießen sich praktisch synchron vom Türrahmen ab und kamen näher.

»Es ist so ruhig, dass ich sogar schon überlegt habe, meinen Schreibtisch aufzuräumen«, sagte Conny, was sich so anhörte, als ginge es um eine unmöglich zu bewältigende Aufgabe.

Sarah seufzte erneut, diesmal theatralisch.

»Das müssen ja mindestens hundert sein«, stellte Gabi fest.

»99«, entgegnete Sarah.

»Warum 99?«, fragte Conny. Sarah sah ihr an, dass sie das Thema nur hypothetisch interessierte. Während sie sich auf den Besucherstuhl fallen ließ, deutete sie Gabi mit einer Handbewegung, auf dem zweiten Stuhl Platz zu nehmen. Die folgte der Aufforderung, und Sarah verstand: Das hier würde eine längere Unterredung werden.

»Weil man Blumen immer in einer ungeraden Stückzahl verschenkt. Eine gerade Zahl ist ein schlechtes Omen.«

»Blödsinn«, meinte Conny. »Das Universum wird schon keine schwarzen Wolken schicken, falls in dem Kübel genau hundert Blumen stecken. Macht optisch gesehen auch keinen Unterschied.«

»Oh doch«, widersprach Sarah. »Eine ungerade Zahl lässt sich einfach besser arrangieren. Eine Blume schaut in einer Vase besser aus als zwei. Und drei machen sich besser als zwei.«

»Na, wenn du meinst. Doch das solltest du nicht uns erzählen, sondern deinem Lover.«

»Es gibt keinen Lover.«

»Einen Verehrer?«

»Keinen Verehrer.«

»Erzähl's ihm trotzdem.«

»Es gibt k…«

»Entschuldige mal. Da lässt dir ein Kerl zig Rosen zukommen, und du behauptest, er würde dich nicht verehren? Das klingt ja so, als wollte Meg Ryan in ›Schlaflos in Seattle‹ Tom Hanks nur die Aussicht vom Dach des Empire State Buildings zeigen!«

Sarah hob abwehrend die Hände. »Okay, okay. Ich hab's begriffen.«

»Wie auch immer«, mischte sich nun Gabi wieder in das Gespräch ein. »Der Strauß ist der absolute Wahnsinn. Da hat jemand richtig viel Geld ausgegeben. Vorausgesetzt, es handelt sich nicht um einen Rosenzüchter.«

»Warum?«

»Na, den hätt die Blumenpracht doch viel weniger gekostet.«

»Ein Rosenzüchter«, wiederholte Conny, als käme ihr soeben die Erleuchtung, wer hinter dem Geschenk stecken könnte.

»Komm her, Sissi«, forderte Sarah den Mops auf, der freudig auf sie zuwackelte. »Hör gar nicht auf die beiden.« Sie kraulte dem Hund die Ohren. »Denen ist fad im Schädel, deswegen haben's so depperte Ideen. Wir beide sind die einzig G'scheiten im Raum, und wir wissen, dass das ein Schmarrn ist, den die da von sich geben, gell?«

Der Hund wedelte.

In dem Moment schien Conny etwas einzufallen. »99 Rosen, na klar! Du hast doch mal einen Artikel über die Bedeutung von Rosen geschrieben, war da nicht was mit 99?«

Sarah hörte auf, Sissi zu kraulen.

»Du liest meine Artikel?«

»Das Thema hatten wir schon mal«, entgegnete Conny. »Ja. Wenn mir extrem fad ist.«

Die Hündin trollte sich unter den Schreibtisch. Sarah sah demonstrativ auf ihren Bildschirm. Sie dachte gar nicht daran zu antworten, weil das nur Öl ins Feuer gegossen hätte. Stattdessen überflog sie die ersten beiden Sätze des Artikels, an dem sie geschrieben hatte, bevor die beiden unangemeldet aufgetaucht waren. Darin ging es um Hochzeitsbräuche. Wo sie herkamen, welche Bedeutung sie hatten. Der *Wiener Bote* plante eine Sonderbeilage zum Thema Heiraten. Sarah sollte über Traditionen und Riten schreiben.

»Ihr seht aber schon, dass ich arbeite, oder?«

»Jetzt sag schon!«, drängte nun auch Gabi auf eine Antwort.

»Was soll ich denn sagen?«, fragte Sarah unschuldig.

»Tu nicht so, als hättest du meine Frage nicht gehört«, brummte Conny.

Sarah lehnte sich im Stuhl zurück. »Also gut. 99 rote Rosen gelten …« Sie machte eine Kunstpause, weil sie die Reaktion der beiden vorausahnte, »als lebenslanges Liebesversprechen.«

»Ha!«, triumphierte Conny. »Von wegen 99 Rosen lassen sich in einer Vase besser arrangieren! Da fällt mir ein, hat nicht Aphrodite ihren Ehemann Ares mit Adonis betrogen? Der dann seinen Nebenbuhler tötete?«

»Wie kommst du denn jetzt auf Aphrodite?«

»David Gruber und sein Nebenbuhler. Die Geschichte hatten wir auch schon mal«, spielte Conny auf eine angebliche Affäre zwischen Polizeiinspektor Stein und ihrer ermordeten Kollegin Hilde Jahn an, die zu dem Zeitpunkt mit dem Herausgeber des *Wiener Boten* liiert gewesen war.

»Was war jetzt mit Aphrodite und den Rosen?«, drängte Gabi.

»Auf dem Weg zum Sterbebett ihres Geliebten stieg Aphrodite in die Dornen von Rosen. Ihr Blut färbte daraufhin die weißen Rosen rot. Deshalb steht die weiße Rose für die Reinheit der Liebe und die rote für Begierde und Leidenschaft«, erläuterte Sarah. »Ich verstehe allerdings noch immer nicht, was das mit mir zu tun haben soll.«

Conny grinste breit. »Jetzt rück endlich mit dem Namen raus! Komm Sarah ... Uns kannst du's doch sagen. Bleibt ein Geheimnis.«

Sarah musste laut lachen. »Sicher, Conny. Bei dir bleibt alles ein Geheimnis. Zumindest so lange, bis du's jemandem erzählst ...«

»Wer?«, hakte Conny unbeirrt nach.

»Ich weiß es nicht. Ehrlich.«

»War denn keine Karte dabei?«, fragte Gabi.

»Doch.«

»Jetzt lass dir halt nicht alles aus der Nase ziehen!«, rief Conny ungeduldig aus. Sie wedelte mit ihren Fingern durch die Luft, was so viel bedeutete wie: Gib mir die Karte.

Sarah schob eine kleine Grußkarte über den Tisch. Auf der Vorderseite war das Schloss Schönbrunn abgebildet. »Da steht nichts Aufschlussreiches drauf.«

Conny klappte die Karte auf. »In großer Verbundenheit. Ihr größter Fan. Jacob«, las sie vor. »Jacob mit c, wie vornehm!« Sie behielt die Karte in der Hand und sah wieder auf.

»Das nennst du nicht aufschlussreich?« Ihr Blick wanderte zuerst zu den Rosen und dann zu Gabi. »Gabi, ich glaub, da hat sich tatsächlich ein Fan der Hokuspokus-Seite in unsere Sarah verliebt!«

Sarahs wöchentliche Kolumne zum Thema Aberglaube in der Wochenendbeilage des *Wiener Boten* wurde intern nach wie vor als Hokuspokus-Seite bezeichnet. Sarah störte das nicht. Sie war daran gewöhnt, genauso wie von Fans ihrer Artikel kleine Aufmerksamkeiten per

Post geschickt zu bekommen. Doch bisher hatten solche Geschenke immer zum Thema gepasst. Rote Rosen hatte ihr noch niemand geschickt. Sarah vermutete, dass der Absender die Bedeutung der Blumen kannte. Da sie jedoch nicht wusste, wer dahintersteckte, hatte sie beschlossen, den Strauß zu ignorieren.

»Kennst du einen Jacob?«

»Um Himmels willen, Conny, was du immer gleich denkst! Nein, ich kenne keinen Jacob, und nein, ich habe keine Affäre. Ist das eigentlich genetisch oder beruflich bedingt, dass du hinter allem ein amouröses Geheimnis witterst?«

»Eigenartig«, sinnierte die Gesellschaftsreporterin, Sarahs Frage ignorierend. »Ich kenne gleich drei, die so heißen. Und du, Gabi?«

»Zwei.«

»Okay.« Sarah hob die Hände. »Gebt mir je einen ab, dann kenne ich auch zwei Jacobs, und wir sind alle glücklich.«

»Sag, war da nicht kürzlich dieser Kerl im *Panorama*?«, fragte Gabi.

»Der, den du angeblich gar nicht kanntest«, erinnerte sich nun auch Conny.

»Genau. Der hübsche Banker«, sagte Gabi mit Betonung auf Banker. »Wie hieß der noch mal?«

In der vergangenen Woche waren sie zusammen im *Panorama* gewesen. Sarahs Bruder Chris arbeitete dort als Barkeeper, um sein Medizinstudium zu finanzieren. David war an jenem Abend nicht dabei gewesen. Dieser Banker hatte mit Sarah geflirtet und ihr einen Drink spendiert, weil er gedacht hatte, sie sei ohne Begleitung im Lokal. Sarah hatte die Situation jedoch gleich klargestellt, und sie, Gabi und Conny hatten daraufhin einen recht lustigen Abend mit ihm verbracht.

»Sein Name war nicht Jacob«, sagte Sarah nachdrücklich.

»Vielleicht ist Jacob sein Pseudonym«, grinste Conny.

Sarah kniff die Augen zusammen. »Conny!«

»Wer auch immer dahintersteckt, ich hoffe nur, er belässt es beim Blumenschicken. Was, wenn er mehr will?« Die Ernsthaftigkeit, mit der Conny das sagte, erschreckte Sarah fast.

»Darüber habe ich ehrlich gesagt noch nicht nachgedacht.«

»Conny hat recht«, unterstützte nun auch Gabi diese Befürchtung. »Manche Fans überschreiten die Grenze, weißt du.«

»Mädels! Bitte«, flehte Sarah. »Ich bin doch kein Star, den man stalkt. Ich habe lediglich einen Blumenstrauß geschickt bekommen. Also macht jetzt keine Staatsaffäre daraus.«

»Blühen Rosen eigentlich nicht erst im Sommer?«, gab Gabi zu bedenken. »Wo hat der denn um diese Jahreszeit so viele her?«

»Stimmt! Daran hab ich noch gar nicht gedacht«, grübelte Conny jetzt ebenfalls.

Nicht auch noch diese Diskussion!

»Die kommen sicher aus einem Glashaus in Holland oder Bolivien«, schlug Sarah genervt vor. »Hey!« Sie zeigte auf den Bildschirm. »Ich muss jetzt wirklich wieder was tun.«

Die beiden erhoben sich gemächlich.

»Du sagst aber, wenn er sich meldet oder noch einen Strauß schickt. Versprichst du's?«, meinte Gabi.

»Aber natürlich.« Ihr Tonfall verriet, dass sie das auf gar keinen Fall tun würde. »Wenn noch ein Strauß kommen sollte, bin ich sicher, dass die ganze Redaktion es innerhalb von Minuten weiß.«

Nachdem Gabi und Conny ihr Büro endlich verlassen hatten, versuchte Sarah, sich wieder auf ihren Artikel zu konzentrieren. Während sie über die Tradition des Brautjungfernbrauches schrieb, darüber, dass diese den Blick der Geister, die der Braut Böses wollen, auf sich zu lenken versuchen, wanderten ihre Gedanken wieder zu den Rosen.

Was, wenn es doch eine gerade Anzahl war?

Sarah beschlich ein ungutes Gefühl.

Na super, jetzt hatten ihre beiden Kolleginnen es tatsächlich geschafft, sie zu verunsichern. Nervös stand sie auf, ging um den Schreibtisch herum, kniete nieder und begann zu zählen.

Wenig später wusste sie, dass 108 Rosen in dem Eimer standen.

3

WIDERSPRÜCHE

Eine junge Frau, vermutlich die Sekretärin, stellte eine Kanne Kaffee und zwei Tassen auf den Tisch.

»Danke.« Martin Stein nickte der Frau zu und entließ sie damit aus dem Raum. Dann zog er den Stuhl von seinem Schreibtisch weg und deutete Valentina, darauf Platz zu nehmen.

Sie waren von Schönbrunn aus direkt ins Präsidium gefahren, nachdem klar geworden war, dass Valentina die Tote gekannt hatte. Und weil immer mehr Leute von der Presse gekommen waren, was den Chefinspektor offensichtlich genervt hatte.

Valentina ließ sich auf den freien Stuhl fallen.

»So, Frau Macek. Sie wissen also, wer Daniela Meier ist«, begann Stein und fasste die Fakten noch einmal zusammen, während er sich auf dem Stuhl gegenüber vom Schreibtisch niederließ. Valentina sah auf die große Wanduhr. Es war inzwischen zehn. In zwei Stunden hatten Ruth Neuberg und sie einen Termin.

»Ich muss spätestens um halb zwölf im Büro sein«, sagte sie. »Ein Paar kommt zur Erstberatung. Schaffe ich das? Ich muss vorher nämlich noch nach Hause.«

»Warum haben Sie uns nicht gleich gesagt, dass Sie die Tote kannten?«

»Ich habe sie nicht erkannt. Sie kam mir nur irgendwie bekannt vor. Das ist ein Unterschied. Persönlich kannte ich sie ja auch gar nicht, nur von Fotos. Wenn ich den Termin nicht schaffe, muss ich meine Teilhaberin anrufen. Die Agentur gehört uns beiden. Sie macht sich bestimmt schon Sorgen.«

»Warum haben Sie nicht gleich erkannt, dass es sich bei der Toten um Daniela Meier handelt?«, stellte der Ermittler wieder dieselbe Frage, nur etwas anders formuliert.

Er schenkte ihnen beiden Kaffee ein und reichte Valentina eine Tasse.

»Hören Sie mir nicht zu? Ich muss dringend in der Agentur anrufen!«

Der Chefinspektor stellte seine Tasse ab und lehnte sich zurück. »Dann rufen Sie an!« Es klang unbeteiligt, doch seine zusammengekniffenen Augen signalisierten Konzentration und behielten sie scharf im Visier.

»Schaff ich's bis halb zwölf?«

»Wenn Sie mir alles erzählen, was ich wissen muss, wahrscheinlich schon.«

Valentina gab Ruth Bescheid, dass sie später ins Büro kommen würde, es aber zu dem Erstgespräch vermutlich noch schaffen würde. Während sie telefonierte, sah Stein sie unverwandt an. Ihr Herz raste. Dabei hatte sie doch gar nichts verbrochen! Warum fühlte sie sich dann, als hätte man sie bei etwas Verbotenem erwischt? Sie musste das Gespräch mit Ruth kurzhalten und sie auf später vertrösten, um ihre vielen Fragen dann in Ruhe beantworten zu können. Nachdem sie auf den roten Knopf ihres Handys gedrückt hatte, beugte sich Martin Stein wieder vor.

»Und?«

»Daniela Meier war unsere Kundin. Also ...« Sie

räusperte sich, griff nach ihrer Tasse und drehte sie in der Hand. »Also nicht wirklich. Irgendwie halt.«

»Irgendwie?«

»Also, nicht wirklich«, wiederholte Valentina und trank einen Schluck Kaffee.

»Irgendwie? Nicht wirklich? Wie jetzt?«

»Das ist eine lange Geschichte.«

Martin Stein verschränkte die Arme vor seiner Brust. »Bitte erzählen Sie! Im Gegensatz zu Ihnen habe ich nämlich Zeit.«

Valentina seufzte leise.

»Ruth arbeitete vor sechs Jahren noch als freie Eventmanagerin für Unternehmen«, begann sie, »und ich als Grafikerin bei einer Werbeagentur.«

»Seit wann kennen Sie und Frau Neuberg einander?«

»Seit sieben oder acht Jahren. So genau kann ich's nicht sagen.«

»Wo haben Sie sich kennengelernt?«

»Ist das wichtig?«

»Im Moment ist alles wichtig.«

»Das Produkt eines Werbekunden wurde präsentiert. Ruth wurde damals für die Organisation des Events engagiert, und ich hatte das Layout für die Verpackung entworfen. Ruth und ich haben uns von Anfang an gut verstanden und auch gut zusammengearbeitet. Daraus hat sich dann eine Freundschaft entwickelt.«

Valentina begann nervös auf dem Stuhl hin und her zu rutschen. Sie fühlte sich in Steins Gegenwart nicht wohl.

»Irgendwann hat Ruth mich darum gebeten, die Gestaltung der Hochzeitseinladungen für eine gute Freundin von ihr zu übernehmen. Nicht offiziell, sondern privat. Was ich dann auch gemacht habe. Ich wusste nicht, für wen diese Einladungen waren, weil Ruth immer nur von einer guten Freundin sprach, der sie bei den Vorbereitungen unter die Arme greifen wollte. Es gab ein Thema für die Hochzeit, das ich natürlich kannte und zu dem die Einladungen passen sollten.«

»Und was war das Thema?«

Valentina schluckte.

»Schneewittchen.«

Martin Stein machte sich eine Notiz. »Und Sie haben sich nicht danach erkundigt, wie diese gute Freundin Ihrer Freundin hieß?«

»Doch, natürlich. Ruth wollte es mir jedoch nicht verraten. Sie sagte nur, die Freundin sei prominent und wolle nicht, dass ich es wisse, weil das meine Kreativität beeinflussen könnte. Dabei haben wir's dann belassen, und so wichtig war es mir auch wieder nicht.«

Dass die Meier eine ziemlich schwierige Kundin war, verschwieg Valentina an dieser Stelle. Sie hatte an jedem ihrer Entwürfe damals etwas auszusetzen gehabt. Alles wusste sie besser. Nicht nur bei den Einladungen und Tischkarten, sondern auch bei der Torte, der Location … eigentlich bei allem, wie Valentina später erfuhr.

»Wann haben Sie erfahren, dass es sich um Daniela Meier handelte, für die Sie Ihre Entwürfe anfertigten?«

»Viel später. Eigentlich erst kurz nachdem sie dann verschwunden war.«

»Wie kann das sein? Stand denn kein Name auf den Einladungen?«

»Meine Entwürfe haben ihr nicht gefallen«, gab Valentina zu. »Ruth rückte irgendwann damit heraus, dass ihre Freundin die Einladungen doch lieber selbst gestalten wollte. Und damit war die Geschichte für mich erledigt.«

»Hat Sie das nicht geärgert?«

»Doch, natürlich hat es mich geärgert. Aber als Ruth mir das Honorar in die Hand drückte …« Sie unterbrach sich und sah den Ermittler erschrocken an.

»Keine Angst. Ich bin nicht vom Finanzamt«, schlussfolgerte er richtig. »Erzählen Sie einfach weiter.«

»Das war's auch schon.«

Valentina starrte an die Wand hinter Stein und blieb an einem Fleck auf dem weißen Putz hängen.

»Ein paar Wochen bevor sie verschwand, brachte Ruth ihr Hochzeitskleider zur Anprobe mit.« Valentina riss sich vom Anblick des Flecks an der Wand los und sah den ihr gegenübersitzenden und aufmerksam zuhörenden Ermittler wieder an. »Sie hatte offenbar vorher noch keine Zeit gehabt, eines auszuwählen.«

»Wissen Sie noch, wie viele Kleider für diese Anprobe zur Verfügung standen?«

Valentina dachte kurz nach. »Nein. Das müssen Sie Ruth Neuberg fragen.«

Der Ermittler schrieb sich wieder etwas auf.

»Ihr hat keines davon gefallen.«

Stein sah auf. »Wie bitte?«

»Die Kleider. Keines der Kleider, die Ruth mitgebracht hatte, gefiel ihr. Also hat Ruth sie wieder zurückgebracht und stattdessen andere geholt. Wenn ich mich richtig erinnere, ging das zwei oder drei Tage so weiter, bis endlich das passende dabei war. Die Irene musste es dann aber noch enger machen.«

»Handelte es sich um dasselbe Kleid, das die Tote heute Morgen anhatte?«, fragte Stein.

»Ich glaube schon, aber genau kann ich's nicht sagen. Ich habe das Kleid ja nie gesehen. Es wurde aus Irenes Brautsalon gestohlen. Irene Bucher«, erläuterte Valentina. »Ihr Brautsalon ist im dritten Bezirk, und sie weiß bestimmt, ob es sich um besagtes Brautkleid handelt. Jedenfalls wurde es gestohlen, nachdem Daniela Meier verschwunden war.«

Wieder notierte Stein sich etwas.

Valentina schwieg einen Moment.

»Ruth hat die Kleider nach der Anprobe immer sofort zu Irene zurückgebracht«, sagte sie, »weil Felix, der Bräutigam, das Kleid vor ihrer Hochzeit nicht sehen durfte. Das bringt nämlich Unglück.«

»Das hab ich auch schon mal gehört«, brummte der Ermittler.

»Den Rest kennen Sie bestimmt. Daniela Meier war damals plötzlich wie vom Erdboden verschluckt. Sie wurde gesucht, aber nie gefunden.«

»Bis heute«, merkte Stein an.

»Bis heute«, wiederholte Valentina tonlos.

»Und das alles geschah vor fünf Jahren?«

»Ja, wie ich schon sagte. Die Einladungen habe ich natürlich schon lange vorher entworfen.«

Stein warf einen Blick auf seine Notizen. »Etwa ein Jahr davor. Ist das korrekt?«

Valentina nickte. »Ja. Etwa.«

»Sie sagten vorhin, diese Anprobe hätte ein paar Wochen früher stattgefunden. Geht das etwas genauer? Vier, fünf oder sechs Wochen früher?«

»Das weiß ich leider beim besten Willen nicht mehr. Fragen Sie Ruth. Vielleicht hat sie den Terminkalender von damals noch. Ist das denn wirklich so wichtig?«

»Im Moment ist alles wichtig.«

»Das sagten Sie schon«, murmelte Valentina.

»Und nach Frau Meiers Verschwinden gründeten Sie und Frau …« Er sah kurz auf seinen Block, »… Neuberg die Agentur?«

»Ja.«

»Unmittelbar danach?«

»Nein. Ungefähr ein halbes Jahr später. Wir bekamen plötzlich Anfragen …« Sie sah Martin Stein an, als müsste sie sich dafür entschuldigen. »Ich habe dann noch eine Weile in der Werbeagentur gearbeitet. Aber irgendwann wurde mir das mit zwei Jobs zu viel, und ich habe den alten gekündigt.«

»Und Sie wollen mir jetzt allen Ernstes erzählen, dass Sie heute Morgen Ihre eigene Kundin nicht erkannt haben?«, hakte der Ermittler noch einmal nach.

»Ich hab's Ihnen doch schon erklärt. Ich wusste damals doch nicht, für wen ich arbeite. Ich habe Daniela Meier persönlich nie zu Gesicht bekommen. Ruth hat mir erst viel später Fotos von ihr gezeigt.«

Auch bei Felix hatte Valentina Fotos gesehen. Daniela und Felix in Florenz beim romantischen Dinner. Am Lido in Venedig. Daniela im Bikini auf dem Liegestuhl. Begehrliche Blicke in die Kamera. Daniela als Model auf dem Laufsteg für eine Hautcreme werbend. Ihr aufdringliches Lächeln, wofür sie nur wenige Muskeln nutzte, weswegen die vorgebliche Herzlichkeit ihre Augen nicht erreichte. Doch hatten all diese Momentaufnahmen nichts mit dem armseligen Häuflein Mensch zu tun, das dort ganz starr und mit eingefallenen Wangen gelegen hatte.

»Ruth hatte das alles organisiert. Sie wäre damals auch Danielas Brautjungfer geworden.« Jetzt kamen Valentina die Tränen. »Dass Daniela tot ist, wird Ruth ... Ich hoffe nur, dass es ihr nicht den Boden unter den Füßen wegzieht.«

»Wie meinen Sie das?«

»Ruth brauchte damals lange, um wieder einigermaßen zu funktionieren, nachdem sie ... Und jetzt das.« Valentina verstummte.

»Das alles erklärt noch immer nicht, warum Sie Daniela Meier nicht erkannt haben.«

Stein zog eine Schublade seines Schreibtisches auf und reichte Valentina ein Taschentuch.

Sie tupfte die Tränen ab und putzte sich die Nase. Das Taschentuch behielt sie in den Händen und zerknüllte es, während sie weitersprach. »Ich habe es Ihnen doch schon gesagt. Ich kannte Daniela Meier nicht.«

In der Hoffnung, damit das Gespräch endlich beenden zu können, machte sie eine Pause. Doch der Blick des Ermittlers forderte sie auf weiterzusprechen.

»Die Idee, eine Hochzeitsplaner-Agentur zu gründen, kam Ruth und mir später.«

Wie oft sollte sie das noch erklären?

»Daniela Meier war Ruths Freundin, nicht meine. Ich weiß nur, dass sie ein Jahr vor der geplanten Heirat Miss Austria geworden war. Und dass dies der eigentliche Beginn ihrer Modelkarriere war. Davor hat sie nur kleinere Sachen gemacht. Doch dann quoll ihr Terminkalender über. Sie war zu einem vielgebuchten Model geworden. Deshalb übernahm Ruth praktisch die gesamte Organisation der Hochzeit. Immerhin war sie die erste Brautjungfer.«

»Es gab mehrere Brautjungfern?«

Valentina knetete das Taschentuch in ihren Händen. »Wenn ich mich richtig erinnere, waren es vier. Ruth hat das irgendwann mal nebenbei erwähnt. Aber wenn Sie mehr wissen wollen, fragen Sie sie doch am besten selbst.«

Gott, wie lange sollte diese Befragung denn noch dauern?

»Das werden wir auch tun, Frau Macek. Aber obwohl Daniela Meier ehemalige Miss Austria und ein vielgebuchtes Model war, haben Sie heute Morgen ihr Gesicht nicht erkannt?«

Schon wieder! Valentina unterdrückte den Impuls, genervt die Augen zu verdrehen. Die sich wiederholenden Fragen klangen immer mehr wie das Echo eines bestimmten Vorwurfs: Du weißt mehr, als du zugibst …

»Fotos von ihr als Model in Zeitschriften und Modemagazinen, später in allen Tageszeitungen und im Fernsehen, als nach ihr gesucht wurde – und Sie wollen Sie allen Ernstes nicht erkannt haben?«

Valentinas Körper straffte sich. Drehten sie sich hier im Kreis? Sie musste höllisch aufpassen, um sich nicht in einen Wirbel hineinzureden.

Sie holte tief Luft und antwortete: »Klar kannte ich sie aus den Medien. Ich habe Ihnen auch erzählt, dass sie mir heute Morgen irgendwie bekannt vorkam, nur bin ich einfach nicht draufgekommen, dass sie es war, Daniela Meier. Ich war nur total geschockt, eine Leiche zu finden, und wäre niemals auf die Idee gekommen, dass ich die auch noch kenne!«

Valentina sah dem Chefinspektor an, dass er ihr kein Wort abnahm, sondern vielmehr der Überzeugung zu sein schien, sie habe etwas mit dem Tod der Frau zu tun. Sie fühlte sich wie in einer der verhassten Mathematikstunden ihrer Schulzeit, töricht und ausgeliefert.

»Frau Macek«, begann er aufs Neue, »können Sie sich einen Reim darauf machen, warum Frau Meier nach fünf Jahren in der Versenkung ausgerechnet jetzt als Leiche wieder auftaucht?«

Valentina zuckte leicht mit den Achseln und ließ den Kopf sinken. Jetzt war es also so weit. Jetzt musste sie Farbe bekennen. Jetzt würde dieser Polizist sie erst recht verdächtigen. »Vielleicht hängt es damit zusammen, dass Felix Beermann wieder heiraten will.« Endlich sprach sie aus, was ihr schon die ganze Zeit auf der Seele lag. »Felix Beermann wird wieder heiraten.«

»Wann?«, fragte Stein und sah sie aufmerksam an.

»In zwei Wochen, in Schönbrunn.«

»Und wen?«

Valentina war sicher, dass er die Antwort bereits kannte.

»Mich.«

4

LEBENSZEICHEN

Rumpelstilzchen lebt mitten im Wald und sitzt im Rollstuhl«, murmelte er, und ein raues Lachen entfuhr seiner Kehle. Vogelgezwitscher drang an sein Ohr. Er brauchte Ruhe, absolute Ruhe. Deshalb schloss er das Fenster.

Auf dem Tisch stand immer noch die dunkelbraune Schuhschachtel. Der Größe nach mussten einmal Damenstiefel darin verpackt gewesen sein. Jetzt war sie randvoll mit Briefen, denen er sich endlich gebührend widmen wollte, mochte es dauern so lange er brauchte. Es waren sicher Hunderte an der Zahl. Ein Brief pro Tag in Gefangenschaft. Bei fünf Jahren in Gefangenschaft machte das … Er schüttelte den Kopf, wie um den Gedanken zu vertreiben. Er wollte das gar nicht erst ausrechnen, denn es würde ihn nur deprimieren. Außerdem war es nicht mehr wichtig. Er hatte resigniert. Nach fünf Jahren der Hoffnung hatte er am Ende doch resignieren müssen.

Sein Mund fühlte sich trocken an. Er entkorkte eine Flasche Wein, nahm ein Glas und schenkte sich ein.

Dann begann er zu lesen.

Lieber Felix,
am ersten Tag habe ich nur dagesessen und habe mich gefragt, warum das passiert ist. Warum mir? Ich habe doch niemandem etwas getan! Das ist nicht gerecht.

Heute habe ich mich hier ein wenig umgesehen und in einer Schublade stapelweise Briefpapier gefunden. Natürlich mit Schneewittchen-Motiven drauf. Völlig idiotisch, aber ich werde offenbar in einem Haus für kleine Mädchen gefangen gehalten. Ich vermute, die Entführer wollen, dass ich dir Briefe schreibe. Wozu sonst das viele Papier? Sie wollen, dass du Lebenszeichen von mir erhältst, damit du das Lösegeld zahlst. So wird es sein. Deshalb werde ich dir jetzt jeden Tag einen Brief schreiben, bis man mich befreit. Bis wir uns wiedersehen.

Hier in meinem Gefängnis gibt es einen Fernseher. Heute wurde in den Nachrichten gesagt, die Polizei suche nach mir. Es ist schon komisch, wenn man im Fernsehen sieht, wie über einen selbst berichtet wird. Lauter Fotos von mir wurden eingeblendet, und natürlich kamen auch Bilder aus der Miss-Austria-Show. Aber das hast du wahrscheinlich auch alles gesehen, oder?

Ich habe keine Ahnung, ob die Polizei »an der richtigen Stelle« sucht. Das hat die Redakteurin den Pressesprecher der Polizei gefragt: »Sind Sie sicher, an der richtigen Stelle zu suchen?«

Die Frau Meier sei wie vom Erdboden verschluckt, hat er geantwortet, und man beginne naheliegenderweise dort zu suchen, wo sie zuletzt gesehen worden sei, und zwar im Palais Pallavicini am Josefsplatz in der Wiener Innenstadt, wo sie auf einer Party gewesen sei …

Wenn die Redakteurin wüsste, wie recht der Polizeisprecher hat: Ich bin tatsächlich vom

Erdboden verschluckt worden. Mein Versteck liegt unterm Bodenniveau, kann sein, dass es ein Keller ist. Es gibt jedenfalls drei vergitterte Fenster, und wenn ich durchschaue, sehe ich ein winziges Stück Himmel. Ansonsten sieht man nur auf eine endlos graue Mauer. Vielleicht ist es eine Art Luftschacht, denn darüber befindet sich offenbar noch ein Schutzgitter. Dich habe ich auch im Fernsehen gesehen, Felix. Nach dem Interview mit dir musste ich fürchterlich weinen. Du würdest jede Summe zahlen, sagtest du, wenn du mich nur zurückbekommst.

Du wolltest ja nicht, dass ich zu der Party ins Palais Pallavicini gehe, sondern dass ich bei dir bleibe. Diese Szene-Events seien dir zuwider und abgesehen davon meiner auch gar nicht würdig. Ich würde ohnehin bald in andere Kreise einheiraten. »Wenn wir erst einmal verheiratet sind …« Das hast du noch gesagt, bevor du wütend aus dem Zimmer gerauscht bist. Wir haben uns dann nicht mehr gesehen, bevor ich weggegangen bin. Wie leid mir das jetzt tut! Auf der Party habe ich mit Irene darüber gesprochen, und dass dies meine letzte Party sein würde. Dass ich mich an ein zurückgezogenes Leben mit dir schon noch gewöhnen würde. Weil du es dir so wünschst. Frag Irene, wenn du mir das nicht glauben solltest.

Meine Entführer – oder ist es doch nur einer? – behandeln mich jedenfalls nicht schlecht. Einmal die Woche schieben sie Lebensmittel durch die Türöffnung, manchmal auch etwas zu lesen, Zeitungen oder Zeitschriften.

Ich werde diesen Brief morgen durch die Öffnung schieben und hoffe inständig, dass du ihn auch tatsächlich bekommst. Dass sie ihn an dich weiterleiten.

Ich hoffe, wir sehen uns bald wieder.

Ich habe Angst, Felix.

Ich liebe dich,

Daniela

Er faltete den Brief wieder zusammen und steckte ihn zurück ins Kuvert. Dann lehnte er sich in seinem Stuhl zurück, trank einen großen Schluck Wein und ließ ihre Worte auf sich wirken.

Irgendwann stand er auf und räumte die Briefumschläge wieder in die Schuhschachtel.

Nach und nach leerte er die Flasche Wein, und auf einmal wusste er, wie er diese Briefe zu Geld machen konnte.

Eine weitere Flasche Wein und zwei Tassen Kaffee später stand sein Plan fest.

5

TOD EINES MODELS

In Zeitungsredaktionen waren Kaffeeautomaten lebensnotwendig, da sie zugleich als Kommunikationszentrum, Informationsdrehscheibe und Spender beispiellos schlechten Kaffees zum Einsatz kamen.

Beim *Wiener Boten* stand der Automat neuerdings nicht mehr auf dem Gang, sondern in der Küche, was die Kaffeepausen bequemer gestaltete. Denn an dem großen Tisch war immer Platz, und egal zu welcher Uhrzeit man hier hereinkam, saßen sicher zwei, drei andere gerade gemütlich plaudernd beim Kaffee. Oft waren solch spontane Zusammentreffen anregend, amüsant und jedenfalls herzerfrischend. Wer allerdings eher seine Ruhe außerhalb seiner vier Bürowände suchte, drohte mit der Situation unter Umständen überfordert zu sein.

Sarah, die sich seit einigen Tagen etwas grippal fühlte und deshalb mit Aspirin aufrecht zu halten versuchte, ging in die Küche, um sich für ihre Brausetablette ein Glas Wasser zu holen. Es standen ihr zwar in ihrem Büro auch Teetassen zur Verfügung, doch um der Wahrheit die Ehre zu geben, war sie vor allem neugierig darauf, ob der üppige Strauß Rosen des ihr unbekannten Absenders auch den Rest der Belegschaft mit Gesprächsstoff versorgte.

Sie machte sich schon auf breit grinsende Gesichter und ironische Bemerkungen gefasst, doch die Küche präsentierte sich ausnahmsweise fast menschenleer. Nur Patricia Franz stand neben dem Kaffeeautomaten. Sie hielt einen Plastikbecher in der einen Hand und tippte mit dem Daumen der anderen auf ihrem Smartphone herum. Die Ärmel ihrer Strickjacke waren so weit nach vorne gezogen, dass nur die Fingerspitzen herausschauten. Ihre rotblonden Locken verdeckten ihr Gesicht, und es schien Sarah fast so, als wollte ihre junge Kollegin sich unsichtbar machen.

»Und? Was tut sich so bei euch in der Chronik?«, fragte Sarah.

Patricia Franz hob irritiert den Kopf.

»Ah, hallo Sarah!«

Rasch steckte sie ihr Handy in die Tasche, als fühlte sie sich bei etwas Verbotenem ertappt. Dann verzog sich ihr Mund jedoch zu einem verschwörerischen Lächeln.

»Ich hab gehört, du hast einen Mega-Blumenstrauß bekommen und weißt nicht, von wem?« Ihre grünen Augen funkelten, und ihr Lächeln wurde breiter.

Also doch!

»Na, da schau her, hat sich das also doch schon rumgesprochen. Was erzählt man sich denn so?«

»Dass du einen Verehrer hast.«

»Gibt's keine wichtigeren Themen, über die man sich unterhalten kann? Katastrophen, Gräueltaten, Morde …«

»Doch, schon. Stell dir vor, in Schönbrunn wurde eine tote Frau gefunden. Die hatte ihr Hochzeitskleid noch an. Oder nein, so, sie hatte das Kleid an, das sie bei ihrer Hochzeit getragen hätte.«

»Was? Wirklich?«, fragte Sarah überrascht.

»Ich komm' gerade von dort«, fügte Patricia hinzu. »Die Szene war irgendwie grotesk, hat mich an Schneewittchen in dem Sarg aus Glas erinnert, die Zwerge um sie herum, bis der Prinz herbeigeritten kommt, der …«

»Alles klar, ich kenne das Märchen, Patricia«, unterbrach Sarah sie etwas ungeduldig.

»Mir hat jemand genau dasselbe am Telefon erzählt«, hörten sie eine vertraute Stimme. Sarah drehte sich um. Conny kam soeben mit Sissi im Schlepptau zur Tür herein. Die Gesellschaftsreporterin hielt den leeren Wassernapf ihres Hundes in der Hand. »Auf die Schlagzeilen der nächsten Tage bin ich gespannt«, meinte sie.

»Weiß man denn schon, wer die Tote ist?«, fragte Sarah.

»Sie heißt Daniela Meier, und sie ist …«, begann Patricia eifrig.

»Sie WAR die Freundin von Felix Beermann«, unterbrach Conny die junge Redakteurin. Ihrem Gesichtsausdruck nach kannte sie bereits sämtliche Details. Gut möglich, dass sie schon im Bilde über alles war, noch bevor die Meldung überhaupt in der Chronik-Redaktion eingetroffen war. Derartige Informationswettbewerbe zu gewinnen – die in Wahrheit gar keine Wettbewerbe waren, weil nur Conny daran teilnahm – stand auf der imaginären Karriereliste der Society-Löwin an zweiter oder dritter Stelle. Ganz oben jedenfalls stand, heimliche Affären aufzudecken, heute dicht gefolgt davon herauszubekommen, wer Sarah die Rosen geschickt hatte.

»Reden wir von DEM Felix Beermann?«, fragte Sarah, stolz darauf, sich endlich einmal den Namen eines Prominenten gemerkt zu haben, noch dazu von einem, mit dessen Branche sie rein gar nichts verband.

Felix Beermann war der Spross einer angesehenen Hotelier-Dynastie. Sein Großvater hatte Mitte der 1950er-Jahre das erste Beermann-Hotel nahe dem Stadtpark eröffnet. Felix' Vater war bereits als junger Bursch in das Unternehmen eingestiegen. Inzwischen gehörten dem Clan Fünfsternehotels auf der ganzen Welt. Felix Beermann galt als erfolgreicher und skandalfreier Workaholic und war überdies einigermaßen medienscheu. Man traf ihn somit äußerst selten auf dem offiziellen Parkett an. Weder öffentliche Auftritte noch Szenepartys waren seine Sache. Umso mehr machten seine Verbindung mit dem Model Daniela Meier und ihre bevorstehende Hochzeit Schlagzeilen. Statt jedoch für Statements oder gar Interviews zur Verfügung zu stehen, überließ er dieses Terrain seiner Verlobten, die ob ihrer sympathischen Ausstrahlung und natürlichen Schönheit der Liebling der Gazetten war. Dass Felix Beermann aktuell kurz vor der Trauung mit seiner neuen Partnerin stand, blieb natürlich ebenfalls nicht lange ein Geheimnis. Doch schenkte man dem bevorstehenden Ereignis deutlich weniger Aufmerksamkeit als dem Paar Beermann/Meier.

Das würde sich allerdings ab sofort ändern.

Conny zog ihre exakt gezupften Augenbrauen anerkennend in die Höhe und ließ ein lautes dunkles Lachen vernehmen.

»Korrekt, Sarah, wir reden von DEM Felix Beermann. Die Meier war ein Jahr vor der geplanten Vermählung

Miss Austria geworden und als Model auf dem Weg nach ganz oben. Sie war schon für Topunternehmen auf dem Laufsteg gewesen und hatte Shootings für internationale Kosmetik- und Haarproduktfirmen. Und dann war sie von heute auf morgen einfach nicht mehr da. Zwei Wochen vor ihrem Hochzeitstermin. Das ist fünf Jahre her. Zuerst wurde gemunkelt, sie hätte sich einfach davongemacht, vermutlich mit einem anderen Kerl. Irgendwann stand dann der Beermann im Verdacht, sie um die Ecke gebracht zu haben. Kannst dir vorstellen, was das für hohe Wellen geschlagen hat. Seine Neider hätten es sicher genossen, ihn im freien Fall die Karriereleiter nach unten sausen zu sehen.«

»Welche Neider?«, fragte Sarah.

Conny zuckte die Achseln. »Keine Ahnung. Aber der Mann ist erfolgreich, und wer Erfolg hat, hat Neider.«

»Und warum sollte er seine Verlobte umgebracht haben?«

Conny schlug unumwunden Eifersucht als Motiv vor: »Immerhin war die Meier ganz schön unterwegs in der Szene. Die hat nichts ausgelassen, bevor der Beermann in ihr Leben trat. Kann gut sein, dass da auch noch was lief, während sie mit dem Beermann ... Na ja, jedenfalls kam bei den Ermittlungen irgendwie nichts G'scheites raus. Und wie es so schön heißt: im Zweifel für den Angeklagten.« Conny war mal wieder ganz in ihrem Element. »Natürlich wurde wie wild weiterspekuliert, eh klar. Die Beermanns haben Hotels in Wien, London, New York und Dubai. Da witterten manche Kollegen eine internationale Verschwörung oder einen Erpressungsversuch. Doch meines Wissens gab es nie eine Lösegeldforderung, zumindest nichts, was bis zu den

Medien durchgedrungen ist. Nehmen wir also mal an, es gab keine, dann hieße das, dass es sich nicht um eine Entführung im herkömmlichen Sinne gehandelt hat.«

»Wieso eigentlich Schönbrunn, wie kam sie dorthin? Weiß man darüber schon was?«, fragte Sarah dann.

Patricia Franz schüttelte den Kopf. »Ist noch nicht bekannt. Die Polizei wertet die Aufzeichnungen der Kameras aus, die in und um Schönbrunn installiert sind, und hofft, dass man daraus schlauer wird.«

Sarah sah skeptisch drein. »Schau'n wir mal, ob der Täter oder die Täterin es ihnen wirklich so leicht macht.«

»Daniela Meier soll übrigens noch heute obduziert werden. Ersten Vermutungen nach ist sie verhungert.«

»Pah!«, brach es aus Conny heraus. »Was für ein annehmbarer Tod für ein Model!«

»Sei nicht so zynisch«, merkte Sarah an.

Conny schüttelte ihre kupferrote Mähne. Sarah konnte nicht erkennen, ob das nun Missbilligung oder Mitgefühl ausdrücken sollte.

»Ich bin nicht zynisch. Schau dir doch die Hungerhaken auf den Laufstegen an. Alle kurz vorm Tod, wenn du mich fragst.«

»Eh«, bestätigte Sarah knapp. »Trotzdem. Wo in Schönbrunn hat man die Leiche eigentlich gefunden?«

»Auf dem Großen Parterre«, antwortete Conny. »Warum fragst du?«

Sarah zuckte mit den Schultern. »Ich weiß nicht.«

Conny zog sich einen Kaffee aus dem Automaten.

»Sarah wittert wohl wieder ein dunkles Geheimnis hinter der Sache«, meinte sie dann an Patricia gewandt. »Dämonen oder Hexen, die durch Wien streifen und

Bräute ermorden. Was sagt uns denn der Volksglaube über Tote, die wiederkehren?«

»Die Meier hat doch noch gelebt, als sie verschwand«, widersprach Sarah. »Also ist sie keine Tote, die wiederkehrt.«

»Ist doch egal«, behauptete Conny. »Jetzt sag schon!«

»Tote kehren manchmal an den Ort zurück, an dem sie gelebt haben. Aber die Meier wird wohl nicht im Schloss Schönbrunn gewohnt haben, oder?«, fragte Sarah. Im selben Moment fiel ihr ein, dass es dort sehr wohl auch Privatwohnungen gab.

»Na. Sie hat in Beermanns Penthouse gewohnt, soviel ich weiß, und zwar im obersten Stockwerk seines Hotels am Stadtpark. Aber die Trauung sollte in Schönbrunn stattfinden«, antwortete Conny.

»Interessant wäre zu erfahren, wo Daniela Meier die letzten – was? – fünf Jahre war und auch, warum sie ausgerechnet jetzt als Leiche wiedergefunden wurde.« Sarahs Neugierde an dieser Geschichte war geweckt, und sie war voll bei der Sache.

»Na klar, und diese Frage ist natürlich auch für die Polizei höchst interessant. Aber noch interessanter finde ich, ob der Beermann seine jetzt bevorstehende Hochzeit absagt. Wie heißt seine Neue noch mal?« Conny dachte nach. »Geh, der Name fällt mir nicht ein. Die zwei leben so unauffällig, dass ich sie gar nicht auf dem Schirm hab, obwohl ich mit ihr schon ein paar Mal zu tun hatte.« Sie fuhr sich genervt durchs Haar. »Ich glaub ich werd' alt … na wurscht, lässt sich eh googeln.«

»Standen Kerzen bei der Leiche?«, erkundigte Sarah sich bei Patricia.

»Ja, Grablichter. Wieso?«

»Weil man an Gedenktagen Kerzen für die Toten aufstellt, um ihnen den Weg zu leuchten. Hatte Daniela Meier vielleicht Geburtstag?«

»Keine Ahnung«, mischte Conny sich wieder ein. »Aber in zwei Wochen wäre die Hochzeit gewesen, also vor fünf Jahren …«

»Hm«, brummte Sarah.

»Bitte, Sarah«, flehte Conny.

»Was ich ja besonders pikant finde ist, WER sie gefunden hat«, sagte Patricia und setzte ein geheimnisvolles Gesicht auf.

»Na, nun sag schon!« Conny klang gereizt. Wie war es möglich, dass diese junge Kollegin mehr wusste als sie?

»Frau Beermann in spe.«

»Echt? Die Macek? Valentina Macek?«, fragte Conny ungläubig. Der Name der Neuen war ihr endlich wieder eingefallen. Sie nippte an ihrem Kaffee. Dann jedoch hielt sie den Plastikbecher einige Zentimeter entfernt in die Höhe und meinte angewidert: »Warum trinken wir eigentlich diese grauenhafte Brühe?« An Sarah gewandt sagte sie: »Kannst du bitte mal mit David darüber reden? Er soll uns eine ordentliche Maschine herstellen, damit wir nicht dieses Klumpert schlucken müssen.« Sie nahm noch einen Schluck.

Sarah sparte sich die Frage, warum Conny den Kaffee dennoch trank. »Oder übernimmst du das, Patricia, wenn du ihn das nächste Mal triffst?«, fragte Conny nun.

Patricia Franz wurde augenblicklich rot.

»Ich muss wieder an den Schreibtisch«, beeilte sie

sich, der Situation zu entkommen. »Der Stepan will den Bericht in einer halben Stunde am Rechner haben.« Sie huschte verlegen aus der Küche.

»Was war das jetzt?«, fragte Sarah.

»Pass auf die Kleine auf«, antwortete Conny nur. »Die hängt regelmäßig beim Kaffeeautomaten herum, und dabei ergibt sich immer mal ein netter Plausch mit unserem Herrn Herausgeber.«

»Glaub ich nicht!« Sarah grinste etwas schräg.

»Ich an deiner Stelle würde allerdings die Augen offen halten. Schon vergessen, wie sie David an ihrem ersten Arbeitstag angesehen hat?«

Sarah konnte sich leider nur zu gut erinnern. Es war kurz nach dem Attentat am Musikvereinsplatz, in das David und sie durch Zufall geraten waren. Doch diese Fronten schienen geklärt, davon war Sarah überzeugt.

»Das ist lange her, und sie hat ja längst begriffen, dass David und ich …«

»Und du glaubst im Ernst, dass die darauf Rücksicht nimmt?« Conny fuhr sich durch ihre kupferrote Mähne. »Ach Sarah, wie naiv bist du eigentlich?«

»Hallo? Schon mal was von Vertrauen in Beziehungen gehört?«

Conny streckte ihren Zeigefinger in Sarahs Richtung aus.

»Sag nicht, ich hätte dich nicht gewarnt! Und jetzt kümmere ich mich mal um ein Interview mit Felix Beermann. Unsere Leser wollen schließlich Anteil am Schicksal anderer nehmen und wissen, wie man sich fühlt, wenn man nach fünf Jahren Ungewissheit die verschollene Braut tot zurückbekommt.«

Sie seufzte.

»Das wird dem armen Kerl gar nicht gefallen, dass er wieder Mittelpunkt der Medienwelt wird.«

Dann füllte sie den Hundenapf mit Wasser.

»Und schon eine Idee, wer der Rosenkavalier sein könnte?«

Sarah schüttelte den Kopf.

»Na, wenn du's sagst. Aber wenigstens hast du Ersatz, falls David die junge Schönheit doch flachlegt.«

Conny formte ihre Lippen zu einem Kussmund und verschwand ebenfalls. Sissi folgte ihr auf dem Fuße.

Während Sarah den beiden nachsah, fragte sie sich, ob Conny sie einfach nur verunsichern wollte oder ob sie tatsächlich ein wachsames Auge auf die junge Kollegin und David haben sollte. Sie verscheuchte die düsteren Gedanken schleunigst wieder aus ihrem Kopf. Sie vertraute David. Außerdem hatte sie anderes zu tun, als eifersüchtig über ihn zu wachen.

Sie füllte ein Glas mit Wasser, ließ das Aspirin hineinfallen und ging zurück zu ihrem Büro. Im Flur fiel ihr ein alter Aberglaube ein: Mädchen, die als Bräute sterben, tanzen auf dem Kreuzweg so lange, bis der Bräutigam ihnen ins Jenseits gefolgt ist.

6

DIE TRAUER

Valentinas Finger zitterten so sehr, dass sie Mühe hatte, ihre Wohnungstür aufzuschließen. Sie ließ die Tür hinter sich zu- und den Schlüssel auf den Boden fallen, schaffte es gerade noch bis zur Toilette und erbrach sich, bis ihr Magen leer war und sie nur noch Galle ausspuckte. Vollkommen erschöpft blieb sie auf dem Boden hocken.

Die Aufregung seit dem frühen Morgen und die nicht enden wollenden, immer gleichen Fragen dieses abgebrühten Polizisten hatten sie psychisch und physisch vollkommen überfordert. Sie wunderte sich, dass sie überhaupt so lange durchgehalten hatte.

Mit noch immer leicht zitternden Knien stand sie auf, drehte den Duschhahn heiß auf, zog sich rasch aus und stellte sich unter den Strahl. Sie schloss die Augen. Warmes Wasser strömte ihr über Gesicht und Körper, und ein tiefer Seufzer entrang sich ihrer Kehle. Langsam begann sie sich zu entspannen.

Doch der Anblick von Danielas Leiche ließ sich nicht wegwaschen. Er hatte sich auf ihre Netzhaut gebrannt. Warum zum Teufel, warum war ausgerechnet ihr das passiert? Und warum ausgerechnet jetzt, wo gerade alles so gut lief? Diese ganze furchtbare Geschichte und der Mord an Daniela würden ihre Beziehung mit Felix auf den Prüfstand stellen, so viel stand fest.

Sie seufzte noch einmal tief, wusch sich die Haare und massierte dabei ihren Kopf, um wenigstens für Momente nicht denken zu müssen.

Den Termin mit dem Brautpaar hatte sie natürlich versäumt. Ruth hatte dem Paar sicher freundlich lächelnd eine gute Entschuldigung präsentiert, doch dabei innerlich getobt wie ein Vulkan kurz vor dem Ausbruch. Wenn es um nicht eingehaltene Termine, Vereinbarungen oder Verabredungen ging, konnte sie, die sonst sehr viel Verständnis aufbrachte, ausgesprochen zornig werden. Doch sobald Ruth die ganze Geschichte hören würde, würde sie sich sofort wieder beruhigen, davon war Valentina überzeugt. Am Telefon war nur Zeit für die Kurzversion über ihren Frauenleichenfund in Schönbrunn gewesen. Dieser Inspektor schilderte Ruth wahrscheinlich gerade en détail die Ereignisse. Er wolle direkt im Anschluss an sein Gespräch mit Valentina zusammen mit einer Kollegin in die Agentur fahren, hatte er gesagt, er müsse mit allen sprechen, die Daniela gekannt und mit ihr zu tun gehabt hatten.

Denn so viel war klar: Daniela Meier hatte sich nicht selbst in ihrem Brautkleid aufgebahrt.

»Gab es jemanden, der etwas gegen eine Vermählung einzuwenden hatte?«

Die Frage des Chefinspektors ging ihr nicht mehr aus dem Sinn. Vermählung. Welch sperriges Wort.

»Gegen welche? Die von Felix und Daniela oder von Felix und mir?«, hatte sie gefragt.

»Beide.«

Valentina hatte keine Antwort darauf gewusst. Wer um Himmels willen sollte etwas gegen die Hochzeit gehabt haben? Ganz abgesehen davon lebten sie doch nicht im Mittelalter, wo man die verhasste Konkurrenz mal eben beseitigte.

Konkurrenz. Das Wort hallte in ihren Gedanken wider. Oder sollte es jemanden geben, für den Daniela eine Rivalin war und der sie deshalb …? Aber würde das nicht bedeuten, dass auch sie, Valentina, in Gefahr war? Sie erschrak und verwarf diesen Gedanken auf der Stelle wieder. Das waren doch reine Hirngespinste! Daniela verschwand vor fünf Jahren spurlos nach einer Party, irgendjemand hatte ihr aufgelauert und sie dann verschleppt. Das alles hatte nichts mit ihr und Felix zu tun.

Die Polizei hoffte natürlich, durch die Befragungen und die Obduktion der Leiche Erkenntnisse darüber zu gewinnen, wo Daniela Meier die letzten fünf Jahre gewesen war. Valentina bezweifelte jedoch, dass sich die Sache nun aufklärte. Denn schon vor fünf Jahren war man jedem noch so kleinen Hinweis nachgegangen – ohne den geringsten Erfolg.

»Scheiße!«

Sie schlug mit der flachen Hand gegen die Fliesen, drehte das Wasser ab und stieg aus der Dusche.

Gegen Ende der Befragung hatte sie Stein noch erzählt, dass auch ihre erste Brautjungfer Ruth sei, ebenso wie Irene Bucher auch für sie das Brautkleid entwerfen würde. Jetzt schämte sie sich dafür. Sie kam sich vor wie die kleine Schwester, die die abgetragene Kleidung der großen bekommt.

Der Ermittler hatte sie daraufhin eine Weile schweigend angesehen, sich etwas auf seinem Block notiert und sie dann endlich gehen lassen.

Valentina trocknete sich ab und wickelte das Badetuch fest um ihren Körper.

Endlich fand sie die Kraft, Felix anzurufen. Augenblicklich meldete sich seine Mailbox. Natürlich, er hatte ihr ja von dem wichtigen Meeting erzählt, das an diesem Morgen anstand. Felix schaltete sein Handy bei Terminen prinzipiell aus, egal ob sie geschäftlich oder privat waren und auch, wenn Valentina und er essen gingen. Wahrscheinlich war die Polizei längst bei ihm gewesen. Sie föhnte ihre Haare, zog sich an und schminkte sich notdürftig. In der Küche füllte sie ein Glas mit Wasser, schluckte eine Kopfschmerztablette und aß rasch ein Müsli mit Joghurt.

Dann verließ sie ihre Wohnung und ging hinunter auf die Schönbrunner Schlossstraße. Die milde Frühlingsluft versetzte ihr einen wohltuenden Energieschub. Sie fuhr mit den öffentlichen Verkehrsmitteln in den fünften Bezirk in die Margaretenstraße. Ihr Auto stand seit Wochen unbenutzt in der Beermann-Hotelgarage. Felix wollte sich um den Verkauf kümmern, weil sie in der Stadt im Grunde gar kein Auto brauchte.

Das Gebäude, in dem sich die Räume der Agentur befanden, lag nahe dem Margaretenplatz im zweiten Stock eines Altbaus. Für sie und Ruth zentral genug, um problemlos hinzukommen, aber weit genug von der Innenstadt entfernt, um sich die Miete gerade noch leisten zu können. Dank Ruths guter Kontakte gehörten einige prominente Personen zu ihrem Kundenkreis, was ihnen zum Glück viel Mundpropaganda und vor allem allgemein Publicity bescherte. Ihre Verbindung mit Felix brachte der Agentur darüber hinaus finanzkräftige Kunden. Ihre Auftragslage war demgemäß sehr gut.

Valentina blieb einen Moment vor der doppelflügeligen Eingangstür der Agentur stehen und ließ ihre Hand kurz auf der Klinke verweilen. Dann atmete sie tief durch und drückte den Türgriff nach unten. Sie betete stumm, keine Polizei mehr anzutreffen. Kaum war sie eingetreten, stürmte Ruth aus ihrem Büro, verweint und völlig außer sich. Ihre kurz geschnittenen hellbraunen Haare standen zerzaust vom Kopf ab, als wäre sie öfter mit den Händen durchgefahren, wie sie es tat, wenn sie aufgebracht war.

»Es ist so schrecklich!«, schluchzte sie.

Sie umarmten einander.

»Ja, es ist schrecklich«, wiederholte Valentina.

Dabei hätte sie gar nicht sagen können, was sie am Schrecklichsten fand: Daniela Meiers Leiche entdeckt zu haben oder die Tatsache, dass sie tot oder überhaupt wieder aus der Versenkung aufgetaucht war, ob nun tot oder lebendig.

»Ist die Polizei schon weg?«, fragte Valentina, obwohl offensichtlich niemand mehr da war.

Ihre Freundin gab sie frei.

»Ja. Die wollten gleich weiter zu Felix. Hast du ihn schon gesprochen?«

Valentina schüttelte den Kopf.

»Ich auch nicht«, sagte Ruth und schnäuzte sich.

Auf dem Weg ins Büro hatte Valentina überlegt, ihn noch einmal anzurufen oder zumindest seine Sekretärin zu bitten, ihm Bescheid zu geben, dass er sie dringend zurückrufen solle. Doch sie hatte den Impuls unterdrückt und es sein gelassen. Sie fürchtete sich vor seiner Antwort auf ihre Fragen, die sie ihm nun auf jeden Fall würde stellen müssen. Was tun wir jetzt? Müssen wir unsere Hochzeit absagen? Wäre es nicht pietätlos, sie zu feiern, wo Daniela, die vermisste Braut, als Leiche wieder zurückgekommen war?

»Bleibst du denn meine erste Brautjungfer?«, fragte Valentina vorsichtig.

Ruth antwortete nicht sofort, und Valentinas Angst wuchs, ein Nein zu hören.

Doch Ruth nickte.

»Natürlich. Ich würde dich doch niemals im Stich lassen.« Nach einer Pause fügte sie hinzu: »Vorausgesetzt, ihr sagt die Hochzeit nicht ab, weil ...« Ruth brach den Satz ab.

Valentina schluckte.

Sie gingen hinüber in die Küche, wo Ruth ihnen Kaffee einschenkte.

»Weißt du, was mir zuerst einfiel, als mir der Polizist die Todesnachricht überbrachte? Danielas Lachen. Selbst heute noch, nach fünf Jahren, höre ich ihr fröhliches Lachen. Immer wenn sie lachte, lachten alle andern mit. Mensch, ist das alles schrecklich.« Ruth hielt ihre Tasse in der Hand und starrte ins Leere. »Sie war so unglaublich hübsch. Trotzdem war sie von permanenten Selbstzweifeln geplagt.« Sie blinzelte die Tränen weg und schüttelte den Kopf, als wollte sie so auch die Erinnerungen loswerden.

»Eine Handvoll Journalisten hat hier angerufen. Die wollten alle mit dir reden. Ich hab mir ihre Telefonnummern aufgeschrieben«, wechselte sie das Thema. »Glücklicherweise haben die nicht realisiert, dass sie mit Danielas erster Brautjungfer reden, sonst hätte ich sie sicher nicht abwimmeln können.«

Valentina nippte an ihrem Kaffee und murmelte: »Ich

ruf sicher nicht zurück. Keine Lust auf Presse.« Sie stellte sich mit wachsendem Unbehagen vor, wie zig Journalisten den Eingang des Beermann-Hotels belagerten.

»Dann solltest du heute auf keinen Fall ans Telefon gehen«, schlug Ruth vor. Sie seufzte. »Ich mach das eh für dich. Im Radio haben sie übrigens schon einen kurzen Beitrag gebracht, aber vorerst ohne deinen Namen zu nennen. Aber das kommt bald, wirst sehen. Es hieß nur, man habe eine tote Frau gefunden, bei der es sich um das ehemalige Model Daniela Meier handelt.«

Valentina wollte am liebsten gar nichts mehr davon hören.

»Bist du mit den Neuen heute klargekommen?«, erkundigte sie sich nach dem Termin, den sie verpasst hatte.

Ruth nickte. »Ist mir zwar nicht leichtgefallen, aber mach dir da mal keinen Kopf. Das wird keine große Sache. Eine Hochzeit mit gerade mal 30 Leuten, und ich bin schon alles mit ihnen durchgegangen. Die Location soll an der Donau liegen. In der Wachau. Sie entscheiden sich bis nächste Woche, ob's die Burgruine Aggstein oder das Stift Dürnstein werden soll. Die Torte backt der Josef, die Blumen macht die Eva, und das Brautkleid kommt von der Irene, das haben wir heute schon fix vereinbart.«

»Das heißt, wir haben den Auftrag?«

Ruth nickte.

»Apropos Brautkleid.«

Ruth schluckte und vergrub ihr Gesicht in den Händen, als wollte sie sich gegen die Tatsache abschirmen, dass Daniela tot war. Sie begann so heftig zu schluchzen, dass ihre Schultern bebten. Fünf Jahre bangen und auf ihre Wiederkehr hoffen, und nun war alles vorbei. Es würde kein Wiedersehen geben, niemals mehr. Valentina nahm sie in die Arme.

»Und ausgerechnet ich muss sie finden«, murmelte sie. Jetzt bekam sie zu allem Übel auch noch ein schlechtes Gewissen.

Ruth beruhigte sich langsam wieder, schnäuzte sich in eine Serviette, die sie von der Küchenablage nahm und anschließend in den Abfalleimer warf. Eine Weile sagten sie beide kein Wort.

»Dein Brautkleid ist übrigens fertig«, brachte Ruth schließlich heiser hervor, als weigerten sich die Worte, ihre Kehle zu verlassen. »Irene bringt es zum Meeting mit.«

Das Meeting! Verflixt, das hatte Valentina vollkommen vergessen.

»Sollen wir's lieber absagen?«, deutete Ruth Valentinas Gesichtsausdruck richtig.

»Nein, es passt schon. Eigentlich sollte ich dich fragen, ob du das alles schaffst heute«, entgegnete Valentina. »Ich hab sie zwar gefunden, aber sie ...« Sie räusperte sich und überlegte, wie sie es am besten ausdrücken sollte. Gegenwart oder Vergangenheit? »... ist immerhin deine beste Freundin gewesen.«

Ruth friemelte ein Taschentuch aus ihrer Hosentasche und tupfte sich die erneut aufkommenden Tränen aus den Augenwinkeln.

»Eh, aber sich daheim zu verkriechen macht sie auch nicht mehr lebendig. Und so blöd das jetzt vielleicht klingt ...«

Sie sah Valentina traurig an.

»Also versteh mich nicht falsch, aber jetzt können wir wenigstens alle abschließen. Die Ungewissheit macht einen auf die Dauer doch auch ganz fertig. In den letzten fünf Jahren verging kein Tag, an dem ich mich nicht gefragt hätte, wo man sie wohl festhält. Ob sie überhaupt noch in Wien ist. Ob man ihr mit dem Tod droht, sie foltert, vergewaltigt.«

Wieder schluchzte sie laut auf, und Tränen liefen über ihre Wangen.

»Kein Tag, an dem ich nicht gehofft habe, dass sie irgendwann flüchten kann … so wie die Kampusch. Verstehst?«

Valentina nickte. Der Fall Natascha Kampusch war vor Jahren durch die gesamte Weltpresse gegangen.

In dem Moment wurde ihr klar, dass das Meeting eine Katastrophe werden würde.

7

DAS PENTAGRAMM

Es war wie verhext. Je intensiver Sarah sich vornahm, die tote Braut aus ihren Gedanken zu verbannen, desto stärker wurde der Wille, ein wenig im Archiv nachzustöbern. Sie stellte das Radio an, um die Nachrichten zu hören, und rief die Teletextseite ihres Fernsehmonitors auf. Während sie die ORF-Meldung las, die ihr jedoch keine Neuigkeiten verriet, trank sie das Glas Wasser mit dem aufgelösten Aspirin in langsamen Schlucken. Dann rief sie das Archiv des *Wiener Boten* auf und las sämtliche Artikel, die es über Daniela Meier gab. In erster Linie ging es um ihre Arbeit als Model, dann lang und breit um die Hochzeitsvorbereitungen inklusive Namen all der Unternehmen, die ihren Teil zu dieser Promivermählung beitrugen: Floristen, Konditor, Goldschmied, Brautsalon ... Daniela Meiers Verschwinden hatte zwar jede Menge Wirbel gemacht, aber Sarah schien es, als schrieben die Redaktionen voneinander ab. In jedem Artikel stand nahezu wörtlich dasselbe.

Der Nachrichtensprecher im Radio vermeldete, dass es sich bei der Toten um die ehemalige Verlobte des Unternehmers Felix Beermann handelte. Auch nichts Neues also.

Sarah stellte einige Informationen über die Ereignisse von vor fünf Jahren zusammen, bis sie sich ein einigermaßen genaues Bild machen konnte.

Daniela Meier war nach einer Party nicht wieder nach Hause gekommen. Felix Beermann hatte Alarm geschlagen. Die ehemalige Miss Austria war an jenem Abend mit zwei Freundinnen zu einer Veranstaltung im ersten Bezirk gegangen, wo sich hauptsächlich Fotografen, Modejournalisten, Designer, Schauspieler und Models tummelten. Sie hatte diese Party kurz nach Mitternacht verlassen. Ihre beiden Freundinnen waren schon früher gegangen. Wenige Tage danach wurde in den Brautsalon der Modedesignerin Irene Bucher eingebrochen. Daniela Meiers Brautkleid wurde gestohlen.

Woher wussten die Einbrecher, welches Meiers Hochzeitskleid war?

Der Diebstahl jedenfalls hatte die Ermittler wiederum zu einem Mann geführt, der das Model angeblich verfolgt haben sollte. Sarah konnte jedoch den Namen dieses Mannes in keinem der Artikel finden. Möglich, dass seine Identität gar nicht bekanntgegeben worden war. Nur so viel erfuhr sie, dass der Beschuldigte vehement bestritt, mit der Sache etwas zu tun zu haben, und dass er für den Abend des Festes ein Alibi hatte. Befragungen von Freunden und Kollegen ergaben ebenfalls nichts, das Klarheit verschaffte, und alle angeblichen Spuren führten letztlich nirgendwohin.

Und so blieb Daniela Meier verschwunden.

Sarah griff zum Telefon und gab Connys Durchwahl ein.

»Du hast ja gar nicht erzählt, dass die Meier gestalkt wurde.«

Sie hörte die Gesellschaftsreporterin laut auflachen.

»Da hätt' ich glatt meinen Hintern drauf verwettet, dass du es nicht lassen kannst, du alte Neugiernase.«

»Was ist jetzt mit dem Stalker?«

»Den hab ich völlig vergessen.«

»Einer aus ihrem Umfeld?«

»Keine Ahnung. Darüber gab es nie eine konkrete Meldung, soweit ich mich erinnere. Nur Gerüchte und Gerede.«

»Konkrete Gerüchte?«

»Nein. Die Sache war relativ bald vom Tisch. Es gab wie gesagt nichts, außer eben das Gerücht, die Polizei hätte wen auf dem Schirm. Die gingen aber wohl nur einem Hinweis nach, und nachdem da nix rauskam, hat's niemanden mehr interessiert. Die Presse hatte sich da schon längst auf den Beermann eingeschossen.«

Während sie Conny zuhörte, rief Sarah die Homepage des Brautsalons auf, aus dem das Kleid damals gestohlen worden war.

»Und was da rauskam, weiß ich auch nicht mehr genau«, redete Conny weiter, »kann aber nicht viel gewesen sein, denn gefunden wurde sie nicht. Bis heute.«

Sarah klickte sich durch die Seiten.

»Weißt du noch, was für ein Hinweis das war, dem man damals nachging?«

»Keine Ahnung. Aber frag mal Stepan, vielleicht kann der sich erinnern.«

»Ein Pentakel.«

»Was?«

»Entschuldige, Conny. Ich hab nur gerade das Firmenlogo des Brautsalons gesehen. Es ist ein Pentakel.«

»Was ist das?«

»Ein von einem Kreis umschlossenes Pentagramm.«

Wieder lachte die Gesellschaftsreporterin laut. »Na hervorragend! Jetzt haben wir endlich den Beweis dafür, dass die Meier doch der Teufel geholt hat.«

Sie mussten beide lachen.

»Du weißt aber schon, dass das Pentagramm ursprünglich als Bannzeichen gegen das Böse galt? Und dass erst in den 1980er-Jahren das umgedrehte Symbol für den Satanismus verwendet wurde?«

»Danke für den Geschichtsunterricht.«

»Jederzeit gerne. Falls du mehr darüber wissen willst, das steht alles in meinem Artikel der letzten Wochenendbeilage.«

»Aber wer, bitte schön, nimmt so ein Pentakel als Firmenlogo?«

»Na ja, wenn man es als Schutzsymbol sieht? Pythagoras etwa sah es als Zeichen für Gesundheit«, schlug Sarah vor. »Das würde doch gar nicht schlecht zu einem Brautsalon passen.«

»Wenn du's sagst.«

Sie beendeten das Gespräch, und Sarah nahm die aktuelle Wochenendbeilage des *Wiener Boten* zur Hand. Darin hatte sie über das Pentagramm im Café-Restaurant des Kaiserpavillons im Schönbrunner Tiergarten berichtet. Von außen konnte man das im Boden eingelassene Symbol nur sehen, wenn die Tür zur Lokalküche geöffnet war.

Sarah spürte förmlich, wie ihr Adrenalinspiegel stieg. Ihre Gedanken fuhren Karussell. Es half alles nichts, und auch auf die Gefahr hin, dass Patricia den Eindruck haben würde, Sarah mischte sich in ihre Geschichte ein. Sie musste ihrer Eingebung einfach nachgehen, sonst ließ sie ihr keine Ruhe und würde sie bis in ihre Träume verfolgen.

Sie griff beherzt noch einmal zum Telefon.

»Hey Sarah«, meldete sich Patricia. Sie hatte Sarahs

Durchwahl am Display erkannt. »Was kann ich für dich tun?«

»Du sagtest doch vorhin, die Leiche der Braut sei am Großen Parterre gefunden worden. Weißt du, wo genau?«

»Auf dem Weg zwischen den Rabatten, das habe ich doch schon gesagt«, kam es etwas genervt zurück.

»Auf welchem der Wege, Patricia? Ich würde es gerne genauer wissen. Dort gibt es viele Rabatten und viele Wege.«

»Wozu soll das wichtig sein? Ich hab wirklich Wichtigeres zu tun.«

»Ich weiß noch nicht genau wozu, es ist eher so ein Gefühl, dem ich nachgehe«, antwortete Sarah und bereute ihre Antwort in der Sekunde, in der sie sie aussprach, denn sie erfüllte alle Kriterien, um ihrem Ruf als Hokuspokus-Tante gerecht zu werden.

»Weißt was, ich schick ein paar Fotos an deinen Rechner, da siehst du sicher mehr, okay?«, schlug Patricia vor.

Sarah bedankte sich. »Ah, und bitte kannst du mich noch schnell mit Stepan verbinden?«

»Bin ich jetzt schon deine Sekretärin?«, murrte Patricia und stellte Sarah zu dem Ressortleiter durch. Blöde Kuh, dachte Sarah.

Sie erkundigte sich bei Günther Stepan nach Daniela Meiers angeblichem Stalker. »Kann's sein, dass da mal was geplant und dann wieder verworfen wurde? Im Archiv finde ich nämlich nichts dazu.«

»Es gab nichts her«, antwortete Stepan nach kurzem Schweigen.

Nachdem sie sich von Stepan verabschiedet hatte, kamen die von Patricia versprochenen Fotos an. Der

Anblick der Aufgebahrten erinnerte Sarah augenblicklich an Schneewittchen im gläsernen Sarg, nur dass es hier keinen Sarg gab. Sekunden später bestätigte sich ihre Ahnung.

»Wusste ich's doch, das Zentrum des Pentagramms«, sagte sie laut.

»Komme ich ungelegen?«

David stand im Türrahmen.

»Nein, gar nicht, komm rein!«

Der Herausgeber des *Wiener Boten* trat ein und schloss die Tür hinter sich. Er trug Jeans, und das dunkelblaue Hemd hing lässig über dem Hosenbund – ein Zeichen dafür, dass er keinen wichtigen Termin mehr hatte, etwa mit Politikern, Anwälten oder seinem Steuerberater, denn in dem Fall trüge er einen Anzug. Sarah war am Morgen nicht aufgefallen, was er angezogen hatte. War sie schon so an seine Anwesenheit gewöhnt, dass ihr Zusammensein zur Routine wurde?

Seine dunklen Augen strahlten sie an. Er fühlte sich rundum wohl, das konnte Sarah ihm deutlich ansehen. Sie hatten trotz der allgemein vorherrschenden Medienkrise keine Mitarbeiter entlassen müssen. Das freute David ungemein. Oder hatte er noch einen anderen Grund, so gut aufgelegt zu sein?

»Was verschafft mir die Ehre?«

»Ich habe gehört, du betrügst mich?« Er deutete auf den Rosenstrauß.

Sarah verdrehte die Augen.

»Bitte jetzt nicht auch noch du!«

David ließ sich breit grinsend auf den Besucherstuhl fallen und verschränkte die Arme vor seiner Brust.

»Wer ist es?«

»Wer hat getratscht? Die Gabi oder die Conny?«

»Das ganze Haus spricht von nichts anderem. Du bist ein Star, mein Schatz«, grinste er. »Habe ich eine Chance, dein Herz zurückzugewinnen?«

Von wegen, er flirtet mit Patricia, dachte Sarah.

»Eventuell, wenn ich dich jetzt gleich ganz elegant zum Essen ausführe?«, fragte er. »Wenn du willst, schenk' ich dir auch rote Rosen. Hab dir eh schon lange keine Blumen mehr geschenkt.«

»Die Rosen!«, rief Sarah plötzlich aufgeregt aus. »Du sagst es, die Rosen!«

»Was meinst du?«

»Na, die Rosen im Kübel.«

David starrte sie verwundert an.

»Sag, was hast du heute Morgen geschluckt? War das wirklich nur Aspirin, oder muss ich mir Sorgen machen?«

»In dem Kübel befinden sich 108 Rosen.«

»Und?«

»Das ist die Zahl des Pentagramms.«

»Ist das jetzt gut oder schlecht?«

»Das weiß ich nicht.«

»Ist nicht die Fünf die Zahl des Pentagramms? Weil es doch auch Fünfeck heißt und mit den fünf menschlichen Elementen … oder so irgendwie … zu tun hat? Hast du mir das nicht mal erklärt?«

Sarah setzte zu einer Antwort an, doch David hob die Hand.

»Wart, ich krieg's zusammen.« Er zählte an den Fingern einer Hand ab: »Erde, Wasser, Feuer, Luft und Geist. Na, was sagst du?«, fragte er stolz.

»Super!«, sagte Sarah ein wenig ungeduldig, weil sie endlich loswerden wollte, was in ihr vorging.

»Schau, der Innenwinkel eines Fünfecks hat 108 Grad, und …«

»Ich akzeptiere auch ohne eingehendere Erläuterung, dass 108 die Zahl des Pentagramms ist«, unterbrach David. »Aber glaubst du ernsthaft, dass irgendwer an ein Pentagramm denkt, bevor er Rosen kauft?«

»Ich habe im letzten Wochenendmagazin über das Pentagramm im Kaiserpavillon berichtet und in einem Nebensatz den Zusammenhang mit dieser Zahl erwähnt.« Sarah schob ihm die Zeitung über den Schreibtisch zu.

»Und jetzt glaubst du, dass der geheimnisvolle Rosenkavalier dir wegen deines Artikels exakt so viele Rosen schickt? Diese These halte ich für – mit Verlaub – ein wenig gewagt.«

»Warum sollte er es sonst tun?«

»Weil er dich verehrt und dir eine Freude machen wollte? Weil du eine attraktive Frau bist?«

Sarah sah David skeptisch an. »Glaub ich nicht.«

»Was?«

»Dass ein Unbekannter mir eine Freude machen will.«

»Dass du attraktiv bist, glaubst du aber schon, oder?«

Sie beugte sich vor und lächelte ihn kokett an. »Nur wenn du mir das sagst.«

Er lächelte das Lächeln, das sie so sehr an ihm liebte. »Es ist schwer, dich zu beschenken.«

»Stimmt nicht.«

David seufzte.

»Angenommen du willst mir eine Freude machen und kaufst Rosen, wie viele würdest du nehmen? 108 Stück?«

David dachte kurz nach. »Wahrscheinlich nicht.«

»Siehst du«, triumphierte Sarah. »Und du würdest eine ungerade Stückzahl nehmen.«

David zog die Mundwinkel nach unten und zuckte mit den Schultern. »Echt? Würde ich?«

»Ja, natürlich würdest du eine ungerade Zahl nehmen.«

Es klang wie eine Warnung, ihr nur ja niemals mit einem Blumenstrauß gerader Stückzahl zu kommen.

»Es hat etwas zu bedeuten, David, glaub mir. Und es hat irgendwas mit der Leiche in Schönbrunn zu tun.«

Er seufzte erneut, nur etwas lauter. »Du bist ganz schön argwöhnisch und anarchisch, weißt du das? Mein nächstes Geschenk für dich werde ich mir jedenfalls vorher gründlich durch den Kopf gehen lassen.«

Sarah lachte herzlich. »He, deine Geschenke werde ich nicht analysieren, sondern mich nur darüber freuen. Versprochen!«

»Da bin ich aber froh. Und jetzt mal ernst, du hast doch vom Pentagramm im Kaiserpavillon geschrieben. Meines Wissens wurde die Tote woanders gefunden. Wie kommst du also auf ein Pentagramm in diesem Zusammenhang?«

»Es gibt ein zweites Pentagramm in Schönbrunn. Ein unsichtbares.«

»Ein unsichtbares«, wiederholte er in einem Tonfall, als zweifelte er an Sarahs Geisteszustand.

»Schau mal!« Sie winkte ihn auf ihre Seite des Schreibtisches vor ihren Monitor.

David Gruber erhob sich mit skeptischer Miene. Sarah rief den Lageplan des Schlossparks Schönbrunn auf, zog eine Schablone aus der obersten Schublade und hielt sie vor den Bildschirm. Die Schablone bildete ein Pentagramm ab.

»Die fünf wichtigsten Gebäude im Schlossgarten bilden die Eckpunkte des Fünfsterns«, erklärte Sarah. »Die Gloriette, der Obelisk, die Orangerie, der Eingang zum Tiergarten und die Wagenburg. Und da, in der Mitte des Fünfecks, siehst du noch ein Pentagramm, ein kleineres. Dessen Eckpunkte sind die Najadenbrunnen, das untere Ende des Neptunbrunnens und der Beginn des Großen Parterres beim Ehrenhof.« Sie tippte mit dem Zeigefinger in die Mitte des kleinen Pentagramms. »Und genau hier wurde die Leiche von Daniela Meier gefunden.«

Sie nahm die Schablone vom Bildschirm weg und legte sie neben sich auf den Schreibtisch. »Sorry David, aber das kann kein Zufall sein!«

David blieb sekundenlang schweigend stehen, dann ging er um den Tisch herum und ließ sich wieder auf den Stuhl fallen.

»Ich fasse es nicht. Du hast tatsächlich eine Pentagramm-Schablone in deinem Schreibtisch liegen?«

Sie grinste.

»Du etwa nicht?«

»Nein.«

»Während du den Schock verdaust, kann ich dir ja noch erzählen, dass die 108 in Indien eine Glückszahl ist.«

»Willst du mir damit sagen, dass die Täter indische Pentagramm-Insider sind?«

Sarah musste lachen.

»Aber du meinst, dass die Rosen etwas mit dem Mord an der Frau in Schönbrunn zu tun haben?« David schüttelte ungläubig den Kopf.

Sarah sah ihn nur an.

»Ich fürchte, ich kann dir trotz allem nicht ganz folgen. Ist es nicht nur naheliegend, dass ein Rosenkavalier dir einfach nur Rosen schenken wollte?«

Sarah verzog das Gesicht. »Nein, das glaub ich nicht.« Dann fiel ihr noch etwas ein. »108 Rosen stehen für einen Heiratsantrag.«

»Bitte lass uns essen gehen«, stöhnte David, »sonst vermute ich am Ende noch, dass dir ein fescher Inder einen Heiratsantrag gemacht hat.«

»Okay. Und nach dem Essen schauen wir bei Chris im *Panorama* vorbei. Mir ist heute nach vielen Leuten und sinnlosen Gesprächen.«

»Meinetwegen.«

»Er heißt übrigens Jacob.«

»Wer?«

Sarah grinste.

»Der Inder.«

8

DAS MEETING

Als Felix' Name auf dem Display erschien, begann Valentinas Herz heftig zu klopfen.

Felix war vollkommen außer sich und bestand darauf, sie sofort abzuholen. Doch Valentina wollte den bevorstehenden Termin unter keinen Umständen absagen. Immerhin ging es dabei um die Organisation einer Hochzeit mit 300 Gästen, ein wesentlicher Faktor für die Erfolgsbilanz. Und wenn Ruth die Kraft hatte, an diesem verfluchten Tag zu arbeiten, dann würde sie das auch schaffen. Sie käme sich schäbig vor, ihre Partnerin in einer solchen Situation alleine zu lassen.

»Außerdem lenkt mich die Arbeit ab«, argumentierte sie, bis Felix endlich nachgab.

Beide vermieden tunlichst, ihre bevorstehende Hochzeit anzusprechen, und sie verabredeten sich für den Abend bei Felix.

»Aber du fährst auf gar keinen Fall mit den Öffentlichen!«, beharrte Felix. »Der Chauffeur kommt um Punkt sechs. Hast du verstanden?«

»Ist gut, ich habe verstanden, bis dann also«, sagte Valentina, woraufhin sie das Telefonat beendeten.

Wie üblich fand das Treffen in Ruths Büro statt, weil es heller und wesentlich größer war als Valentinas. Außerdem gab es eine Couch, auf der sich gewohnheitsmäßig Josef niederließ. Normalerweise breitete er auf dem kleinen Tisch davor eine ganze Bildergalerie mit Hochzeitstorten aus. Heute jedoch ließ er seine Fotos in der Mappe.

Josef Voland, 36, an die zwei Meter groß und mit einem wachen Verstand gesegnet, war der genialste Konditor, den Valentina jemals kennengelernt hatte. Keiner in ganz Wien lieferte schönere und köstlichere Torten als er, wovon Ruth und sie gleichermaßen überzeugt waren. Er kreierte echte Kunstwerke, die so himmlisch schmeckten wie sie aussahen.

Etwas unbeholfen nahm er erst Valentina und dann Ruth in den Arm und murmelte: »Was für ein schrecklicher Albtraum …«

Valentina nickte schwach und bemühte sich um ein Lächeln. »Schrecklich« würde zum Wort des Tages werden, so viel stand fest.

Irene, die Modedesignerin, breitete bereits Fotos ihrer neuesten Modelle auf Ruths Schreibtisch aus und beschwerte sich währenddessen in der Runde, dass niemand sie telefonisch vom Tod Danielas in Kenntnis gesetzt hatte.

»Warum muss ich das aus dem Radio erfahren? Was glaubt ihr wohl, was das für ein Schock für mich war? Wenigstens du«, und sie wandte sich an Ruth, »du hättest mich doch anrufen können!«

»Wir stehen im Moment doch alle unter Schock«, verteidigte sich Ruth.

»Aber du rufst mich sonst auch sofort an, wenn irgendwas passiert ist oder wenn du krank bist oder …«

»Das hier ist nicht irgendwas«, fiel Ruth ihr ins Wort, »sondern Daniela ist tot! Ich war wie gelähmt vor Schreck, als die Polizei kam, und ich wäre keine Sekunde darauf gekommen, eine von euch anzurufen.«

»Du hältst doch sonst auch nicht hinterm Berg mit Neuigkeiten, egal wie schlimm«, beharrte Irene.

»Egal wie schlimm? Wenn wer gestorben ist?«, gab Ruth zurück, und ihr Ton wurde spürbar ungehalten.

»Du weißt genau, was ich meine!«

»Nein Irene, das weiß ich nicht!« Ruth rang um Fassung.

»Mädels!«, schaltete sich nun Gerhard Dorfinger ein, bemüht, den sich anbahnenden Streit zwischen den beiden Frauen zu stoppen. Er war seit Kurzem der Fotograf im Team, 39, gutaussehend und meistens die Ruhe in Person. Gerhard hatte Daniela Meier nicht persönlich gekannt, insofern legte er keinen gesteigerten Wert darauf, das Thema über Gebühr auszuwalzen.

Eva Weber, die Floristin, stand etwas hilflos daneben. Sie war Ende 40, etwas rundlich, sehr warmherzig und stets auf Harmonie bedacht.

»Schau, Irene«, sagte sie nun vorsichtig. »Wir haben es doch alle nur aus dem Radio erfahren. Oder glaubst du, mich hat wer angerufen?«

Aber Irene wollte sich nicht beschwichtigen lassen. Sie wandte sich zu Valentina um und rief: »Noch dazu, wo unser Herzblatt hier sie gefunden hat! Voilà, dein Brautkleid!«

Mit diesen Worten reichte sie Valentina ein in Folie verpacktes Kleidungsstück.

Valentina nahm es wortlos entgegen und brachte es umgehend in ihr Büro. Wieder überkam sie das ungute Gefühl, die alte Kleidung der großen Schwester, die sie selber nie hatte, auftragen zu müssen. Dabei war das Brautkleid nagelneu und exakt auf sie zugeschnitten.

Die Sitzung begann noch grauenvoller, als Valentina es befürchtet hatte. Es gab nur ein einziges Thema: Daniela Meier.

Josef, Ruth, Irene und Eva übertrafen einander mit Schilderungen, wann, wie und wo sie Daniela kennengelernt hatten und welche Erlebnisse sie mit ihr verbanden. Nur Valentina und Gerhard schwiegen.

Bald redeten sie wild durcheinander, bedauerten Danielas Schicksal, bedauerten sich selbst wegen des Verlustes einer guten Freundin und bedauerten auch Valentina, weil sie über die Leiche gestolpert war, wie Josef es ausdrückte. Zunehmend schlich sich nach einiger Zeit auch verhaltene Kritik an Daniela in ihre Konversation ein. Wie schwierig sie sein konnte, wie schwer zufriedenzustellen, wie anspruchsvoll, wie ungnädig, wenn etwas nicht nach ihren Wünschen verlief …

»De mortuis nil nisi bene«, sagte Ruth schließlich. »Sie war eine Perfektionistin, das wissen wir doch alle. Sie wusste eben, was sie wollte, und gab nicht nach, bis sie ihr Ziel erreicht hatte.«

»Du meinst, bis sie bekam, was sie wollte, wie zum Beispiel den Felix?«, merkte Josef an.

Allen im Raum war bekannt, dass Felix anfangs nicht besonders interessiert an Daniela gewesen war, während sie längst ein Auge auf ihn geworfen hatte. Erst nachdem sie eine Miss Austria und dann ein erfolgreiches Model geworden war, änderte sich die Situation zu ihren Gunsten. Dies hatte sie damals vor allem Ruth zu verdanken, worüber ebenfalls alle im Bilde waren.

Hätten wir doch nur diesen Termin heute gecancelt!, dachte Valentina, die das Gespräch kaum noch aushielt.

»Könnten wir bitte jetzt trotzdem die Hochzeit besprechen?«, überwand sie sich schließlich, und ihr Ton klang schärfer als beabsichtigt. »Ich weiß natürlich, dass es schwer ist, zur Tagesordnung überzugehen in Anbetracht der wirklich schrecklichen Ereignisse. Aber immerhin haben wir einen wichtigen Auftrag, weshalb wir uns ja auch getroffen haben.«

»Valentina hat recht«, sagte Josef, und Ruth nickte zustimmend.

Irene sah jedoch zweifelnd in die Runde.

»Wenn ihr meint, dass wir heute dazu imstande sind, gut, dann lasst uns anfangen. Ich glaube zwar, dass wir als Team so eingespielt sind, die Hochzeit auch ohne lange Besprechung gut über die Bühne zu bringen, aber bitte!«

Dann sah sie Valentina direkt an und meinte: »Dafür, dass du heute über ihre Leiche gestolpert bist, wirkst du ehrlich gesagt erstaunlich kühl. Ich jedenfalls wäre völlig aus dem Häuschen und unfähig, irgendeine Besprechung abzuhalten.«

Jetzt tu nicht so, als wäre sie deine beste Freundin gewesen!, dachte Valentina erzürnt. Sie erinnerte sich gut daran, wie Irene sich ihr einmal nach ein paar Gläsern Wein anvertraut hatte. Sie habe Daniela für ihr Brautkleid doppelt so viel berechnet, wie es wert gewesen sei. Schließlich sei klar gewesen, dass Felix zahlen würde, der ja bekanntlich genug Geld habe. Irene hatte das Geld damals dringend gebraucht. Und Felix hatte das Kleid kommentarlos bezahlt, nachdem Daniela spurlos verschwunden war.

»Ich reiß mich halt zusammen«, entgegnete Valentina unwirsch.

Sie klärten die wichtigsten Punkte wie Catering, Location, Ablauf und Anprobe der Hochzeitskleidung relativ rasch ab. Evas Vorschläge für den Blumenschmuck wurden einstimmig angenommen. Die Farbzusammenstellungen für Einladungskarten, Brautstrauß und Anstecker für die Hochzeitsgäste wurden aufeinander abgestimmt, und sie vereinbarten den Zeitpunkt für die Hochzeitsfotos. Außerdem sollte jeder Gast ein Foto von sich selbst als Geschenk bekommen, so die Idee des Brautpaars.

Gerhard erklärte sich bereit, dafür möglichst originelle Szenerien zu entwerfen, und unterbreitete einen spontanen Vorschlag: »Der Gast jeweils überdimensional groß im Bild, und in seiner Hand das Hochzeitspaar. Sowas in der Art …«

Valentina bat Ruth, sich ein Hochzeitsspiel auszudenken. Ruth war Spezialistin dafür. Derartige Spiele sorgten für lockere Stimmung und einen angenehmen Zeitvertreib zwischen den Mahlzeiten. Außerdem kamen die Gäste dadurch auf unterhaltsame Weise miteinander in Kontakt. Schließlich umfasste die Hochzeitsgesellschaft 300 Leute, die einander vermutlich nur teilweise kannten.

Nach gut zwei Stunden war die Planung so weit abgeschlossen, und die Gespräche in der Runde wurden wieder privater.

Gegen sechs waren alle gegangen, nur Valentina stand noch etwas unschlüssig im Flur.

Ruth jetzt alleinlassen zu müssen nagte an ihrem Gewissen. Sie konnte sich nur zu gut ausmalen, wie es ihrer Freundin ergehen und woran sie sich jetzt unweigerlich erinnern würde. Da war vor allem Ruths Ehe mit Toni, die bald nach Danielas Verschwinden auf äußerst unschöne Weise in die Brüche gegangen war … Auch wenn Valentina in letzter Zeit den Eindruck hatte, dass es einen neuen Mann in Ruths Leben gab. Was sie ihr von Herzen gönnte, auch wenn er ihr bisher noch nicht vorgestellt worden war.

Aber jetzt musste sie selber so rasch wie möglich Felix sehen und mit ihm reden. Klären, wie sie mit der Situation umgehen sollten. Klären, was aus ihren Plänen werden sollte …

»Ist schon in Ordnung«, sagte Ruth, als Valentina sich zu entschuldigen begann. »Ich hab eh noch zu tun, und das lenkt mich wenigstens ab.«

»Rufst mich an, wenn du dich alleine fühlst?«

Ruth nickte.

Beide wussten sie, dass Ruth nicht anrufen würde, wie auch immer sie sich fühlte.

9

DER VORLETZTE SCHRITT

Er wartete in einem Leihwagen gegenüber vom Haus. Er hatte sich für einen unauffälligen dunklen VW-Golf entschieden. Die gab es in der Stadt wie Sand am Meer. Drei Mal musste er um den ganzen Block fahren, bis er endlich eine Parklücke ergatterte. Die Aktion hatte ihn über eine halbe Stunde gekostet. Er hatte bereits überlegt, die ganze Sache zu verschieben. Doch in dem Moment war die Parklücke frei geworden.

Er hatte den Eingangsbereich des Gebäudes gut im Visier. Das Firmenschild schien neu zu sein: »Hochzeitsplanung Macek & Neuberg«. Die beiden Damen machten einen bemerkenswerten Job und hatten sich ein offenbar gut funktionierendes Team aufgebaut.

Im Radio wurde über die Tote in Schönbrunn berichtet. »Bei der Leiche handelt es sich um das seit fünf Jahren vermisste ehemalige Model Daniela Meier«, sagte der Nachrichtensprecher soeben.

Das spielte ihm in die Hände.

Gegenüber wurde die Haustür geöffnet, und Irene Bucher kam heraus. Er rutschte in seinem Sitz nach unten und hoffte, dass sie nicht in seine Richtung blickte. Vorsichtig spähte er aus dem Seitenfenster. Jetzt tauchte Josef auf. Die beiden redeten eine Weile miteinander, dann gingen sie in entgegengesetzte Richtungen davon.

Wieder öffnete sich die Tür, und Eva erschien. Sie kam direkt auf ihn zu. Er ließ sich blitzschnell seitwärts auf den Beifahrersitz fallen. Sie blieb neben seinem Wagen stehen. Sein Herz raste. Er hielt die Luft an und schloss die Augen wie ein kleines Kind, das glaubte, wenn es niemanden sah, auch von niemandem gesehen zu werden. Er hörte, wie sie sich wieder entfernte, atmete erleichtert aus und richtete sich wieder auf.

Sie hat zugelegt seit unserem letzten Treffen, dachte er.

Nachdem auch sie aus seinem Blickfeld verschwunden war, sah er auf die Uhr. Halb sechs. Eine Zeitlang passierte nichts. Irgendwann bog ein schwarzer Mercedes in die Straße ein, der vor dem Haus im Parkverbot hielt. Der Fahrer blieb sitzen, stellte jedoch den Motor ab.

Um Punkt sechs kam Valentina aus dem Haus.

Er blieb jetzt aufrecht sitzen.

Sie trug flache Halbschuhe, Jeans und eine weiße Bluse. Über ihrem Arm hing eine Jacke. Trotz ihrer sportlichen Kleidung wirkte Valentina elegant, wenngleich nicht ganz so glanzvoll wie Daniela.

Daniela!, seufzte er stumm. Wie oft hatte er ihre wohlgeformten Brüste und den sinnlichen Po gestreichelt? Wie glücklich sie einmal gewesen waren! Und wie rasch sich alles geändert hatte.

Der Fahrer stieg aus seinem Mercedes aus, wechselte auf die Beifahrerseite und hielt Valentina gentlemanlike die Tür auf. Ihre langen Haare waren zu einem Pferdeschwanz zusammengebunden, was ihr hübsches Gesicht gut zur Geltung brachte. Sie achtete nicht weiter auf ihre Umgebung, sondern steuerte direkt auf die dunkle Limousine zu und stieg ein. Der Fahrer schloss die Tür und setzte sich wieder hinters Lenkrad.

Er konnte sich ein Grinsen nicht verkneifen. »Wenn das deine Kunden sehen könnten, dass du in einer Luxuslimousine mit Chauffeur nach Hause fährst«, murmelte er.

Gleich darauf war der schwarze Mercedes aus seinem Blickfeld verschwunden.

Er wartete noch eine Weile, doch es passierte nichts mehr. Sein knurrender Magen erinnerte ihn daran, dass er seit dem frühen Morgen nichts mehr gegessen hatte. Auf der Straße war weit und breit kein Mensch zu sehen, und so stieg er aus. Er schlug den Mantelkragen hoch und setzte einen Hut auf. Sicherheitshalber. Niemand sollte ihn erkennen.

Er überquerte die Straße, ging auf das Haus zu und läutete.

10

DAS HOTEL

Der Chauffeur ließ sie direkt vor dem Hotel aussteigen. Überraschenderweise waren weder vor dem Gebäude noch in der Lobby Journalisten zu sehen. Ob Felix schon einen Kommentar abgegeben hatte? Sie grüßte die Rezeptionisten freundlich lächelnd und stieg in den Lift. Um in das Penthouse im obersten Stockwerk zu gelangen, brauchte man einen speziellen Liftschlüssel. Valentina besaß einen.

Im Flur stolperte sie über einen ihrer Umzugskartons. Die eine Hälfte ihres Lebens befand sich noch in der Schönbrunner Schlossstraße, die andere schon in Felix' Wohnung, verpackt in Pappkartons.

»Felix?«, rief Valentina, während sie sich die Schuhe auszog und ihre Jacke an die Garderobe hing. Keine Antwort. Sie ging ins Wohnzimmer, ließ ihre Tasche auf den Boden fallen und nahm sich erst mal einen Drink.

Auf dem Couchtisch lag ein aufgeschlagenes Fotoalbum. Also war Felix doch schon in der Wohnung gewesen. Mit dem Glas in der Hand blieb sie vor dem Tisch stehen und betrachtete die Fotos, als verböte ihr die Pietät, sich zu setzen. Auf den Fotos waren Felix und Daniela zu sehen. Auf einem hielt Daniela ein Champagnerglas in die Höhe. Felix stand hinter ihr, seine Arme um ihre Taille geschlungen. Ihre Gesichter strahlten. Sie schienen glücklich gewesen zu sein. Jemand hatte »Verlobung. Hotellobby« unter den Bildrand gekritzelt. Valentina versetzte der Anblick einen Stich ins Herz. Aber war das möglich? Konnte man auf eine Tote eifersüchtig sein?

Sie wandte sich ab, trat ans Fenster, schob die Glasschiebetür auf und ging hinaus auf die Terrasse. Von hier aus hatte man einen herrlichen Blick weit über die Stadt.

Bevor sie Felix getroffen hatte, kannte sie solche Residenzen nur aus Zeitschriften und Filmen. Ihr Vater war Lehrer, die Mutter nach Valentinas Geburt daheim geblieben. Sie hatten im Grünen gewohnt, in einem kleinen Ort in Niederösterreich, doch groß war ihre Wohnung nicht gewesen. Als Kind hatte sie manchmal Luxushäuser und bunte Gärten aus Zeitschriften ausgeschnitten, sie in leere Schuhkartons geklebt und mit kleinen Figuren vor diesen Kulissen gespielt. Später tat sie Leute, die in Wirklichkeit so lebten, als Schnösel ab. Und in zwei Wochen würde sie nun selber zum Schnösel werden. Sie schmunzelte. Mädchen vom Lande trifft Märchenprinz … Tatsächlich kam es ihr manchmal ein wenig so vor.

Ein Windzug fuhr ihr durchs Haar, und unvermittelt lief ihr ein Schauer über den Rücken.

»Warum sagst du denn nicht Bescheid, bevor du kommst?«

Erschrocken fuhr sie herum.

Felix trat soeben hinaus auf die Terrasse und kam auf sie zu.

»Aber du hast doch extra den Fahrer geschickt!«, erwiderte sie irritiert. »Hast du das etwa vergessen?«

Er zupfte an seiner Krawatte, lockerte den Knoten und öffnete den ersten Knopf seines blütenweißen Hemds.

»Ach ja, stimmt, sorry«, murmelte er. Dann strich er sich übers Haar. »Ich hatte einen wahnsinnig anstrengenden Tag.«

Er griff nach ihrer Hand, zog sie an sich und gab ihr einen Kuss.

»Wie geht es dir?«

Sie strich ihm mit der Hand sanft über die Wange.

»Keine Sorge, mir geht's gut. Es war halt ein arger Schock in der Früh, aber jetzt geht's wieder. Wie geht's dir denn?«

»Die Polizei war da.«

»Ich weiß. Der, der mich vernommen hat, sagte, dass er anschließend zu dir fahren wollte.«

»Warum hast du mich denn nicht sofort angerufen?«

»Dein Handy war aus.«

»Meine Sekretärin hätte mir die Nachricht sofort übermittelt.«

Er ließ sie los und stützte sich mit beiden Händen am Geländer ab.

»Lassen wir das. Die Polizei hat mir alle möglichen Fragen gestellt. Aber ich konnte natürlich nichts anderes dazu sagen als damals.« Er schüttelte den Kopf und starrte in die Ferne. »Ich muss nur die ganze Zeit daran denken, was die arme Daniela alles hat durchmachen müssen.« Dann drehte er sich wieder zu Valentina um. »Der Polizist konnte mir nicht sagen, was mit ihr passiert ist. Die Untersuchungen sind noch nicht abgeschlossen.«

Tränen schimmerten in seinen Augen. Er wandte sich ab und schlug mit der flachen Hand auf das Geländer.

»Verdammt, Valentina. Wer tut so etwas? Wer verschleppt eine junge Frau, sperrt sie irgendwo ein, misshandelt sie womöglich und lässt sie dann einfach verhungern?«

Valentina schluckte. »Steht es denn schon fest, dass sie verhungert ist?«

Felix nickte schwach. »Wahrscheinlich, ja. Genau können sie das erst nach der Obduktion sagen.« Er stieß sich vom Geländer ab und griff erneut nach ihrer Hand. »Komm, gehen wir hinein.« Er zog sie sanft hinter sich her ins Wohnzimmer.

»Willst du noch etwas trinken?«, fragte er und wies auf ihr leeres Glas.

»Ja, bitte.« Valentina ließ sich auf der Couch nieder.

Felix griff nach zwei sauberen Gläsern und goss ihnen beiden Rotwein ein.

»Ich hab niemanden von der Presse gesehen, als ich gekommen bin«, sagte Valentina.

»Ich bin sicher, irgendwo da draußen lungern noch ein paar Journalisten herum, in der Hoffnung, dass ich das Hotel heute wieder verlasse. Aber den Gefallen werde ich ihnen nicht tun. Der Sicherheitsdienst hat am Nachmittag einige von ihnen aus der Lobby hinauskomplimentiert, und meine Sekretärin hat im Minutentakt erklärt, dass ich keine Interviews gebe. Ich habe mich hierher zurückgezogen, sobald es ging.« Er sah sie müde an, reichte ihr ein Rotweinglas, setzte sich neben sie und klappte das Fotoalbum auf dem Couchtisch zu.

»Da glaubt man, an alles gedacht zu haben, und ich heirate sogar meine Hochzeitsplanerin, dass ich bei der Planung nur ja nichts vergesse«, sagte er bemüht um einen kleinen Witz und lächelte gequält. »Und dann so etwas!« Er stieß sein Glas sanft gegen ihres, und ein langer, reiner Ton erklang. Dann nahm er einen großen Schluck Wein zu sich. Valentina tat es ihm nach.

Wieder schwiegen sie eine Weile und starrten beide vor sich hin. Valentina hätte viel darum gegeben, seine Gedanken erraten zu können.

»Der Polizist sagte, dass auch du möglicherweise in Gefahr bist«, brach Felix das Schweigen.

»Ich? Aber warum? Ich hab doch niemandem etwas getan.«

»Darum geht es auch nicht. Es geht nicht um dich, Valentina. Er hat mich gefragt, ob ich Feinde habe. Er glaubt, dass es um mich geht. Jemand will mich verletzen, indem er mir wegnimmt, was ich liebe.«

Felix Beermann erhob sich vom Sofa und ging mit seinem Glas in der Hand unruhig auf und ab.

»Aber das macht doch keinen Sinn ...«

Valentina verstummte. Denn es machte sehr wohl Sinn. Was traf einen Menschen mehr, als ihm wegzunehmen, was er liebte?

»Er hat mich außerdem gefragt, ob irgendjemand etwas gegen unsere Verbindung haben könnte.« Er blieb stehen und drehte sein Glas im Kreis. »Mir fiel aber niemand ein.«

»Mir hat er dieselbe Frage gestellt, und mir fiel auch niemand ein«, sagte Valentina. »Und was ist mit Feinden?«

Felix schüttelte den Kopf.

»Feinde! Ich habe keine Feinde. Ich bin Hotelier, kein Mafiaboss. Jedenfalls wäre mir nicht bekannt, dass ich welche habe. Neider, ja, die hat wahrscheinlich jeder, der mehr als 5000 netto verdient.«

Wieder schwieg er.

»Ich habe den ganzen Nachmittag nachgedacht«, sagte er schließlich. Er sah sie unglücklich an und räusperte sich.

Valentina hielt beklommen die Luft an. Jetzt war es also so weit …

»Es führt kein Weg dran vorbei«, ergriff er wieder das Wort. »Wir müssen unsere Hochzeit verschieben.«

Valentina erstarrte vor Schreck, obwohl sie mit nichts anderem gerechnet hatte. Doch jetzt war es ausgesprochen. Sie mussten die Hochzeit verschieben. Unhörbar atmete sie aus.

Felix sah sie beinahe flehend um ihr Einverständnis an, doch sie konnte ihm diesen Gefallen nicht tun.

»Warum?«, fragte sie stattdessen tonlos.

Er legte die Stirn in Falten. »Das fragst du jetzt aber nicht im Ernst, oder, Valentina?«

Sie zuckte mit den Achseln.

»Verflucht noch mal!«, rief er aus, kam zum Sofa zurück, setzte sich hin, stellte sein Glas auf dem Tisch ab und zog sie an sich. »Ich liebe dich.«

Sie fühlte sich wie kurz vor einer Ohnmacht, und sie schloss die Augen.

Nicht nur, dass die Hochzeit verschoben werden musste, bereitete Valentina Magenschmerzen, sondern auch der Aufwand, der damit einherging. Sie mussten sämtliche Bestellungen stornieren, alle Gäste wieder ausladen und jeder einzelnen Person plausible Gründe dafür darlegen. Sie sah bereits nicht enden wollende Telefonate auf sich zukommen, die sie nicht führen wollte.

»Wirklich, nur verschieben«, flüsterte er in ihr Haar.

»Auf wann?«

»Ich weiß es nicht. Bis das alles vorbei ist.«

»Ich verstehe ja, dass wir nicht so tun können, als wäre nichts passiert. Aber irgendwie ist es … Es ist einfach ungerecht«, sagte sie leise und darum bemüht, jeden vorwurfsvollen Unterton zu vermeiden. Felix konnte ja nichts dafür. Dann kamen ihr die Tränen. »Ich liebe dich auch.«

Sie küsste ihn und spürte plötzlich eine Welle hemmungsloser Lust. Mit vor Erregung zitternden Fingern begann sie, die Knöpfe seines Hemdes zu öffnen, einen nach dem anderen. Ob es pietätlos war, wenn sie hier mit Felix schlief, während Daniela in einer Kühlkammer der Gerichtsmedizin lag? Sie verdrängte den Gedanken sofort wieder. Schließlich war es gewissermaßen Danielas Schuld, dass sie und Felix jetzt nicht wie geplant würden heiraten können.

Freitag, 17. April

11

DER BRAUTSALON

Sarah ging ins Sekretariat von Davids Büro. Sie wusste, dass er bei einem Auswärtstermin war. Diesmal hatte sie auf seine Kleidung geachtet: Die war heute Morgen nämlich weniger leger ausgefallen, stattdessen hatte er zu Anzug, Hemd und Krawatte gegriffen, was wichtige Termine signalisierte. In diesem Jahr standen Wahlen in Wien an, und der *Wiener Bote* erhoffte sich einen Anteil des Wahlwerbebudgets. Deshalb hatten sich David und Herbert Kunz, der Chef vom Dienst, mit dem Bürgermeister zum Mittagessen verabredet.

Sarah zog die Tür hinter sich zu und setzte sich auf den Stuhl vor Gabis Schreibtisch.

»Kannst du dir das vorstellen? Der hat nicht einmal mit der Wimper gezuckt. Nicht so viel!« Sarah hielt Daumen und Zeigfinger wenige Millimeter voneinander entfernt. Ihr Blick verriet, dass sie ebenso beeindruckt wie empört war. »Nicht mal eine Spur Eifersucht, als ich auf die Rosen zu sprechen kam!«

»Alles voller Meldungen über die tote Braut. Schau!« Gabi ging gar nicht weiter auf Sarahs Problem eines offenbar nicht existierenden Beziehungsproblems ein. Sie drehte das Konkurrenzblatt um, damit Sarah das Titelbild sehen konnte: Daniela Meier als Model, darunter ein Foto der aufgebahrten Leiche im Querformat.

»Tja, war damit zu rechnen, dass sie die Schlagzeilen kriegt«, meinte Sarah.

Angewidert starrte sie auf das Foto, und wieder einmal kroch der Zorn in ihr hoch. Es ging ihr zutiefst gegen den Strich, Zeitungsleser und -leserinnen mit Bildern von Toten zu konfrontieren, nur um der Quote willen. Möglichst grell, möglichst skandalös, möglichst blutig. Da ging es um reine Effekthascherei, für die sämtliche ethischen Grenzen überschritten wurden. Diese Sensationspresse trat jedwede Verantwortung mit Füßen. Mit gutem Journalismus hatte das rein gar nichts mehr zu tun. Sie fragte sich, ob der Fotograf so nah an die Leiche herangekommen war oder ein Teleobjektiv verwendet hatte, und sie hätte nicht sagen können, was sie verabscheuenswerter fand.

Gabi schlug die Zeitung auf. »Ob die Macek und der Beermann jetzt trotzdem heiraten?«

»Wir werden's erfahren«, antwortete Sarah missmutig. »Interessiert mich im Moment auch nicht, ich würde lieber wissen, was du zu David sagst.«

Gabi legte die Zeitung zur Seite.

»Ich dachte, du seist froh darüber, dass David kein eifersüchtiger Typ ist. Das hast du jedenfalls immer gesagt.«

»Ja eh, schon. Aber dass er so gar nicht reagiert? Da kommt's mir fast so vor, als sei ich ihm egal.«

»Vielleicht zeigt er es ja nur nicht.«

Sarah schüttelte den Kopf. »Glaub ich nicht.«

»Warum nicht?«

»Er war doch die Ruhe in Person. Oder hast du das gestern im *Panorama* anders empfunden?«

»Er ist sich halt deiner sicher. Nenn's Vertrauen in eure Beziehung. Außerdem ist David meistens die Ruhe in Person. Nur wenn er ein Glas Cognac trinkt, weiß man, dass irgendwas nicht passt.«

Sarah musste lachen. »Stimmt«, meinte sie, »kein Cognac. Der soll sich aber ja nicht zu sicher sein.« Sie wusste selber nicht genau, was sie so störte.

»Na, aus dir wird man auch nicht ganz schlau. Ist dir vielleicht der Frühling eingeschossen?« Gabi stützte sich mit dem Ellbogen auf ihrem Schreibtisch ab und richtete ihren Zeigefinger wie eine Waffe gegen Sarah. »Mal ehrlich, wenn David wegen solcher Belanglosigkeiten dauernd Argwohn hegen würde und dich mit Argusaugen beobachten würde, dann wärt ihr schon lange nicht mehr zusammen.«

»Hallo? Über hundert rote Rosen sind doch wohl keine Belanglosigkeit!«, entgegnete Sarah. »Noch dazu, wenn ihre Stückzahl praktisch einem Heiratsantrag gleichkommt. Nicht einmal das hat ihn beeindruckt.«

»Hey, jemand hat sich von deinem Artikel über das Schönbrunner Pentagramm dazu inspirieren lassen. Der will nichts von dir als Person. Also ist dieser Blumenstrauß auch kein Heiratsantrag, Sarah.«

Sarah öffnete den Mund, doch Gabi hob die Hand.

»Warte, lass mich ausreden. Als Conny und ich vermuteten, dass du einen heimlichen Verehrer hast, sagtest du selber, das sei völliger Quatsch.«

»Moment mal, ihr habt mir eine Affäre angedichtet«, widersprach Sarah. »Das ist ja wohl ein bisserl was anderes als ein heimlicher Verehrer!«

»Das war nur Spaß, und das weißt du auch.«

»Es geht mir mehr ums Prinzip.«

»Du bist komisch.«

»Gar nicht.«

»Ach nein? Zuerst behauptest du, dass der Blumenstrauß mit der Meier und dem Pentagramm zusammenhängt, aber jedenfalls nichts mit dir zu tun hat. Dann regst du dich darüber auf, dass David nicht den Eifersüchtigen gibt? Sollte er den Rosenkavalier vielleicht eigenhändig erwürgen? Zum Duell herausfordern? Du bist komisch.«

»Sag, wolltest du nicht Überstunden abfeiern? Wann machst du heute Schluss?«, wechselte Sarah das Thema, weil ihr soeben eine Idee gekommen war.

»Um drei. Warum?«

»Was hältst du davon, wenn wir beide uns z'ammenpacken und Brautkleider schauen gehen?«

»Braut...kleider?« Gabi riss ihre Augen vor Erstaunen weit auf. »Hat David dir ... Jetzt sag nicht, er hat dir einen Antrag ...?«

»Nein, nein, wo denkst du hin«, unterbrach Sarah sie. »Würde ich mich sonst darüber echauffieren, dass er so gar nicht eifersüchtig ist?«

»Hätte ja auch ein bisschen Theater sein können, damit die Überraschung dann umso größer ist. Zutrauen würd ich's dir.«

»Nein, ich möchte mir den Laden nur mal ansehen, wo das Brautkleid der Meier angefertigt wurde. Er ist in der Landstraßer Hauptstraße.«

Sie erzählte Gabi von dem Firmenlogo, das sie auf der Homepage entdeckt hatte.

»Ist es nicht sonderbar, dort einzumarschieren und so zu tun als ob ...«

»Ach komm schon! Warum sonderbar? Ich bin sicher,

das wird lustig. Wir beide im Brautsalon! Und heute Abend teilen wir dann unseren Männern mit, dass wir schon mal bei der Anprobe waren.«

Sie begannen beide zu kichern bei der Vorstellung.

»Okay, aber ich sag's dir gleich, dann werd ich auch wirklich eines anprobieren«, sagte Gabi.

»Na, sicher doch!«

»Aber sag«, meinte Gabi, nun wieder ernst, »in einen Brautsalon kann man doch nicht einfach so reinmarschieren und Kleider anprobieren. Da braucht man doch einen Termin, das kenne ich aus dem Fernsehen.«

»Aus dem Fernsehen?«, wiederholte Sarah. »Jetzt sag nicht, du schaust dir diese Hochzeitssendungen an!«

Gabi errötete.

Sarah lachte. »Schau an, schau an. Weiß mein kleiner Bruder von deinem kleinen Geheimnis?«

Gabi suchte kommentarlos die Telefonnummer von dem Salon heraus und drückte Sarah den Hörer in die Hand. Ihre Gesichtsfarbe normalisierte sich wieder.

Irene Bucher persönlich hob ab. Sarah bat um einen Termin noch am selben Nachmittag. »Ich weiß, es ist sehr kurzfristig …«

»Sie haben Glück, mir hat vor zwei Stunden eine Kundin für heute Nachmittag abgesagt. Passt Ihnen halb vier?«

»Halb vier ist perfekt«, antwortete Sarah ihr, gab Gabis Namen an und legte auf.

»Spinnst du?«, fragte Gabi mit gespielter Empörung.

»Jetzt ist es ganz offiziell. Du brauchst ein Brautkleid. Ich komme um drei und hol dich ab.«

Sarah sprang auf, kam um den Schreibtisch herum und küsste ihre Freundin auf beide Wangen. »Dauert wirklich nicht lange, versprochen. Um fünf bist du zuhause.«

Gabi verdrehte die Augen. »Ja, ja, wer's glaubt …«

Sie mussten nicht lange suchen, der Name stand in schlichten, großen Lettern über dem Eingangsportal: »Irene Buchers Brautsalon«. Schnörkellos und weder romantisch noch frivol angehaucht. Dafür gab es eine erhebliche Auswahl an Strumpfbändern in einer Schütte gleich hinter der Ladentür. Einige davon waren mit Röschen, Perlen oder Pfauenfedern verziert, andere im Western- oder Landesflaggendesign. Amüsiert stellte Sarah sich vor, an ihrem Hochzeitstag mit rot-weiß-roten Strapsen aufzutreten. Es gab auch welche, die man individuell besticken lassen konnte, nebst inspirierenden Vorschlägen wie »Geile Zicke«, »Süße Maus«, »In Liebe«. Unter einem Plakat, das ein Bein mit blauem Straps abbildete, las Sarah den Satz: »Etwas Altes, etwas Neues, etwas Geliehenes und etwas Blaues soll die Braut am Tage ihrer Hochzeit tragen …«

Sarah wusste um diese Tradition. Sie kam ursprünglich aus England und war inzwischen auch hierzulande beliebt. »Das Alte« – oft ein altes Familienschmuckstück – stand für das Leben der Braut vor der Ehe, »das Neue«, zum Beispiel das Hochzeitskleid, für das ab nun beginnende Eheleben. »Das Geliehene« sollte etwas von einer glücklich verheirateten Freundin sein, denn es stand für Freundschaft und sollte Glück in der Ehe bringen. Blau war das Zeichen für Treue, so wie das blaue Strumpfband auf dem Plakat.

Sarah beschloss, sich bei Stein zu erkundigen, ob man solche Accessoires auch bei der Leiche gefunden hatte.

Die Wände des Salons waren dezent orange gestrichen. Auf lose im Raum verteilten, niedrigen Podesten standen weibliche und männliche Puppen in unterschiedlichen Kleider- und Anzugsmodellen. Inmitten dieser Arrangements thronte ein Jugendstilsofa mit dazu passenden Sesseln und einem Tisch, auf dem Werbefolder lagen.

»Na, nicht schlecht«, flüsterte Gabi. »Ich fühl mich wie Alice im Wunderland, fehlt nur noch die Teegesellschaft.«

»Kann ich Ihnen helfen?«, fragte jemand. Erst auf den zweiten Blick sahen sie die blonde Frau zwischen zwei Kleidern hindurch auf sie zukommen.

»Da ist deine Teegesellschaft«, raunte Sarah ihrer Freundin ins Ohr.

Die Frau streckte ihnen die Hand entgegen. »Ich bin Irene Bucher.«

Sarah und Gabi stellten sich ebenfalls vor.

»Danke, dass ich heute noch vorbeischauen durfte«, sagte Gabi, weil Sarah den Termin nun mal unter ihrem Namen vereinbart hatte.

»Aber sehr gerne. Ihr Anruf kam genau passend.« Irene Bucher lächelte charmant. »Wie Sie sehen, verfügen wir über eine große Auswahl an Modellen. Haben Sie etwas Bestimmtes im Auge? Zum Beispiel etwas mit Spitze und schulterfrei, oder lieber schlicht und edel, mit höhergezogenem Oberteil?«

»Ich … ähm, also ich habe noch gar nicht wirklich darüber nachgedacht«, antwortete Gabi wahrheitsgemäß.

»Wir haben auch aufwändig gearbeitete Tüllkleider. Bei Ihrer Figur können Sie alles tragen«, schmeichelte die Frau Gabi. »Sehen Sie sich einfach ganz in Ruhe um!« Ihr Blick wanderte zwischen Gabi und Sarah hin und her. »Ich bringe Ihnen erst einmal ein Glas Sekt. Das entspannt, und das Schauen macht gleich viel mehr Spaß.«

Kurze Zeit später hatten sie das zweite Glas Sekt intus, und Gabi hatte zwei Brautkleider anprobiert. Sarah schoss Fotos mit ihrem Handy und schickte sie direkt an Chris. Sie mussten kichern bei dem Gedanken an seinen geschockten Gesichtsausdruck, wenn er die Bilder sehen würde.

Dann kam Sarah auf den Kern ihres Besuches zu sprechen. So nebenbei wie möglich erwähnte sie, dass sie Journalistin war und für die Wochenendbeilage des *Wiener Boten* über Aberglaube und Symbolik schrieb.

»Ich habe schon mal etwas von Ihnen gelesen, glaube ich«, sagte Irene Bucher nachdenklich.

»Mir ist aufgefallen, dass Sie das Pentakel als Firmenlogo nutzen. Warum?«, fragte Sarah vorsichtig.

Irene Bucher warf den Kopf in den Nacken und lachte.

»Ja, da sind Sie nicht die Erste, die mich das fragt.« Sie wurde wieder ernst. »Aber wenn Sie sich mit Aberglauben und Symbolen beschäftigen, dann wissen Sie sicher, dass das Pentakel als magisches Schutzschild gegen das Böse gilt. Das wollten wir mit dem Logo zum Ausdruck bringen, den Schutz der Brautleute sozusagen.«

»Sie glauben daran?«, hakte Sarah nach.

»Natürlich glaube ich daran.« Sie zeigte auf Sarahs Ohrringe. »So wie Sie auch. Das sind Cornicelli, wenn ich nicht irre. Gegen den bösen Blick.«

Sarah nickte und fasste unwillkürlich an ihre Ohrringe. »Kennen Ihre Kundinnen denn die Bedeutung des Logos?«, fragte Sarah.

»Einige schon, anderen ist das nicht wichtig«, antwortete Irene Bucher.

Nun kam Sarah zum Punkt: »Sie haben sicher auch von der toten Braut gehört, die man im Schönbrunner Schlosspark gefunden hat, oder?«

Die Frau zuckte fast unmerklich zusammen und nahm eine Abwehrhaltung ein.

»Und das Kleid, das die Leiche anhatte, ist aus Ihrem Geschäft, richtig?«

»Sie sind nicht die erste Journalistin, die mich nach dem Brautkleid fragt. Wenn ich mich recht erinnere, hat sogar eine vom *Wiener Boten* angerufen, ihr Name war …«

»Aber ich bin die Erste, die dies im Zusammenhang mit dem Pentakel fragt, nehme ich an«, schnitt Sarah ihr rasch das Wort ab. Ihr war klar, dass die Anruferin nur Patricia Franz gewesen sein konnte.

»Ich sag Ihnen jetzt das, was ich auch den anderen Journalisten gesagt habe. Wenn Sie auf der Suche nach einer spektakulären Story sind, dann sind Sie hier falsch. Ja, Frau Meiers Brautkleid stammte aus meiner Kollektion. Und das war's auch schon. Hunderte Bräute tragen Kleider aus meiner Kollektion.«

»Es gab das Gerücht, Frau Meier sei gestalkt worden«, versuchte Sarah dennoch, der Frau ein paar Informationen zu entlocken.

»Davon weiß ich nichts.«

»Ich stelle es mir schrecklich vor, von jemandem verfolgt zu werden.«

Irene Bucher verschränkte ihre Arme vor der Brust.

Keine Chance also.

Gabi kam aus der Umkleidekabine. Sie trug wieder ihre eigene Kleidung. »Ich glaub, ich muss noch einmal wiederkommen, wenn ich mehr Ruhe habe. Ist ja noch ein bisschen hin bis …«, erklärte sie, an Irene Bucher gewandt.

»Kein Problem«, antwortete diese. »Sie wissen ja, wo Sie mich finden.« Sie griff nach einem der Folder auf dem Tisch und reichte ihn Gabi. »Falls Sie die ganze Organisation in Profihände legen wollen, kann ich Ihnen diese Hochzeitsplaner-Agentur ans Herz legen. Ich bin Teil der Arbeitsgruppe.« Und zu Sarah sagte sie: »Vielleicht könnten Sie ja mal einen Bericht über unsere Truppe schreiben.«

Sarah erzählte ihr sofort von der Hochzeitsbeilage des *Wiener Boten*, die gerade in Planung war.

»Aber da erscheinen nur bezahlte Beiträge«, erklärte sie bedauernd, versprach jedoch, mit dem Chefredakteur zu reden, weil das ungewöhnliche Firmenlogo des Brautsalons perfekt zu ihrem Schwerpunktthema passte. Sie nahm Gabi den Folder aus der Hand.

»Ich kann ja auch mal mit meinen Kolleginnen reden« meinte die Geschäftsinhaberin da. »Wenn wir alle zusammenlegen, können wir vielleicht eine Anzeige schalten.«

In dem Moment entdeckte Sarah Valentina Maceks Namen und ein Foto von ihr auf der Rückseite des Folders.

»Hat nicht die Frau Macek die Leiche gefunden?«, fragte sie rasch.

»Zufall«, kam es prompt und für Sarah um einen Tick zu schnell.

»Hm. Komischer Zufall.« Sarah reichte Irene Bucher ihre Visitenkarte. »Rufen Sie mich an, wenn Sie wissen, ob Sie in dem Hochzeitsmagazin mitmachen.«

»Hat das jetzt irgendwas gebracht?«, fragte Gabi Sarah auf dem Weg zur U-Bahn.

»Tja«, meinte Sarah. »Erst findet die Macek die Leiche der Meier, dann arbeitet ausgerechnet die Bucher für die Hochzeitsagentur, bei der die Macek Teilhaberin ist. Und das soll alles Zufall sein?«

»Na ja. Die Branche ist überschaubar«, meinte Gabi.

»Trotzdem.«

»Du hast schon wieder diesen Blick, Sarah.«

»Welchen Blick?«

»Den dein Bruder Miss-Marple-Blick nennt.«

Sarah hakte sich bei ihrer Freundin unter. »Ach, was der immer so meint. Weißt was, ich koch uns heute Abend allen etwas Feines.«

»Ich muss aber vorher nach Hause, umziehen.«

Sie verabredeten sich für später, und Sarah schickte Chris und David eine SMS, sie möchten bitte pünktlich bei Tisch erscheinen.

Sarah beschloss, über den Brunnenmarkt heimzugehen. In der Gasse zwischen den Ständen, vorwiegend Holzkonstruktionen, fühlte sie sich augenblicklich wie auf einem orientalischen Straßenmarkt. Menschen feilschten, prüften Obst und Gemüse mit Kennerblick, und Händler boten glänzende Oliven als Kostprobe an. Sarah kaufte ein halbes Kilo Flaschentomaten, Oliven und Schafskäse. Dann sprang sie rasch noch in Staud's Pavillon und kaufte ihre Lieblingsmarmelade.

Zuhause angekommen fütterte Sarah zuerst Marie. Die schwarze Halbangora schnurrte laut, als Sarah ihr den gefüllten Napf vor die Nase stellte.

Im Vorbeigehen schaltete sie den Laptop ein, wechselte rasch ihre Jeans gegen eine bequeme schwarze Jogginghose und ihren dünnen Sommerpulli gegen ein hellblaues weites T-Shirt.

Anschließend nahm sie sich die Webseite der Hochzeitsplanerinnen-Agentur vor. Irene Bucher hatte nicht übertrieben. Es gab tatsächlich eine Art Stammteam, das die Hochzeiten betreute, und darüber hinaus je nach Bedarf wechselnde Partner. Jedenfalls müsse man sich, so versprach es die Seite, um nichts mehr kümmern, man brauche lediglich gute Laune am Hochzeitstag mitzubringen. Gab es tatsächlich so viele Dinge, die zu bedenken waren, bevor man heiratete? Sarah hatte geglaubt, es sei damit erledigt, ein Aufgebot zu bestellen, Leute einzuladen, zu heiraten und anschließend zu feiern bis zum Morgengrauen.

Ein Link führte sie auf die Seite eines Konditors auf der Wollzeile, »Konditorei & Patisserie Voland«, las sie laut. »Voland … Voland, sagt dir der Name etwas, Marie?« Ihre Katze sprang auf einen freien Stuhl und begann sich ausgiebig zu putzen. Sarah klickte »Wir über uns« an und erfuhr, dass der Chef mit Vornamen Josef hieß.

Sie ging hinüber ins Wohnzimmer, zog einen Band aus dem überfüllten Bücherregal und ging das Inhaltsverzeichnis durch. Sie war sich sicher, den Namen »Voland« in einem bestimmten Zusammenhang schon einmal gehört zu haben. Doch sie wurde nicht fündig, steckte das Buch zurück und nahm einige andere heraus, bis sie schließlich fand, wonach sie suchte. Es handelte sich um ein Nachschlagewerk über Namen und Bedeutungen des Teufels in den verschiedenen Religionen. »Voland« war ein veraltetes Wort für Teufel, das auf das mittelhochdeutsche »Valant« zurückging und »der Schreckende« bedeutete.

Sie schmunzelte. Irgendwie eine lustige Koinzidenz, auch wenn der Konditor natürlich nichts mit dem Teufel zu tun hatte. Mal ganz abgesehen davon, dass es den Teufel in persona sowieso nicht gab … Sie suchte nach einem Lesezeichen, steckte es zwischen die Seiten, klappte das Buch zu und stellte es zurück an seinen Platz.

Dann ging sie wieder in die Küche, schaltete ihren Laptop aus und begann endlich zu kochen.

12

FUNDSTÜCKE

Valentina saß an ihrem Küchentisch vor dem Laptop und ging zum wiederholten Mal den Ablauf der Hochzeitsfeierlichkeiten für das Winzerpaar durch. 300 Gäste waren eine echte Herausforderung.

Sie hatte sich mit Felix darauf geeinigt, dass sie die nächsten Tage oder gar Wochen vom Penthouse aus arbeiten und das Hotel nur in Begleitung verlassen würde.

»Glaubst du denn wirklich, dass ich in Gefahr bin?«, hatte sie ihn mehrmals gefragt. Doch statt ihre Fragen zu beantworten, hatte Felix vom Frühstückstisch aus veranlasst, dass Valentinas restliche Kisten aus ihrer Wohnung noch heute ins Hotel gebracht wurden. So war es, seit sie sich kannten. Felix entschied, was das Beste für sie war. »Sicher ist sicher« hatte er nur gemeint.

Valentina hatte seinen Vorschlag, sämtliche Absagen bezüglich ihrer Hochzeit über sein Sekretariat laufen zu lassen, dankend angenommen. Sie hatte ihm morgens die Liste der entsprechenden Namen und Telefonnummern aller Gäste ausgedruckt und auch alle Firmen notiert, bei denen Bestellungen storniert werden mussten. Lediglich enge Freundinnen und Freunde und ihre Familie wollte sie persönlich anrufen, alles andere wäre ihr unpassend vorgekommen.

Doch bislang hatte sie noch keine Kraft für diese Telefonate aufbringen können, und auch das Arbeiten fiel ihr schwer. Sie fühlte sich eingesperrt, auch wenn ihr Gefängnis eher einem Palast glich – ein Penthouse mit Dachterrasse, grandiosem Ausblick und Zimmerservice. Zwar golden, aber dennoch ein Käfig … Sie stand unter Hausarrest, anders ließ es sich kaum beschreiben.

Dann musste sie wieder an Daniela denken. Wie es ihr ergangen sein mochte, wohin sie verschleppt und wo sie eingesperrt worden war, was sie durchgemacht hatte in all den Jahren? Wie es war, wenn man merkte, dass man verhungern würde … Was für eine schreckliche Vorstellung!

Valentina zwang ihre Gedanken mit aller Kraft in eine andere Richtung. Ihre Situation bot durchaus Vorteile, redete sie sich ein. Sie musste sich nicht groß zurechtmachen, sondern konnte in Leggings und Sweatshirt herumlaufen, die Haare lose zusammengesteckt, ein paar Strähnen kräuselten sich in ihrem Nacken, kein Make-up, keine Wimperntusche, keine brennenden Augen …

Um Punkt eins kam Felix zurück. Sie bestellten im Hotelrestaurant etwas zu essen, aßen auf der Terrasse und versuchten beide, das Thema Daniela so gut es ging zu vermeiden. Felix erzählte lediglich, dass wieder Journalisten angerufen hätten und dass er ernsthaft in Erwägung ziehe, doch ein persönliches und offizielles Statement abzugeben. Nur damit endlich Ruhe sei. Dass ihr Hochzeitstermin verschoben werde, habe seine Sekretärin schon als Pressemeldung rausgeschickt, aber allem Anschein nach genüge das den Pressefritzen nicht.

Valentina ballte unter dem Tisch ihre Hände zu Fäusten. Es schien fast, als würde ihm die Verschiebung entgegenkommen.

»Warum hast du die Meldung so schnell rausgeschickt?«, fragte sie.

»Aber darüber waren wir uns doch einig«, sagte er und sah sie überrascht an.

»Ja, schon. Aber du hättest auch ruhig noch ein oder zwei Tage damit warten können.«

»Warum hätte ich das tun sollen?«

»Weil …« Ihr fiel so schnell kein überzeugendes Argument ein. »Weil ich es schade finde, dass wir absagen müssen«, sagte sie schließlich halblaut. Sie öffnete ihre Fäuste langsam und aß weiter. »Und irgendwie geht das die Presse nichts an … Es geht niemanden etwas an. Nur uns zwei.«

»Sag bloß, du hast unsere Freunde noch gar nicht informiert?«, schlussfolgerte er richtig.

Sie schüttelte den Kopf.

»Nicht einmal deine Eltern?«

»Auch die nicht.«

»Dann mach das bitte nachher, oder soll doch meine Sekretärin …«

»Nein!«, unterbrach sie ihn sofort. So weit kam es noch, dass Felix' Sekretärin ihre Eltern anrief!

»Was sein muss, muss sein, Valentina. Auch wenn's unangenehm ist. Wir haben das alles genau besprochen. Also halt dich auch bitte daran.«

»Dir scheint das ja nichts weiter auszumachen.«

Ohne darauf zu antworten, strich er über ihre Wangen und sagte mit aufmunterndem Ton: »Du kriegst das schon hin.«

Valentina begriff, dass sie soeben seine geschäftliche Seite kennenlernte, die bisher noch nicht so zum Tragen gekommen war.

Nach dem Essen verschwand Felix bald wieder in sein Büro.

Erst als sie wieder alleine war, stellte Valentina sich die Frage, warum eigentlich Felix niemanden direkt informieren wollte. Er überließ diese unangenehme Aufgabe ihr und seiner Sekretärin.

Mit einem frischen Espresso in der Hand stellte sie sich ans Geländer und beobachtete die Leute unten auf der Straße, die wie Ameisen von einem Punkt zum anderen eilten. In der Sonne wurde es schon richtig warm. Wie gerne wäre sie jetzt eine Runde durch den Stadtpark gelaufen. Vielleicht konnte sie Felix am Abend dazu überreden, sie zu begleiten.

Schweren Herzens griff sie schließlich zum Telefon, um ihre Freunde und Verwandten zu informieren. Alle bekundeten Verständnis ob der Situation. Diejenigen, die Daniela gekannt hatten, hatten ohnehin damit gerechnet, dass sie und Felix ihre Hochzeit verschieben würden. Die Gespräche dauerten viel länger als geplant, denn jeder wollte mehr erfahren und wissen, wie es ihnen beiden ging.

Ihren Eltern die Hiobsbotschaft zu überbringen fiel Valentina am schwersten. Ihre Mutter war stolz auf sie, heiratete sie doch in »bessere Kreise« hinein. Außerdem war das Ansehen ihrer Eltern in ihrem Heimatdorf spürbar gestiegen, seitdem sich die Neuigkeit herumgesprochen hatte. Die Mutter hielt denn auch nicht hinterm Berg mit ihrer Enttäuschung.

»Was für eine Katastrophe!«, rief sie aus. »Na, hoffentlich überlegt er's sich nicht noch anders.«

Das war genau das, was Valentina jetzt brauchte … »Wieso sollte er es sich anders überlegen?«, fragte sie leicht gereizt.

»Man weiß nie, was kommt«, antwortete ihre Mutter kryptisch. Und: »Freud und Leid liegen bekanntlich eng beisammen«, folgte auch schon ihr Lieblingszitat, das ihrer Meinung nach offenbar immer und überall passte und wie immer einen unausgesprochenen Vorwurf barg.

Valentina seufzte. »Mama! Ich kann doch nichts dafür, dass Daniela tot ist, und ich habe es mir wahrlich nicht ausgesucht, auch noch ihre Leiche zu finden.«

»Du hast Katastrophen schon immer angezogen wie ein Magnet. Weißt du noch als …«

Es folgte eine Serie von Unglücksfällen und Pannen seit Kindertagen, die in den Augen der Mutter allesamt und ausschließlich auf Valentinas Konto gegangen waren: Ob eine Rutsche in dem Moment umfiel, als Valentina hinunterrutschte, sich zwei Burschen um ihre Gunst geprügelt hatten oder das Moped der Freundin den Geist aufgab, als Valentina gerade damit fuhr …

»Soll ich nach Wien kommen, Kind?«, beendete die Mutter schließlich ihren Monolog.

»Nein, nein, Mama. Ich krieg das schon hin. Es war nur einfach ein Riesenschock für mich.«

Das fehlte noch, dass ihre Mutter hier auftauchte! Sie liebte sie, zweifellos. Aber ihre Anwesenheit würde keine Hilfe sein, so viel stand fest. Dennoch war Valentina ihrer Mutter ungeheuer dankbar, als die sich erbot, alle anderen Verwandten zu informieren, auch wenn sie die ganze Sache ausstaffieren und um hochdramatische und vor allem frei erfundene Details bereichern würde. Das war Valentina im Augenblick vollkommen egal.

Nachdem sie das Gespräch beendet hatten, fiel Valentina auf, dass die Fotoalben nicht mehr auf dem Wohnzimmertisch lagen. Felix musste sie weggeräumt haben, denn die Putzfrau kam erst am nächsten Tag. Sie fand die Alben in der untersten Reihe der Bücherwand hinterm Sofa im Wohnzimmer, direkt neben den alten gebundenen Ausgaben von »Grimms Märchen«.

Felix hatte früher gern und oft Antiquariate durchstöbert, und einer der Märchenbände stammte aus dem Jahr 1940, in englischer Sprache und mit Farbtafeln versehen. Auf dem Buchcover war Rumpelstilzchen abgebildet, wie es sich vor Wut zerreißt, weil die Königin seinen Namen erraten hat … Daneben standen Alben voller Kinder- und Jugendfotos von Felix, aber auch neuere, mit Fotos aus ihrer gemeinsamen Zeit. Valentina fuhr mit dem Zeigefinger über die Buchrücken, wie um sich zu vergewissern, dass sie keine Einbildung waren.

Anfangs war Valentina ein wenig gekränkt gewesen, dass Felix all die alten Alben aufgehoben hatte, die seine Zeit mit Daniela dokumentierten. Doch dann hatte sie Verständnis dafür aufbringen können, denn sie selber hätte es wohl auch nicht anders gemacht. Schließlich war Daniela ein bedeutender Teil seines Lebens und ihre Trennung, auf die die Jahre der Unwissenheit über ihren Verbleib folgten, alles andere als üblich und schon gar nicht freiwillig gewesen. Wie sollte man da also einfach einen Schlussstrich ziehen und zur Tagesordnung übergehen?

Als Valentina und Felix sich zwei Jahre zuvor ineinander verliebt hatten, fiel es Felix zuerst sehr schwer, sie wirklich in sein Leben hineinzulassen. Es kam ihm so vor, als würde er Daniela verraten. Valentina erinnerte sich nur zu gut an dieses ewige Hin und Her. Immer wenn bei Felix das Gefühl, Daniela zu betrügen, überhandnahm, zog er sich von Valentina zurück, und es dauerte meistens Tage, bis er sich wieder bei ihr meldete. Sie war damals bis über beide Ohren in ihn verliebt, doch sie wollte ihm diese Zeit geben, die er brauchte, obwohl sie darunter litt.

Sie atmete tief ein und aus, setzte sich wieder an ihren Laptop, schrieb ein paar Rechnungen, die sie Ruth zu mailen versprochen hatte, und sah auf die Uhr. Es war fast drei, und sie beschloss, Ruth anzurufen.

»Quälen dich die Journalisten noch?«, fragte sie, nachdem sie das Geschäftliche so weit besprochen hatten.

»Ja, die rufen hier im Minutentakt an«, stöhnte Ruth. »Aber ich gebe allen dieselbe Auskunft, nämlich dass du die Stadt verlassen hast.«

Eine knappe Stunde später wurden Valentinas Kisten aus der Schönbrunner Schlossstraße geliefert. Valentina fragte sich wehmütig, wann sie wohl noch einmal in ihre alte Wohnung zurückkehren konnte, um sich von ihr zu verabschieden. Ihr lagen Gegenstände, Objekte und Räume, die sie umgaben und in denen sie lebte, sehr am Herzen, und sie brachte ihre Wertschätzung gern dadurch zum Ausdruck, indem sie sie berührte oder mit ihnen sprach. Immer wenn sie irgendwo ausgezogen war, hatte sie sich in einem unbeobachteten Moment von dem Zimmer oder der Wohnung verabschiedet, sich für die gemeinsame Zeit bedankt und Glück für die Zukunft gewünscht.

Dann rief sie Felix an und fragte, wie lange er noch arbeiten würde.

»Noch zwei, vielleicht drei Stunden, dann komme ich nach oben. Wenn du schon Hunger hast, bestell dir doch etwas«, sagte er.

»Nein, ich habe keinen Hunger.« Sie wollte ihm sagen, dass sie sich einsam fühlte, schluckte es jedoch hinunter. »Ich warte auf dich und fange schon mal an, meine Kisten auszupacken.«

Ihr fiel plötzlich auf, dass sie noch nie zuvor so lange allein in dem Penthouse gewesen war. Ohne Felix wirkte es so riesig und leer.

Sie öffnete die Tür zu dem begehbaren Kleiderschrank. Er war so groß wie ihr Schlafzimmer in der Schönbrunner Schlossstraße. In der Mitte stand eine Bank, auf die man sich zum Anziehen der Socken und Schuhe setzen konnte. Auf der linken Seite hingen Felix' Anzüge und Hemden, nach Farben sortiert. Krawatten, Socken, Unterwäsche und Pullover lagen in eigens dafür vorgesehenen Laden, ebenso wie Schuhe. Was Ordnung anbelangte, war Felix pedantisch. Er hasste es, Dinge suchen zu müssen. Für Valentina war die gesamte rechte Seite freigeräumt worden, und die Männer des Umzugsunternehmens hatten ihre Kleiderkisten schon hineingestellt.

Valentina öffnete die Laschen und begann, ihre Sachen nacheinander auf ihrer Seite einzuräumen. Nachdem sie immerhin zwei Kartons und ihre beiden Koffer vollständig geleert hatte, faltete sie die Kartons zusammen und suchte nach einem Platz für die Koffer. Gab es da nicht einen Abstellraum neben der Eingangstür? Sie hatte einmal am Rande mitbekommen, wie Felix nach einem gemeinsamen Wochenende seinen leeren Koffer dort hinter der Tür verstaut hatte.

In dem kleinen Raum herrschte ebenfalls penible Ordnung. Sie schob zwei Koffer an die Seite und zwängte ihre daneben. Als sie aufsah, fiel ihr Blick auf ein paar übereinandergestapelte Plastiksammelboxen weiter hinten in der Kammer. Sie hielt für Sekunden inne, doch dann siegte die Neugier, und sie öffnete die oberste Box. Sie enthielt sorgsam zusammengefaltete Kleidungsstücke, Jeans, Pullis, Sommerkleider. Einen Moment später realisierte sie, dass es sich um Danielas Sachen handeln musste. Sie schloss den Deckel wieder, stellte die Box auf den Boden und öffnete die zweite. Darin befanden sich Schuhe und Handtaschen.

Valentina nahm eine der Taschen heraus und zog den Reißverschluss auf. Sie staunte, als sie Danielas Führerschein und ihre Geldbörse mit Geld darin fand. Hatte sie das alles zuhause gelassen, als sie zur Party ging? Gut, wahrscheinlich hatte Daniela so wie mehrere Handtaschen auch ein zweites Portemonnaie besessen. Aber der Führerschein? Valentina jedenfalls hatte den für alle Fälle immer bei sich. Andererseits – was wusste sie schon über Danielas Gewohnheiten? Sie legte die Tasche zurück. Felix hatte also diese Habseligkeiten aufgehoben und verstaut. Er hatte offensichtlich bis zuletzt gehofft, dass sie eines Tages wiederkommen und sie abholen würde.

In der dritten Box waren Bücher, diverser Krimskrams und Kalender. Der Kalender des Jahres allerdings, in dem Daniela verschwunden war, befand sich nicht darunter. Vielleicht hatte den die Polizei einbehalten. Dann richtete Valentina ihre Aufmerksamkeit auf eine graue Mappe, in der persönliche Dokumente steckten. Geburtsurkunde, Staatsbürgerschaftsnachweis, Schulzeugnisse. Daniela war eine mittelgute Schülerin gewesen und hatte nicht maturiert, sondern eine Lehre als Hotel- und Gastgewerbeassistentin absolviert.

Zwischen den Papieren fand sie Bleistifte und Kugelschreiber sowie Permanentmarker zur Beschriftung von CDs und DVDs. Sie musste fast lächeln darüber, dass Felix sogar die aufgehoben hatte. Einige Foto-CDs steckten in einem Seitenfach der Mappe.

Valentina konnte der Versuchung nicht widerstehen und zog eine der CDs hervor, beschriftet mit »Venedig Lido 2009«. Sie ging hinüber zu ihrem Laptop und legte sie ein. Doch als sie unvermittelt in die strahlenden und sonnengebräunten Gesichter blickte, bereute sie ihre Neugier sofort. Zwar wusste sie, dass Felix und Daniela damals gut mit Ruth und Toni, Ruths damaligem Mann, befreundet gewesen waren, aber dieses geballte und in Szene gesetzte Glück versetzte ihr einen schmerzhaften Stich ins Herz.

Da räkelten sich Ruth und Daniela in knappen Bikinis mit Cocktailgläsern in der Hand auf Liegestühlen am Pool eines Fünfsternehotels direkt am Strand. Die Männer mit coolen Sonnenbrillen, beim Bier an der Hotelbar, die jeweiligen Paare Arm in Arm, aber auch wechselseitig einander umarmend. Oder Toni und Daniela beim Joggen am Strand. Und Ruth und Felix beim Beachvolleyball … Auf manchen der Fotos sah es beinahe so aus, als wären Ruth und Felix sowie Daniela und Toni zusammen, und nicht umgekehrt. Ob sie einen Partnertausch … oder gar alle vier gemeinsam? Valentina erschrak zutiefst über diese Vorstellung. »Was für eine absurde Idee!«, murmelte sie und verwarf den Gedanken sofort wieder.

Doch die Frage, ob Felix Daniela noch immer liebte, ließ sie nicht los. Hörte man irgendwann auf, einen Menschen zu lieben, der spurlos verschwunden war? Fühlte man sich irgendwann nicht mehr schuldig? Oder blieb man demjenigen gegenüber für immer in einer Verpflichtung? War es möglich, dennoch eine neue Beziehung einzugehen? Eine neue Partnerin oder einen neuen Partner auch zu lieben?

Valentina hatte vor einiger Zeit in einem Artikel gelesen, dass Beziehungen nach einer Trennung häufig sogenannte Übergangsbeziehungen waren und keine, die lange hielten.

Plötzlich wurde ihr ganz elend zumute. Warum nur hatte sie sich die Fotos angesehen? Sie fühlte sich wie eine Fremde, die im Leben anderer herumwühlte, das sie nichts anging. Und das war sie auch. Eine Fremde. Sie war außen vor. Es waren Erlebnisse, die Ruth mit Daniela, Felix und Toni verband, mit denen sie jedoch nichts zu tun hatte. Sie kannte lediglich die Geschichten, die Ruth ihr erzählt hatte.

Sie hatte Felix über Ruth kennengelernt. Sie und Ruth hatten den Küchenchef im Hotel Beermann getroffen, um ein Hochzeitsmenu mit ihm durchzusprechen, und Felix war zufällig dazugekommen. Valentina hatte sich sofort für ihn interessiert, doch nichts hatte darauf hingedeutet, dass dieses Interesse auf Gegenseitigkeit beruhte. Drei Tage später jedoch hatte Felix sie angerufen und auf einen Kaffee eingeladen. Ihre ersten Dates waren relativ ereignislos verlaufen, und auch die erste gemeinsame Nacht war nicht gerade eine Offenbarung für Valentina gewesen. Doch je öfter sie Felix traf und je vertrauter sie miteinander wurden, desto lockerer wurden sie und desto mehr genoss Valentina es, mit ihm zusammen zu sein. Und desto mehr verliebte sie sich in ihn …

Während sie die Boxen ordnungsgemäß an ihren Platz zurückräumte, fragte Valentina sich mehr denn je, ob Felix wirklich für ein Zusammenleben mit ihr bereit war. Ob er tatsächlich sie meinte und eine Ehe mit ihr eingehen konnte? Das diffuse Gefühl einer Bedrohung breitete sich in ihr aus, so als würde den Spuren ihrer Vorgängerin, all den Gegenständen und Fotos in diesem Abstellraum, eine unheilvolle Botschaft innewohnen, deren Bedeutung Valentina jedoch verschlossen blieb.

13

WEGWEISER

Gabi deckte den Tisch. Sarah polierte die Gläser und stellte sie neben die Teller. Sogar eine Tischdecke lag auf dem Esstisch. Sarah hatte beschlossen, heute Abend keinen Gedanken mehr an Teufel und Pentakel zu verschwenden. Nur weil ein Konditor Voland hieß, musste sie nicht gleich eine mystische Bedeutung dahinter vermuten.

»Wir führen uns auf, als erwarteten wir Staatsgäste«, merkte Gabi an, während sie Servietten faltete und auf die Teller stellte. »Fehlt nur noch, dass wir uns ins kleine Schwarze werfen.«

»Hey, du kannst Servietten falten?« Sarah betrachtete staunend das Werk ihrer Freundin. »Ich bin beeindruckt.«

»Hat mir meine Mutter beigebracht.«

Sie schwiegen. Der Tod von Gabis Mutter war nach wie vor ein wunder Punkt. Selbstmord, so hatte es damals zuerst geheißen. Doch Hilde Jahn, damals Journalistin beim *Wiener Boten,* hatte unter Einsatz ihres Lebens enthüllt, dass Gabis Mutter einem Serienmörder zum Opfer gefallen war, der Frauen, die jenseits der 40 und arbeitslos waren, verfolgte und brutal umbrachte. Auch die Kollegin wurde im Zuge ihrer Investigation von ihm ermordet, und Sarah hatte Jahns Arbeit schließlich zu Ende gebracht. Von da an war Sarah eng befreundet mit Gabi, die mittlerweile sogar zu ihrer kleinen Familie gehörte. Denn Gabi und Sarahs Bruder Chris hatten sich ineinander verliebt und waren seit einiger Zeit ein Paar. Chris, fünf Jahre jünger als Gabi, tat die Beziehung gut. Sie gab ihm Halt und eine Stabilität, die nach dem Unfalltod seiner und Sarahs Eltern äußerst fragil geworden war.

»Kann ich euch helfen?«

Chris kam in die Küche und strahlte sie beide aus seinen dunklen Augen an.

»Alles schon erledigt«, sagte Sarah und strahlte zurück. »Setz dich einfach und genieße. Du musstest heute eh schon einen Schock verdauen, was?« Sarah und Gabi kicherten los, während Chris skeptisch den Folder in die Hand nahm, den Sarah auf die Anrichte gelegt hatte.

»He, keine Angst, war nur ein blöder Scherz«, sagte Gabi lachend, gab Chris einen Kuss und erklärte dann, wie und warum sie auf die Idee gekommen waren, in das Geschäft zu gehen. Chris schien den Scherz nicht ganz so harmlos gefunden zu haben, denn er reagierte sehr verhalten auf die ganze Geschichte und stellte auch keine weiteren Fragen.

»Na, jedenfalls habe ich deshalb heute für uns alle gekocht. Als Wiedergutmachung quasi«, fügte Sarah noch hinzu.

Mit dem Kochen wechselten sie und Chris sich ab, wie auch mit der Fütterung und Betreuung von Marie, auch wenn die schwarze Halbangora eigentlich Sarahs war. Sie hatte sie vor vielen Jahren als Babykatze in einer Mülltonne gefunden und gerettet. Deshalb war sie auch nach einer Katze aus Walt Disneys *Aristo-*

cats getauft worden. Zwei Mal hatte Sarah sie schon in Davids Wohnung mitgenommen. Dort fühlte sie sich inzwischen ebenfalls heimisch, was mit daran lag, dass Sarah den alten Katzenkorb mitgenommen hatte.

Jetzt lag Marie zusammengerollt auf einem Stuhl und schlief.

»Hast du auch Brautkleider anprobiert?«, fragte Chris.

Sarah schüttelte den Kopf. »Ich hab mir in der Zeit das Geschäft und seine Besitzerin angeschaut.« Sie erzählte ihrem Bruder von dem außergewöhnlichen Firmenlogo des Ladens. Sie reichte Gabi die Salatteller, die diese auf dem Tisch verteilte. Dann folgten zwei Porzellanschüsseln, eine mit dampfendem Reis, die andere mit Curryhuhn.

»Wollen wir mit dem Essen nicht auf David warten?«, fragte Chris.

»Der wird sicher gleich kommen.«

In dem Moment hörten sie, wie die Wohnungstür geöffnet wurde.

»Na bitte«, stellte Sarah zufrieden fest. Sie freute sich auf einen fröhlichen Abend im Kreis ihrer Lieben.

David erschien im Türrahmen. Er sah allerdings alles andere als fröhlich aus. Hinter ihm stand Martin Stein. Kurz geschorenes Haar, unbewegte Miene, in Jeans und Lederjacke. Ganz der Cop, wie Sarah ihn kannte.

»Sie tragen Ihr Handy wohl auch nur spazieren, Sarah!«, polterte der Chefinspektor sofort los.

»Ich freue mich auch, Sie zu sehen.«

»Ich hab zig Mal versucht, Sie anzurufen!«

»Sorry, aber es ist auf lautlos gestellt.«

Sarah lief in den Flur, kramte ihr Handy aus der

Umhängetasche, die an der Garderobe hing und sah aufs Display. Stein hatte in der letzten Stunde tatsächlich fünf Mal versucht, sie zu erreichen. Das war kein gutes Zeichen …

Sie ließ das Handy auf dem Garderobentisch im Flur liegen und ging zurück in die Küche. Gabi verteilte gerade Wassergläser auf dem Tisch.

»Das klingt ganz so, als hätten Sie schlechte Nachrichten«, sagte Sarah und nahm einen weiteren Teller aus der Anrichte sowie Besteck aus der Lade. »Wenn dem so ist, dann essen Sie jetzt auch mit uns. Wenn es jedoch wider Erwarten gute Nachrichten sind, dann erst recht.«

Aber was konnte passiert sein? Ihre Familie saß jedenfalls zum Glück gesund und munter um den Tisch herum. Marie trollte sich aus der Küche, der Wirbel wurde ihr zu viel.

Martin Stein folgte Sarahs Einladung, hängte seine Lederjacke über die Stuhllehne und nahm vor dem zusätzlich aufgelegten Gedeck am Tisch Platz.

»Am Esstisch rückt die Welt zusammen. Essen erdet«, behauptete Sarah und gab den anderen ein Zeichen, sich zu bedienen, doch niemand reagierte darauf.

»Hallo! Nehmt ihr euch bitte? Ich hab schließlich nicht für den Abfalleimer gekocht!« Ihre Angespanntheit war unüberhörbar. Sie betrachtete David aus den Augenwinkeln. Er schien besorgt zu sein.

Stein brach schließlich das betretene Schweigen und sagte: »Gut. Ich habe heute eh noch nichts Gescheites gegessen.«

Chris nahm sich als Erster, die anderen taten es ihm reihum nach. Sarah wartete, bis alle ihre Teller gefüllt waren, dann erst bediente sie sich.

Sie begannen zu essen, und noch immer sagte niemand ein Wort.

Schließlich wurde es Sarah zu bunt. »So, jetzt können Sie reden«, sagte sie und sah Stein abwartend an.

Der legte sein Besteck zur Seite.

»Schmeckt wirklich gut«, sagte er. »Ich wusste gar nicht, dass Sie auch kochen können.« Er versuchte ein freundliches Lächeln, dann sah er einmal in die Runde, entnahm der Innenseite seiner Lederjacke einen Stapel Fotos und gab sie Sarah.

»Wir haben etwas gefunden. Vielleicht ist es der Ort, an dem Daniela Meier festsaß, möglicherweise die letzten fünf Jahre. Die Untersuchungen laufen noch.«

»Ah«, sagte Sarah vorsichtig und sah sich die Fotos an. »Aber um mir das zu sagen, sind Sie nicht gekommen, oder?«

Der Ermittler schüttelte den Kopf und wechselte einen raschen Blick mit David.

»Du weißt schon, worum es geht?«, richtete Sarah ihre Frage an David, obwohl das einigermaßen offensichtlich war.

David nickte stumm.

»Warum weiß David Bescheid, aber ich nicht? Es geht doch um mich, oder?«, fragte sie entrüstet.

»Weil ich mein verdammtes Handy eingeschaltet hatte und du nicht«, sagte David schroff. »Das spielt jetzt auch gar keine Rolle, Sarah. Dazu ist die Sache viel zu ernst.« Er schob sich nervös eine Gabel Reis in den Mund und kaute darauf herum, als wäre es ein zähes Stück Fleisch.

Sarah schluckte.

Stein ergriff wieder das Wort: »An diesem Ort jedenfalls sind wir auf das gestoßen, was Sie auf den Fotos erkennen. Wir nehmen deshalb an, dass derselbe Täter nun Sie im Visier hat.«

»Ist denn schon klar, dass es sich um einen Mann handelt? Und warum mich im Visier?«

»Weil Schneewittchen tot ist und er jetzt die böse Stiefmutter holt«, scherzte ihr Bruder.

»Hör auf, Chris, das ist nicht witzig!«, fuhr David ihn an.

Sarah sah sich die Bilder genauer an. Sie waren verstörend. So etwas kannte sie bisher nur aus Filmen. Die Wände des Raumes, den man auf den Bildern sehen konnte, offensichtlich ein Keller, waren über und über beklebt mit Zeitungsartikeln, Fotos und Kopien, auf denen nur ein einziges Thema, nur ein einziges Motiv zu finden war: sie selbst, Sarah Pauli.

Sarah schluckte noch einmal und hatte plötzlich das Gefühl, dass irgendetwas ihr die Kehle zuschnürte. Unwillkürlich musste sie an Michaela Adam denken, jene Cellistin, die sich in einem paranoiden Wahn als Mitglied einer Gruppe wähnte, die Johann Strauß' verschollenen Orchesterpartituren auf der Spur war. Da sie davon überzeugt war, dass auch eine gegnerische Gruppe existierte, hatte sie akribisch alles gesammelt und dokumentiert, was sie über diese Gegner herausfinden konnte.

Doch das hier war noch etwas anderes. Der Schreck durchzuckte sie unerwartet, als ihr der aberwitzige Rosenstrauß in ihrem Büro einfiel. Aber … war denn so etwas möglich?

Sie gab die Fotos an die anderen am Tisch weiter, die die Szene gespannt beobachtet hatten.

»Wie gestört ist das denn?«, rief Chris aus, »der hat ja eine ganze Galerie von dir aus dem Raum gemacht!«

»Ja. Offensichtlich verehrt er Ihre Schwester sehr«, bestätigte Martin Stein. »Das macht ihn jedoch nicht minder gefährlich. Ganz im Gegenteil. Bei solchen Fanatikern kann das Blatt sich schnell wenden, und dann wird der vermeintlich harmlose Fan zur tödlichen Bedrohung und zum Täter.«

»Könnte es sich dabei nicht auch um eine Frau handeln?«, fragte Sarah.

»Natürlich kann es auch eine Täterin sein«, antwortete Stein. »Einfachheitshalber sprechen wir vom Täter. Wobei ich ehrlich gesagt derzeit von einem männlichen Täter ausgehe.«

»Und dass es nicht um Verehrung, sondern um Hass …«

»Wir ermitteln in alle Richtungen, Sarah«, unterbrach Stein sie.

»Was habt ihr denn bis jetzt gefunden? Gibt es wenigstens schon irgendwelche Spuren, die dich weiterbringen?«, fragte David. Er sah jetzt wieder sehr besorgt aus.

»Nun, der Raum, dieser Keller dort ist ziemlich abgewohnt und stickig, insofern haben wir jede Menge Gebrauchsspuren gefunden. Doch ansonsten ist es dort sauber wie in einem Operationssaal. Wir nehmen an, dass der Täter das Versteck nur mit Schutzkleidung betreten hat, wahrscheinlich auch mit Mundschutz, und immer bevor er wieder wegging, dürfte er dort mit aggressiven Chemikalien und Desinfektionsmitteln geputzt oder herumgesprüht haben. Deshalb können wir auch nicht mit hundertprozentiger Sicherheit sagen, ob Daniela Meier wirklich dort festgehalten wurde. Möglicherweise hat er uns eine falsche Fährte gelegt und …«

»Wie haben Sie den Ort denn jetzt auf einmal so schnell gefunden?«, unterbrach ihn Sarah. Sie begann nervös, an einem ihrer Cornicelli zu zupfen.

Stein bemerkte die Geste sofort und sagte: »Die Ohrringe schützen Sie nicht vor einem Wahnsinnigen. Das wissen Sie ja hoffentlich, oder?«

Sarah sagte nichts.

»Er wollte, dass wir diesen Keller finden«, fuhr Stein fort. »Die … sagen wir Adresse, denn eigentlich sind es ausschließlich Koordinaten, diese Koordinaten jedenfalls waren mit einem schwarzen Permanentmarker auf Daniela Meiers Bauch geschrieben worden.«

»Was? Aber das ist ja krank!«, rief Gabi aus.

»Wieso krank?«, fragte Stein ehrlich überrascht. »Ich würde eher sagen, das war ziemlich gut durchdacht. So konnte er sich nämlich absolut sicher sein, dass wir die Adresse finden und den Ort suchen würden. Einen Zettel hätten wir auch übersehen oder der hätte verloren gehen können. Außerdem sind Permanentmarker wasserfest. Sprich, auch wenn es geregnet hätte, hätten wir die Adresse noch entziffern können. Ich gehe davon aus, dass der Täter ziemlich clever ist.«

Stein griff nach Messer und Gabel und aß weiter. Die anderen folgten seinem Beispiel.

»Dieser Keller muss doch irgendjemandem gehören. Kann man unter der Adresse den Besitzer denn nicht finden?«, fragte Sarah.

»Tja, wieder ja und nein. Also ja, einen Besitzer gibt es schon. Und zwar sind das die österreichischen

Bundesforste. Denen gehört diese ganze Gegend des Wienerwaldes dort. Das Verlies ist ein alter gemauerter Keller, sicher über hundert Jahre alt, der früher wahrscheinlich mal als Weinkeller gedient hat und vielleicht auch als Versteck während des Krieges. Aber nicht einmal die österreichischen Bundesforste wussten von der Existenz dieses Kellers. Er wurde direkt in den Boden eingelassen, vermutlich illegal, denn er ist auf keinem ihrer Pläne verzeichnet. Der Eingang ist überwuchert von Grünzeug, man sieht ihn nicht, und außerdem liegt ein riesiger Steinhaufen davor. Also wir hätten ihn niemals gefunden, wenn der Täter nicht die exakten Koordinaten auf dem Bauch der Leiche verzeichnet hätte.«

»Ja und was passiert jetzt?«, fragte David.

»Wir ermitteln natürlich weiter und hoffen, dass wir den Kerl so schnell wie möglich dingfest machen können«, antwortete Martin Stein.

»Ich meine wegen Sarah!«

»Du weißt ja, dass hier in Österreich bei drohender Gefahr nur Politiker Personenschutz genießen. Zu allen anderen kommen wir erst, wenn schon was passiert ist. Da sind mir leider die Hände gebunden. Deshalb hab ich ja auch gleich versucht, Sarah zu erreichen und bin hergekommen, nachdem mir das nicht gelungen war. Also jetzt seid ihr alle hier am Tisch darüber im Bilde, dass die Sache brenzlig ist, und ich bitte euch dringend, Sarah nicht aus den Augen zu lassen. Und, Sarah, Sie bitte ich ebenso dringend, keine Alleingänge mehr zu unternehmen, ausnahmslos. Nirgendwohin.«

»Auch nicht in den Supermarkt?«

»Auch nicht in den Supermarkt.«

»Nicht mal aufs Klo?«

Steins Stirn legte sich in Falten.

»Das ist nicht witzig«, brummte er.

»Ich finde schon …«

»Sarah!«

»Aber … warum ich?«, rief Sarah aus. In diesem Augenblick sprang Marie unter dem Tisch hervor. »Gott, Marie, hab ich mich jetzt erschrocken!« Die Katze nahm auf ihrem Schoß Platz und schnurrte laut, wie immer hatte sie gespürt, dass Sarah nervös war und sie zur Beruhigung brauchte.

»Hast du gewusst«, fragte Gabi zusammenhanglos, »dass es ein kleines Fischerdorf auf irgendeiner japanischen Insel gibt, wo mehr Katzen als Menschen leben? Ist inzwischen eine Touristenattraktion.« Sie war ganz blass geworden. Chris legte seinen Arm um ihre Schultern und zog sie zu sich heran.

»Jedenfalls werde ich wegen diesem Kerl sicher nicht nach Japan ausreisen«, sagte Sarah. »Er will, dass ich weiß, dass er mich im Visier hat, oder? Ist es nicht so?«

Sie sah Stein fragend an.

»Ja«, antwortete der, »das sehen wir auch so.«

»Er will, dass ich Angst vor ihm habe. Aber warum?«

»Manche Typen turnt das an«, mutmaßte Chris. »Vielleicht ist ihm mit der Meier auf Dauer langweilig geworden, deshalb sucht er sich jetzt eine neue … Braut.«

»Die böse Stiefmutter?« Sarah sah ihren Bruder an und musste grinsen.

»Wahrscheinlicher ist, dass er einfach nur will, dass Sie wissen, dass es ihn gibt und dass er sie beobachtet«, sagte Stein. »Ich rate Ihnen auch, in den nächsten Tagen ihr Handy auszuschalten. Wir geben zwar keine Pressemeldung raus, aber Sie wissen ja, wie das so ist mit den Journalisten, diese sensationsgeile Meute erfährt es früher oder später sowieso.«

Nun grinste auch er.

»Sicher«, sagte Sarah, »und ich werde auf keinen Fall der Konkurrenz meine Story überlassen. Wenn, dann verkaufe ich sie an den Meistbietenden, den *Wiener Boten*, gell David?« Sie stieß sanft mit ihrer Faust gegen Davids Oberarm.

David stöhnte auf. »Ja, ja.«

Dann erzählte Sarah Stein von dem Strauß Rosen und dem Pentagramm in Schönbrunn, denn plötzlich kam ihre Idee ihr überhaupt nicht mehr abwegig vor. »Was sagen Sie, kann es sein, dass es da einen Zusammenhang gibt?«

»Klingt nicht verrückter als die Sachen, die Sie mir sonst so auftischen«, meinte Stein. »Ich werde einen Kollegen drauf ansetzen. Denn so viele Rosen auf einmal kaufen, das muss doch auffallen im Blumenladen.«

Sarah nannte ihm den Namen des Botendienstes, den sich Stein sofort notierte.

»Ich frag mich nur, wieso der ausgerechnet auf mich gekommen ist. Ich stehe doch in keinerlei Verbindung mit Daniela Meier«, meinte sie dann.

»Naheliegend wär's wohl, dass er durch Ihre Artikel in der Zeitung auf Sie aufmerksam geworden ist. Gab es da in letzter Zeit von Ihnen irgendwas Abergläubisches zum Thema Heiraten?«

»Nein, noch nicht, ich sitze gerade dran. Eine Hochzeitsbeilage. Aber die erscheint erst Anfang Mai. Da fällt mir noch was ein. Sagen Sie, trug Daniela Meier ein Strumpfband?«

Der Chefinspektor dachte kurz nach. »Nein, nicht dass ich wüsste. Warum?«

»Und war sie von irgendwelchen Dingen umgeben, also hatte sie Accessoires bei sich? Gegenstände?«

»Woher soll ich das wissen? Was sind das für komische Fragen?«

Sarah klärte Stein über den traditionellen Brauch auf, demgemäß eine Braut etwas Neues, Altes, Blaues und Geliehenes zu ihrer Hochzeit tragen sollte.

»Und Sie glauben allen Ernstes, dass uns dieses Wissen zum Täter führt?«

»Ich wollte es jedenfalls nicht unerwähnt lassen«, erwiderte Sarah ein wenig spitz.

»Wie ist die Leiche eigentlich in den Park gekommen und wann?«, fragte Gabi dazwischen. »Das ist doch eine ziemliche Monsteraktion. Hat denn niemand was davon mitbekommen? Was gesehen?«

»Auf dem Video einer Überwachungskamera ist jemand zu sehen, aber ziemlich verschwommen. Die Person betritt am Abend die Parkanlage durchs Maria-Theresien-Tor und schiebt einen Rollstuhl vor sich her, in dem jemand sitzt. Wir nehmen an, dass es sich dabei um die Leiche handelt. Dieselbe Person verlässt erst am nächsten Morgen die Anlage, wieder mit dem Rollstuhl, aber diesmal durchs Tiroler Tor.«

»Also hat er sich über Nacht im Park einsperren lassen, mitsamt Rollstuhl und Leiche? Aber wo soll er sich denn versteckt haben?«, fragte Sarah.

»Nun, der Park ist schon sehr groß.«

»Dann hätte er also die ganze Nacht Zeit gehabt,

um die Leiche herauszuputzen und aufzubahren. Und als die Tore am nächsten Morgen wieder geöffnet wurden, ist er einfach seelenruhig wieder rausspaziert?«

»Ja, wahrscheinlich war es so«, bestätigte Martin Stein. »Der Tisch, auf dem sie lag, ist ein Campingtisch, der sich so zusammenklappen lässt, dass man ihn problemlos transportieren kann.«

»Ein Irrsinn«, sagte David leise und nachdenklich. »Es klingt, als würde jemand ein Stück fürs Theater inszenieren.«

»Stimmt«, meinte Stein. »Nur kenne ich keines mit einer toten Braut im Park.«

»Schneewittchen lag im gläsernen Sarg, als der Prinz kam«, sagte Sarah. »Nur war sie da ja gar nicht wirklich tot.«

»Habt ihr denn die Identität des Mannes inzwischen rausgefunden?«, fragte David.

Martin Stein schüttelte den Kopf. »Man sieht leider kein Gesicht auf dem Video. Weder das der Person im Rollstuhl noch das der anderen. Wir wissen auch hier nicht sicher, ob es sich um einen Mann handelt, aber wir gehen davon aus.«

»Können wir drüber schreiben?«, fragte Sarah.

»Ja. Die Sache ist offiziell.«

Schweigend aßen sie nun ihre Teller leer, jeder schien seinen eigenen Gedanken nachzuhängen.

Danach räumten Gabi und Chris das Geschirr in die Spülmaschine, und Martin Stein verabschiedete sich. Gabi, Chris und David mussten ihm hoch und heilig versprechen, Sarah nicht aus den Augen zu lassen. Und auf dem Weg zur Wohnungstür musste Sarah ihm hoch und heilig versprechen, sich an seine Anweisung zu halten. Sie versprach es ihm.

»Auf Wiedersehen, Sarah.« Stein drückte ihr fest die Hand.

»Wiedersehen.«

Sie blieb im Türrahmen stehen und sah ihm nach, wie er die Treppe hinunterging. Auch nachdem das Haustor schon ins Schloss gefallen und das Licht im Treppenhaus erloschen war, stand sie noch dort und schob sich gedankenverloren eine Haarsträhne hinters Ohr.

14

SCHLÖSSER UND SEIFENBLASEN

Valentina haderte mit sich. Sollte sie Felix bitten, Danielas Habseligkeiten zu entsorgen? Oder sollte sie so tun, als habe sie die Boxen im Abstellraum nie gesehen? Beides verursachte ihr Magenschmerzen. Ihr Wunsch, Danielas Spuren sozusagen zu löschen, kam ihr kaltherzig und grausam vor, außerdem war sie sich nicht sicher, ob das Kapitel Daniela dadurch auch für Felix beendet wäre. Zu verschweigen, dass sie in Danielas Sachen herumgekramt hatte, kam ihr wie eine Lüge vor.

Jemand von der Rezeption nahm ihr die Entscheidung für den Moment ab, indem er Ruth übers Haustelefon ankündigte.

Kurz danach hörte sie den Schlüssel im Schloss, die Wohnungstür wurde geöffnet, und Ruth und Felix standen vor ihr.

»Hey«, sagte Felix, »schau mal, wen ich mitgebracht habe.«

Valentina sah die beiden an. »Ist etwas passiert?«, fragte sie. Ruth hatte nachmittags am Telefon nicht erwähnt, dass sie abends vorbeikommen wollte.

»Nein, nein, es ist nichts passiert. Gerhard hat nur vor einer halben Stunde Vorschläge für die Hochzeitsfotos unseres Winzerpaares geschickt, und ich dachte mir, bevor ich sie dir weiterschicke und wir sie dann wieder am Telefon durchgehen, schau ich schnell vorbei und zeig sie dir. Außerdem hat der Weinbauer eine etwas eigenwillige Idee für seine Hochzeitstorte, die ich gern mit dir besprechen würde, bevor ich Josef damit konfrontiere.«

»Konfrontieren klingt irgendwie nach Widerstand«, sagte Valentina. »Ist die Idee so eigenwillig, dass Josef sich weigern könnte, sie umzusetzen?«

»Na ja, schon sehr eigenwillig, aber wenn wir sie in die Gesamtdekoration integrieren würden, könnten wir sie Josef vielleicht besser verkaufen. Allerdings, wenn ich euch jetzt störe …«

»Nein, nein, wo denkst du hin?« Valentina küsste ihre Freundin zur Begrüßung rasch auf beide Wangen und gab ihrem Freund einen Kuss auf den Mund. »Schön, dass ihr gekommen seid, jetzt habe ich endlich wieder Menschen um mich. Es ist ganz schön einsam hier, wenn Felix im Büro ist.«

»Geht ruhig schon mal vor ins Wohnzimmer. Ich bestelle uns von unten etwas zu essen«, schlug David vor. »Du bleibst doch zum Essen, Ruth?«

Ruth zögerte. »Schon gerne. Ich bin den ganzen Tag noch nicht zum Essen gekommen und habe schon Kopfschmerzen deswegen.«

»Das klingt aber gar nicht gut«, bedauerte Felix sie. »Also dann. Und ich mache uns schon mal einen guten Wein auf. Rot oder weiß, was ist dir lieber, Ruth?«

»Am liebsten wäre mir jetzt ein Schluck Rotwein.«

»Cabernet Sauvignon? Ich hab einen guten Burgenländer.«

Ruth nickte zustimmend.

Felix verschwand in der Küche, ohne Valentinas Antwort abzuwarten. Sie hätte nämlich viel lieber einen Muskateller getrunken.

»Wie geht's dir?«, fragte Ruth sie.

»Mir geht's, wie man so schön sagt, den Umständen entsprechend«, antwortete Valentina.

Ich fühle mich beschissen, fügte sie stumm hinzu, ich bin eingesperrt mit den Nachlässen meiner Vorgängerin …

»Und wie geht's dir?«, fragte sie stattdessen.

»Es geht so. Es ist so schwer, das Ganze zu begreifen. Es will und will nicht in meinen Kopf hinein, dass Daniela tot ist.«

»Bei Felix ist das auch noch nicht wirklich angekommen, glaube ich. Was ist mit den Anrufen von der Presse?«

»Die halten sich inzwischen zum Glück einigermaßen in Grenzen. Apropos, Irene hat mich angerufen. Bei ihr war am Nachmittag eine Journalistin im Laden, offenbar mit einer Freundin, die Hochzeitskleider anprobiert hat. Irene meint, das sei garantiert nur ein Vorwand gewesen, um sich ihren Laden ansehen zu können. Die Medien sind ja genau im Bilde darüber, dass Danielas Brautkleid dort gestohlen wurde. Und am Morgen sei ein Kamerateam vor ihrem Laden gewesen und hätte die Auslagen gefilmt. Wenn's kein so trauriger Anlass wäre, hätte sie sich über die Gratis-PR ja freuen können. Jedenfalls hat diese Journalistin Irene auf ihr Firmenlogo angesprochen, weil sie offenbar Kolumnen über das Thema schreibt, irgendeine Sonderbeilage zu Hochzeiten, die im Mai erscheinen soll.«

»Welche Zeitung?«

»*Wiener Bote*. Diese Beilage wird aber durch Anzeigen und bezahlte Artikel finanziert.« Ruth stellte ihren Laptop auf dem Wohnzimmertisch ab, schaltete ihn ein und ließ sich dann aufs Sofa fallen. »Irene hat mich gefragt, ob wir uns vorstellen könnten, da mitzumachen.«

Valentina setzte sich neben Ruth. »Hm. Ich weiß nicht.«

»Wäre aber nicht schlecht. Du weißt doch, Conny Soe schreibt für den *Wiener Boten*, die erwähnt unsere Agentur jedes Mal auf ihrer Seite, wenn es um eine Promi-Hochzeit geht, die wir ausgerichtet haben. Vielleicht sollten wir doch ...«

»Das ist sicher viel zu teuer«, unterbrach Valentina sie.

»Aber wenn alle mitmachen, müsste es leistbar sein.«

»Was wäre leistbar?« Felix war mit einer Flasche Wein in der Hand ins Wohnzimmer gekommen. Er stellte die Flasche auf dem Tisch ab und nahm drei Rotweingläser aus dem Gläserschrank. Ruth setzte ihn mit wenigen Worten in Kenntnis.

»Also wenn ihr wollt, könnte ich ...«, begann er.

»So weit kommt's noch, dass du unsere Zeitungsanzeigen bezahlst!«, unterbrach Valentina ihn. Es war schon unangenehm genug, dass sie sich im Moment wie die Zweitbesetzung in einem Theaterstück fühlte, und sie wollte nicht auch noch das Gefühl haben müssen, Felix finanziere ihre Agentur.

»Ich hab Irene vorgeschlagen, diese Journalistin zum Late-Night-Shopping einzuladen. Das ist ja bald. Danach können wir uns noch immer entscheiden«, meinte Ruth. »Es gibt jedenfalls zig Zeitungen, die gerne was über uns schreiben würden. Immerhin sind wir Danielas Agentur gewesen, und wenn ich nur mal die Anfragen von heute zusammenzähle ... Jedenfalls denke ich ...« Ruth unterbrach sich und schlug die Augen nieder. »Keine schöne Idee, ich weiß, und ziemlich kaltherzig.«

»Sprich's ruhig aus, Ruth. Du warst Danielas Hochzeitsplanerin, ich ihr Bräutigam, und Valentina hat ihre Leiche gefunden. Die Medienwelt interessiert sich für uns. Warum also nicht diese Tatsache nutzen und sozusagen Kapital draus schlagen?« Seinem Tonfall war nicht zu entnehmen, ob das ernst oder zynisch gemeint war.

»Aber ich bin auch eure Hochzeitsplanerin«, protestierte Ruth schwach.

»Ja. Aber wir sind nicht tot und deshalb als Werbeträger von keinem großen Nutzen.« Felix schenkte ihnen Wein ein und ließ sich ebenfalls aufs Sofa fallen. »Ich denke jedenfalls ernsthaft darüber nach, ein Interview zu geben.«

»Ich dachte, wir waren uns einig darüber, dass wir vorerst nicht mit Journalisten reden«, wandte Valentina ein. Sie fühlte sich ein wenig wie im falschen Film. Besprachen die beiden jetzt wirklich, wie man aus dieser schrecklichen Situation Kapital schlagen konnte? »Außerdem hast du immer gesagt, dass dir jeder Medienrummel verhasst sei.«

»Das stimmt. Ich war zuerst auch dagegen. Doch sie werden keine Ruhe geben, Valentina. Ich will ja nur verhindern, dass sie irgendwelche an den Haaren herbeigezogene Geschichten erfinden und veröffentlichen. Wenn wir ihnen jedoch ein bisschen Futter liefern, sind sie hoffentlich fürs Erste zufrieden. Natürlich suche ich mir die Medien, mit denen ich rede, selber aus«, räumte Felix ein.

»Gut, dann rede du mit ihnen, aber ich …« Valentina verstummte wieder. Sie wollte nicht zugeben, dass sie sich fühlen würde wie die zweite Wahl an Felix' Seite, weil die erste spurlos verschwunden und nun umgebracht worden war. Genau das würden die Medien nämlich aus ihr machen: eine Zweitbesetzung, die obendrein die Leiche der Erstbesetzung gefunden hatte. Nein, sie wollte nicht mit der Presse reden.

»Darüber habe ich gestern auch länger nachgedacht«, sagte Ruth. »Und ich denke auch, ja, vielleicht sollten wir doch Interviews geben.«

Valentina sah irritiert von einem zum anderen. Hatten die zwei sich etwa vorher abgesprochen? War Ruth in Wahrheit deshalb unangemeldet aufgekreuzt, um Felix dabei zu unterstützen, sie zum Gespräch mit Journalisten zu überreden?

»Immerhin hat auch Conny Soe schon in der Agentur angerufen«, fuhr Ruth fort. »Es war mir ziemlich unangenehm, sie abzuwimmeln, denn die ist ja nicht irgendwer, und ich möchte sie auf keinen Fall zur Feindin haben.«

»Ich weiß, wer sie ist, Ruth, und dass sie einen Namen in der Branche hat«, entgegnete Valentina schroff. Sie hatte schon ein paar Mal mit Conny Soe zu tun gehabt, auch wenn Ruth für die Pressearbeit zuständig war. Aber auf der einen oder anderen Promi-Hochzeit war auch Valentina ihr schon über den Weg gelaufen und hatte ein paar Worte mit ihr gewechselt.

»Sie ist eine Institution, sie kennt Gott und die Welt. Am Telefon hat sie gesagt, dass sie in einem Interview mit dir auf jeden Fall auch unsere Agentur besonders erwähnen würde«, fuhr Ruth unbeirrt fort. »Und sie hält Wort, das weiß ich aus meiner bisherigen Erfahrung mit ihr. Wenn wir dann noch eine Anzeige in diesem Hochzeitsmagazin schalten, wären wir in mehreren Zeitungsartikeln präsent, und das über einen längeren Zeitraum. Alle, die über unsere Verbindung mit Daniela lesen, sehen auch die Anzeige. Also ich meine, dass sich das unterm Strich schon rechnet.«

Valentina schüttelte fassungslos den Kopf. »Entschuldigt mal, aber das klingt für mich irgendwie nach … Leichenfledderei. Daniela war deine Freundin, und jetzt schlagen wir Profit aus ihrem Tod? Felix, das kannst du doch nicht machen!«

Felix presste die Lippen aufeinander. »Nun, so schlimm Danielas Tod auch ist, aber ich glaube, es hätte ihr nichts ausgemacht. Sie war ziemlich unkonventionell, weißt du? Wahrscheinlich würde sie sich sogar königlich darüber amüsieren, wenn sie jetzt hier säße.«

Ruth nickte zustimmend.

»Übrigens hat Conny Soe auch mich schon direkt kontaktiert. Vielleicht sollten wir einfach zusammen mit ihr sprechen, Valentina. Mit ihr und noch ein paar anderen wichtigen Journalisten.«

Valentina traute ihren Ohren nicht. Es war also wirklich so, Ruth und Felix versuchten gemeinsam, sie herumzukriegen. Ihr Blick wanderte wieder zwischen Felix und Ruth hin und her. »Also ich hoffe nur, dass ihr beide mich nicht überlebt.« Die Ironie ihres Satzes kam allerdings kaum rüber, und sie machte eine längere Pause. »Aber wenn ihr so fest davon überzeugt seid, dass das eine gute Idee ist … Ich überlege es mir übers Wochenende«, sagte sie schließlich, um diese Diskussion zu beenden. Dabei sah sie Felix an.

Der wich ihrem Blick aus, schien jedoch begriffen zu haben, dass dieses Gespräch für Valentina beendet war. Sein Blick fiel auf den Bildschirm des Laptops. »Das ist gut!« Er zeigte auf ein Foto, das das Brautpaar auf einer großen Wiese zeigte. Der Bräutigam kniete vor der stehenden Braut und legte ihr einen Miniaturpalast zu Füßen. Damit war der Themenwechsel vollzogen.

»Ja. Gerhard ist ein guter Fotograf«, bestätigte Ruth. »Statt einem Schloss würde unser Winzer seiner Braut natürlich sein Weingut zu Füßen legen. Apropos Winzer, Felix, weißt du, an wen der Weinbauer mich erinnert?«

Und dann kamen sie herangebraust und zogen über Valentina hinweg wie ein Tornado – Felix' und Ruths Erinnerungen an Daniela und die Zeit mit ihr. Die gemeinsamen Wochenenden bei den burgenländischen Winzern, in der Wachau oder der Südsteiermark, die Verkostungen, die Weineinkäufe ab Hof. Die durchzechten Nächte. Die Tränen, die man gemeinsam gelacht hat ... Einer Erinnerung folgte die nächste, es ging immer weiter so, und die beiden wirkten immer mehr wie ein eingeschworenes Paar. Plötzlich fühlte Valentina sich, als wäre sie an einem Bahnsteig zurückgelassen worden. Unsichtbar. Ausgeschlossen. Allein und einsam.

Ruth und Felix spielten ihre Vergangenheit zwar auch sonst in unregelmäßigen Abständen durch wie ein Spiel, das man wiederholen musste, um die Gefahr zu bannen, dass die Erlebnisse in Vergessenheit gerieten. Doch zum ersten Mal spürte Valentina eine rasende Eifersucht auf Daniela. Als wäre sie tot noch präsenter als lebendig. Als drohe sie jetzt erst recht, ihr Felix wieder wegzunehmen. Letzte Nacht hatte er im Schlaf mehrmals ihren Namen geflüstert.

Valentina gab sich einen Ruck, ihre Züge strafften sich wieder, und sie fragte: »Was gefällt euch denn so an diesem Foto?«

Der Redeschwall der beiden stoppte abrupt. Sie sahen Valentina einen kurzen Moment fragend an, als hätten sie vergessen, dass sie überhaupt da war und worüber sie eigentlich gerade gesprochen hatten.

»Ich meine das Foto mit dem Schloss«, fügte Valentina hinzu.

»Weil die Braut dort einheiratet. Es ist sein Besitz«, erklärte Ruth und betonte das Possessivpronomen. »Aber das weißt du doch.«

»Ich find's trotzdem nicht sehr originell, ihr das mit einem solchen Foto unter die Nase zu reiben.«

»Geh, komm!«, lachte Ruth. »Der Prinz auf dem Schimmel, davon träumen sie doch im Grunde alle.«

Wenn sie jetzt mit Schneewittchen kommt, kotze ich, dachte Valentina. »Ich denke da aber eher an Ritter Blaubart und die sechs ermordeten Ehefrauen in der Kammer«, sagte sie trocken.

»Aber nein, das hier ist romantisch«, erwiderte Ruth. »Er legt ihr seine Welt zu Füßen.«

»Das hier, das ist romantisch«, sagte Valentina und zeigte auf ein Foto, auf dem ein Brautpaar inmitten Tausender Seifenblasen stand. »Das hier«, sie zeigte wieder auf das erste Foto, »drückt aus, dass sie sich nach oben heiratet. Also Aschenputtel bekommt ihren Prinzen und das Schloss dazu.«

»Genauso ist es doch auch«, sagte Ruth. »Wo bitte schön ist also das Problem?«

Valentina schwieg.

»Gerade du dürftest doch kein Problem damit haben«, setzte Ruth nach.

Valentina starrte ihre Freundin an, und es dauerte einen Moment, bis sie die Härte des Satzes begriff.

»Was willst du denn damit sagen?«

»Nichts.«

»Meinst du, ich heirate Felix nur, weil er erfolgreich und vermögend ist? Ist es das, was du sagen willst?«

»Das hat Ruth doch gar nicht behauptet!«, mischte sich Felix nun ein. »Was ist los mit dir, Valentina?«

»Nein, das wollte ich nicht damit sagen. Du heiratest ihn, weil du ihn liebst«, sagte Ruth so ruhig wie möglich.

»Und für den goldenen Ballast muss ich ihm die Füße küssen oder was?«, fragte Valentina unvermindert scharf zurück.

»Goldener Ballast?«, wiederholte Felix und starrte Valentina mit großen Augen an.

»Aber was ist daran so schlimm, wenn man nach der Hochzeit mehr hat als vorher? Ich wäre froh gewesen, wenn Toni etwas mehr mit in die Ehe gebracht hätte als nur sich selbst«, bemühte sich Ruth, ihre Aussage zu relativieren.

Valentina kämpfte mit den Tränen und wandte ihren Blick ab. Was um Himmels willen lief hier schief? Wo kam nur dieses Misstrauen auf einmal her? Sie war doch sonst nicht so überempfindlich. »Ich muss eh nicht entscheiden, welches Motiv es werden soll. Das müssen die Brautleute schon selber tun«, presste sie schließlich hervor.

»Eben. Siehst du? Kein Grund zur Aufregung. Du und Felix, ihr könnt ja dann das Seifenblasenfoto nehmen.«

Felix verzog das Gesicht. »Unser Leben ist doch keine Seifenblase.«

In dem Augenblick läutete es an der Tür.

»Das Essen kommt«, sagte Felix und erhob sich hastig, offensichtlich froh, das Zimmer verlassen zu können.

»Hey, was war das denn eben?«, fragte Ruth.

Valentina holte tief Luft. »Ich heirate nicht sein Geld«, sagte sie mit fester Stimme.

»Aber das weiß ich doch.« Ruth griff nach Valentinas Hand und drückte sie leicht. »Ich glaube, unsere Nerven liegen einfach blank. Bei mir ist es jedenfalls so.«

»Wenn meine Nerven blank liegen, trinke ich meistens einen Gin Tonic. Das beruhigt. Aber ich fürchte, ein Drink reicht jetzt nicht, um das hier wieder auf die Reihe zu kriegen«, sagte Valentina.

»Ich weiß nicht, ich fühle mich irgendwie so schuldig«, begann Ruth. »Das alles macht mich ganz fertig und antriebslos, bestimmt habe ich deshalb auch Kopfschmerzen. Wie soll man denn bloß mit alldem umgehen? Einerseits ist mir ständig danach zu heulen, weil Daniela tot ist, aber andererseits habe ich jetzt wenigstens die Gewissheit …«

Sie hatte nun einen weinerlichen Ton angeschlagen, und Valentina hörte nur noch mit halbem Ohr zu. Ihre Freundin redete, wie es häufig der Fall war, wieder einmal nur von sich selber.

»Wenn ich länger hier eingesperrt bleiben muss, dann drehe ich durch«, stoppte sie Ruth ab, ohne auch nur mit einer Silbe auf ihren Monolog einzugehen.

»Eingesperrt? Du bist doch hier nicht eingesperrt!«

»Ich fühle mich aber so.«

»Also hier wäre ich auch gerne«, Ruth malte Anführungszeichen in die Luft, »eingesperrt. Außerdem reden wir von gerade mal einem Tag. Wenn du dich jetzt schon eingesperrt fühlst, dann …«

»Was dann?«, unterbrach Valentina sie. »Dann weißt du nicht, wie ich mich fühlen werde, wenn das noch

Wochen oder gar Monate so weitergeht? Was, wenn die Polizei den Täter nicht erwischt? Ob ich dann vielleicht mein Leben lang in dieser Wohnung bleiben muss?«

»Jetzt mal doch nicht gleich den Teufel an die Wand, Valentina! Felix ist einfach besorgt um dich. Das sind wir übrigens alle. Das musst du doch verstehen! Da draußen läuft ein Mörder herum, der vermutlich nur drauf wartet, dich ebenfalls zu kidnappen und in eine Kammer einzusperren wie Ritter Blaubart. Was ist dann? Was glaubst du, wie wir uns fühlen würden, wenn dir etwas passiert?«

»Vielleicht war sie ja gar nicht eingesperrt.«

Ruth kniff die Augen zusammen. »Wie meinst du das?«

»Vielleicht ist sie ja freiwillig abgehauen. Vielleicht mit einem anderen Mann?«

Himmel, was behauptete sie da?

»Das glaubst du doch selber nicht!«, schnaubte Ruth. »Sie wollte heiraten! Mit wem hätte sie denn deiner Meinung nach durchbrennen sollen?«

Valentina zuckte die Achseln. »Keine Ahnung.«

»Das ist doch Schwachsinn. So etwas hätte Daniela nicht getan, niemals!« Die Empörung in Ruths Stimme war nicht mehr zu überhören. »Sag einmal, wie kommst du auf so abstruse Ideen? Du hast Daniela doch gar nicht wirklich gekannt!«

Valentina fühlte sich plötzlich ganz mies. Ruth hatte recht. Sie hatte Daniela kaum gekannt, und es war blanker Unsinn, den sie da von sich gegeben hatte.

»Es ist nur …«, stammelte sie, »ihr habt eine gemeinsame Vergangenheit, und ich komme mir auf einmal vor wie ein Eindringling, der Daniela etwas weggenommen hat.«

Sie sahen einander an.

»Ach, Süße, komm!« Ruth umarmte Valentina.

Tränen strömten nun über Valentinas Wangen. Sie löste sich betreten aus Ruths Umarmung und wischte die Tränen mit ihrem Handrücken weg.

Wie um sich abzulenken, wies sie dann auf den Laptop und meinte: »Es stimmt, Gerhards Fotos sind toll.«

Felix kam mit dem Essen herein. »Entschuldigt, es hat ein bisschen gedauert. Ich hab mich an der Tür verplaudert. Ist aber alles noch warm. Was ist denn hier los?« Er sah Valentina an.

»Ach, nichts.«

Beide schüttelten die Köpfe und unterdrückten ein leises Lachen.

Felix stellte die Teller vom Servierwagen auf den Tisch und reichte ihnen das Besteck.

Während sie aßen, sprachen sie über die Vorschläge des Winzers für die Hochzeitstorte. Er wollte eine Torte in Form einer Weinflasche, und die sollte es dann auch noch im Kleinformat für alle Gäste als Andenken geben.

»Und ich soll dem Josef jetzt wahrscheinlich schonend beibringen, dass alle 300 Gäste Torten-Giveaways in Weinflaschenform bekommen«, schlussfolgerte Valentina.

Josefs Frau Katrin und Ruth kamen nämlich nicht besonders gut miteinander aus, und Katrin entschied natürlich im Hintergrund mit, ob Josef besonders extravagante und arbeitsintensive Aufträge oder Sonderwünsche annahm oder nicht.

»Die Hochzeit ist ja erst in sechs Monaten. Er hat also noch genug Zeit«, sagte Ruth.

»Na, der wird sich freuen. Dafür braucht er doch eine eigene Form. Ich kann mir nicht vorstellen, dass es Weinflaschenformen für Torten gibt!«

»Lass das mal Josefs Problem sein«, meinte Ruth, während sie diesen Punkt auf ihrer Liste abhakte, was zugleich hieß, dass sie keine Lust hatte, sich Josefs Kopf zu zerbrechen. »Sag, was hältst du davon, wenn wir unser nächstes Meeting hier bei dir im Penthouse abhalten? Dann hast du jede Menge Leute um dich herum.«

Valentina lächelte schwach und nickte.

Nachdem Ruth schließlich gegangen war, fiel Valentina die Sache mit den Boxen in dem begehbaren Schrank wieder ein. Doch sie wollte auf keinen Fall weitere Diskussionen vom Zaun brechen, weshalb sie das Thema vorerst auf den nächsten Tag verschob.

Montag, 20. April

15

DER VERDACHT

Übers Wochenende war Sarah bei David geblieben. Sie hatten sich viel Zeit füreinander genommen, und die Handys blieben weitgehend aus.

Dass ein Fanatiker die Wände eines alten Wein- und Schutzkellers im Wienerwald mit Fotos und Artikeln von Sarah Pauli überklebt hatte, hatte sich auch ohne Pressemeldung der Polizei wie ein Lauffeuer verbreitet. Bisher hatte Sarah alle Anrufe ihrer Kolleginnen und Kollegen nur per SMS und mit »Kein Kommentar« beantwortet. Natürlich roch das Ganze nach Sensation. Sarah konnte sich nicht erinnern, ob so etwas überhaupt schon einmal vorgekommen war. Für ihr eigenes Seelenheil schrieb sie darüber, schrieb einfach runter, was sie empfand, wie es ihr in dieser seltsamen Situation ging. Ob sie daraus irgendwann mal einen Artikel machen wollte, würde sie später entscheiden.

In der Sonntagsausgabe des *Wiener Boten* erschien lediglich ein Artikel über die Videoaufzeichnungen von Schönbrunn und den aktuellen Stand der Ermittlungen, so weit offiziell. Patricia Franz hatte die Fakten gut zusammengefasst.

Da es nach den ersten Frühlingstemperaturen wieder abgekühlt und zeitweise sogar geregnet hatte, verbrachten sie und David die meiste Zeit in seiner Wohnung.

Sie hatten lediglich einen kurzen Spaziergang durch den Türkenschanzpark gemacht, hatten die ersten Knospen und das zarte Grün der ausschlagenden Bäume bestaunt und den Frühling von Herzen begrüßt. David hatte währenddessen die ganze Zeit Sarahs Hand gehalten, als hätte er befürchtet, man könnte sie ihm entreißen.

Dazwischen hatten sie immer wieder viel über dic ganze eigenartige Situation gesprochen. Was wohl in jemandem vorgehen mochte, der eine solch fixe Idee in dieser Form auslebte. Ob so jemand einfach nur abgedreht war oder wirklich gefährlich werden konnte. Was das für die nächste Zeit bedeuten würde. David hatte Sarah das Versprechen abgerungen, dass sie kein Risiko eingehen und auf keinen Fall irgendwelche Alleingänge starten würde. Sie hatte im Gegenzug darauf bestanden, ihren Job weiter wie gewohnt zu machen und sich sicher nicht zu verkriechen. Auf diese Weise war ihr gemeinsames Wochenende ruhig und harmonisch verlaufen, so weit das unter diesen Umständen überhaupt möglich war.

Noch am Freitag hatte Sarah die Putzfrau im Büro gebeten, den Rosenstrauß zu entsorgen oder, falls sie es wolle, ihn selber mit nach Hause zu nehmen. Sie wollte ihn nur keinen Tag länger im Blickfeld behalten.

Als sie am Montag um halb zehn in ihr Büro kam, stellte sie erleichtert fest, dass der Strauß samt Eimer verschwunden war. Um zehn versammelten sich fast alle Redakteure und Ressortleiter zur großen Wochensitzung, nur Stepan, der Chronikleiter, fehlte.

»Wo ist Günther?«, fragte David in die Runde.

»Telefoniert noch mit der Polizei«, sagte Patricia Franz. »Er hofft, dass im Fall Meier übers Wochenende was Neues rausgekommen ist.«

Conny sah man ihre Übellaunigkeit schon von weitem an. Sie hatte immer noch keine Zusage für ein Interview mit Valentina Macek und Felix Beermann bekommen. Ein paar der Kollegen mussten sich das Grinsen verkneifen. Kaum etwas traf Conny Soe mehr, als dass ihr, der Königin der Gesellschaftsreporterinnen und -reporter, ein Interview verweigert wurde.

»Die haben noch gar nicht mit der Presse geredet«, beeilte sie sich zu betonen. »Dürften sich offenbar in ihre Gemächer zurückgezogen haben. Es kam nur die offizielle Pressemeldung, dass die Hochzeit der beiden auf unbestimmte Zeit verschoben worden ist. Was eh klar war.«

Dann wandte sie sich Sarah zu und murmelte: »Ich kenne Ruth Neuberg gut, die ist ein Profi, was Pressearbeit anbelangt. Die wird mir den Beermann und die Macek schon noch weichkochen. Ich hab ihr gegenüber betont, dass der Name ihrer Agentur in meinem Beitrag gut platziert würde, wenn sie mir ein Interview verschafft. Die beiden können ja nicht ewig unter Verschluss bleiben.«

Unter Verschluss. So hatte Sarah sich auch einen Moment lang gefühlt, als man ihr quasi verbot, alleine das Haus zu verlassen.

Sie erzählte Conny von ihrem Besuch im Brautsalon. »Vielleicht kann man das Pferd ja einfach von hinten aufzäumen und einen redaktionellen Bericht über das Stammteam der Agentur Macek und Neuberg bringen. Unabhängig von einer bezahlten Einschaltung. Dann käme es nicht so offenkundig daher, wenn wir von der Macek ein Interview wollen. Trotzdem wollte die Bucher auch noch mit dem Team reden und gegebenenfalls ein Inserat schalten.«

»Das ist zwar nicht dasselbe, ein Inserat kombiniert mit einem redaktionell gestalteten Beitrag, aber eh, wenn du meinst, schlag's dem Herbert vor!«, sagte Conny und deutete mit einer Kopfbewegung Richtung Chef vom Dienst. »Ich will trotzdem ein eigenes Interview mit Beermann und Macek.«

Sarah erzählte die Geschichte noch einmal in der Runde und schob den Folder der Bucher über den Tisch Richtung Herbert Kunz.

Der Chef vom Dienst griff danach, doch Conny schnappte ihn vor Kunz' Nase weg. »Kriegst ihn eh gleich, ich will ihn mir nur anschauen.«

Herbert Kunz schob Sarah zwei Zeitungen zu und lehnte sich in seinem Stuhl zurück.

»Hast du schon die Artikel über diesen Spinner gelesen, der eine Kultstätte zu deinen Ehren errichtet hat?«, fragte er

»Ja, hab ich«, sagte sie. Am Wochenende waren in einer Tageszeitung und einem Gratisblatt Artikel darüber erschienen.

»Ich bin nur sehr überrascht, dass ich sogar zitiert werde, obwohl ich doch gar kein Interview gegeben habe.«

Im *Wiener Boten* waren nur wenige Zeilen darüber veröffentlicht worden, ohne Fotos. Sie waren übereingekommen, dass sie dem Täter nicht die Aufmerksamkeit widmen wollten, die er sich möglicherweise durch die Aktion erhoffte.

Conny gab Herbert Kunz den Folder der Hochzeitsplaner. Er warf einen kurzen Blick darauf und legte ihn dann vor sich auf den Tisch.

»Was ist jetzt mit dem Brautsalon?«, fragte Sarah.

»Unsere Marketingabteilung wird sich mit der Bucher in Verbindung setzen, und dann schauen wir weiter.«

Damit war dieses Thema vorerst vom Tisch, und ein Kollege von der Sportredaktion begann damit, über bevorstehende Sportereignisse zu reden. Sarah hörte nur halb zu, während sie überlegte, wie sie die Brautmode mit dem Pentakel in ihren Artikel integrieren konnte für den Fall, dass Irene Bucher doch nicht inserieren würde.

In dem Moment betrat Günther Stepan das Konferenzzimmer. Der Sportredakteur verstummte, und alle schauten zu Stepan.

»Die Obduktion der Meier ist abgeschlossen, und die Todesursache konnte eindeutig festgestellt werden«, berichtete er, während er auf einen freien Stuhl zusteuerte. »Flüssigkeitsmangel und Nahrungsentzug. Genau genommen ist sie verdurstet. Gegessen habe sie über einen sehr langen Zeitraum zwar auch nichts mehr, sagt der Obduktionsbericht laut Pressestelle der Polizei. Sie wog bei einer Körpergröße von 1,73 nur noch 30 Kilo. Aber wie wir alle wissen, verhungert man nicht so schnell wie man verdurstet. Letzteres dauert oft nur wenige Tage, hungern hingegen kann man über Monate. Wer schreibt darüber die Hintergrundstory?«

Patricia Franz hob die Hand.

»Am besten, du setzt dich gleich mit dem Gerichtsmediziner in Verbindung«, schlug er vor. »Ach ja, und es gibt keine Spuren einer Vergewaltigung und auch sonst keine Verletzungen, weder alte noch neue. Das ist also offenbar keiner, der seine Opfer sexuell missbraucht oder misshandelt, während er sie gefangen hält, sagt die Polizei. Aber mehr wissen sie auch noch nicht.«

Dann folgten Tops, die in der nächsten Ausgabe Platz finden sollten, auch das Sondermagazin über Hochzeiten wurde noch einmal durchgesprochen.

Am Ende der Sitzung wandte sich David an Stepan: »Kümmerst du dich bitte persönlich um die Angelegenheit mit Sarahs eigenwilligem Fan?«

Stepan nickte.

»Ich kann mich auch darum kümmern, immerhin geht's da um mich«, warf Sarah ein. David blickte ernst in ihre Richtung. Sie schwieg. Doch sie wussten beide, dass auch Sarah sich darum kümmern würde, so weit es ihre Möglichkeiten zuließen. So oder so.

Patricia Franz sah David an, dann senkte sie ihren Blick. Das war auch Sarah nicht entgangen. Ging dieses Spiel etwa tatsächlich von vorne los?

Die Sitzung war an diesem Montagmorgen verhältnismäßig bald zu Ende. Beim Verlassen des Konferenzraums bat Conny Sarah, sie auf einen Sprung in ihr Büro zu begleiten.

»Warum? Was ist los?«, fragte Sarah.

»Wirst schon sehen.«

In Connys Büro wurden sie freudig von Sissi begrüßt.

»Ist mir gar nicht aufgefallen, dass du sie bei der Konferenz nicht dabeihattest.«

»Manchmal mag sie nicht mehr mitkommen, wird halt auch schon älter, die Maus. Setz dich!«, forderte Conny sie auf und wies auf den Stuhl vor ihrem Schreibtisch.

»Worum geht's denn?«, fragte Sarah nun schon ein wenig ungeduldig.

Conny ließ sich Sarah gegenüber nieder. »Du hast mich doch nach dem Stalker der Meier gefragt.«

»Ja, und?«

»Stell dir vor, ich weiß jetzt, wer damals verdächtigt wurde.« Es folgte die berühmte Conny-Soe-Spannungspause, dann sprach sie überartikuliert einen Namen aus: »Anton Neuberg.«

Sarah runzelte die Stirn. »Sagt mir nichts.«

»Neuberg«, wiederholte Conny langsam. »Macht's da nicht klick im Kopf? Ruth Neubergs Ex, mit anderen Worten der Ex von Valentina Maceks Agenturpartnerin«, sagte Conny.

»Ah!«, meinte Sarah. »Jetzt verstehe ich. Echt? Das ist aber schon schräg, oder?« Sie schüttelte ungläubig den Kopf. »War das womöglich der Scheidungsgrund?«

Conny zuckte mit den Achseln. »Glaub ich nicht.« Sie setzte sich an den Schreibtisch und begann ihre Mails abzurufen, während sie weitersprach. »Ich habe mich mal ein bisschen umgehört. Der Neuberg soll ziemlich viel trinken, und das nicht erst seit der Scheidung. Er hatte wohl schon während ihrer Ehe ein Alkoholproblem und ist auch immer mal betrunken am Arbeitsplatz erschienen. In der Folge bekam die Agentur enorme Probleme mit Auftraggebern und hat sogar Aufträge verloren. Die Kohle zum Überleben hat nach seinem Rauswurf größtenteils seine Frau verdient. In den letzten Jahren hat er sich mit Gelegenheitsjobs über Wasser gehalten und manchmal auch als freier Mitarbeiter für irgendwelche PR-Agenturen gearbeitet.«

»Das klingt jedenfalls nicht nach einem, der irgendwo eine Geisel festhält, sie jahrelang durchfüttert und sie dann plötzlich verhungern und verdursten lässt«, sagte Sarah. »Der Mann hat ja offenbar genug Probleme mit sich selber, also warum sollte er sich noch zusätzliche aufhalsen?«

»Tja. Man kann in keinen Menschen reinschauen. Und als die Meier abgängig war, sah Neubergs Situation noch nicht so desolat aus.«

»Hast du schon mit Günther gesprochen?«

Conny schüttelte ihre kupferrote Mähne. »Mach ich noch. Wollt's vorher dir erzählen, bevor sich unsere junge Kollegin von der Chronik draufstürzt.«

In diesem Moment las Conny offensichtlich etwas Interessantes in ihren Mails, denn sie kniff die Augen zusammen, und ihre Miene hellte sich auf.

»Was ist?«, fragte Sarah.

»Soeben haben mir Felix Beermann und Valentina Macek zugesagt.« Conny lehnte sich zufrieden zurück. »Na, geht doch!«

»Für wann?«

»Morgen Vormittag.«

»Na bitte, dann ist doch jetzt alles gut.«

»Und bei dir? Was machst du jetzt mit der Information?«

Sarah erhob sich. »Nachdenken und mich vorerst mal meiner aktuellen Kolumne widmen.«

»Echt? Ich hätte schwören können, dass du praktisch umgehend bei den Eltern von Daniela Meier im Wohnzimmer sitzt.« Conny grinste herausfordernd.

Klar, es gab jede Menge Fragen, die Sarah gerne gestellt hätte, den Freunden der Meier, ihren Angehörigen …

Sie wollte jedoch diesmal ihren Kollegen von der Chronik nicht ins Gehege kommen. Vielleicht wollte sie aber auch vor allem Patricia Franz aus dem Weg gehen.

»Warum sollte ich?«, fragte sie lediglich zurück.

»Um sie nach dem Privatleben ihrer Tochter zu fragen, jetzt, wo ihr beide offenbar einen gemeinsamen Feind habt.«

»Glaubst du wirklich, dass dieser Anton Neuberg den alten Keller im Wienerwald als Gefängnis oder Rückzugsort für abgedrehte Fantasien eingerichtet hat?«

Conny hob abwehrend ihre Hände in die Höhe. »Ich glaube erst einmal gar nichts. Mir wurde lediglich erzählt, dass der Neuberg kein Kostverächter ist, schöne Frauen liebt und es mit der ehelichen Treue nicht so genau genommen hat. Also, was seine Person anbelangte. Ob er seiner Frau allerdings dieselben Rechte zugestand, entzieht sich meiner Kenntnis. Laut meiner Informanten jedenfalls sei der Typ ein wenig schräg, was immer das jetzt genau heißt. Und was hast du aktuell?«

»Was meinst du?«, fragte Sarah verwirrt.

»Für deine Kolumne. Du hast doch gesagt, du arbeitest jetzt daran.«

»Ich bleib in Schönbrunn. Der Obeliskbrunnen hat es verdient, endlich auf meine Seite zu kommen.« Sarah hatte die Türklinke schon in der Hand.

»Sag, hast du keine Angst? Ich mein, wegen des Mörders der Meier, der ja nun hinter dir her zu sein scheint?«, fragte Conny.

Sarah ließ den Türgriff wieder los und sah ihre Kollegin an.

»Frag mich nicht warum, aber nein. Aus mir selber unklaren Gründen habe ich keine Angst.«

Natürlich machte sie sich Sorgen. Sie hatte sich auch schon dabei ertappt, ihre Umgebung aufmerksam zu scannen, bevor sie beispielsweise um eine Ecke bog. Aber seitdem sie von dem Spinner erfahren hatte, war immer David an ihrer Seite gewesen, was ihr ein Gefühl der Sicherheit gab. Sie verließ Connys Büro und blieb vor der Tür im Flur stehen. Tief in ihrem Inneren regte sich dieser kleine neugierige Teufel, und sie gestand sich nicht ohne Widerwillen ein, dass sie doch gerne in der Causa Daniela Meier recherchieren würde. Pfeif auf Patricia Franz. Sie öffnete die Tür zu Connys Büro wieder.

»Okay, du hast gewonnen.«

Conny grinste heiter. »Na, wusst ich's doch, dass dich die Neugier packt!« Dann sah sie zu ihrem Hund hinunter. »Sissi, du schuldest mir einen Drink.«

»Ich verspreche dir, ihr bekommt im Irrenhaus ein gemeinsames Zimmer«, lachte Sarah und verschwand nun wirklich aus Connys Büro.

Sie eilte hinter ihren Schreibtisch und googelte sofort nach Anton Neuberg. Es überraschte sie, wie wenige Einträge es über ihn gab. Er schien in der Werbebranche ein unbedeutendes Mosaiksteinchen gewesen zu sein. Was sie zu ihm fand, stand zumeist im Zusammenhang mit seiner Frau oder mit Felix Beermann und Daniela Meier. Die vier schienen einander gut gekannt zu haben. Wieso sollte dieser Neuberg eine gute Bekannte gestalkt haben? Dann gab sie »Neuberg« in Kombination mit »Werbeagentur« ein, was kaum mehr hervorbrachte. Dennoch las sie jeden noch so kleinen und noch so alten Eintrag aufmerksam durch. Vor lauter

Konzentration auf seinen Namen hätte sie eine nicht ganz uninteressante Meldung fast übersehen: Eine Wiener Werbeagentur gewann mit einem Spot für Beauty-Produkte aus Rosenessenzen einen Werbepreis, der Auftraggeber war ein internationaler Kosmetikkonzern. Das Gesicht dieses Werbefilms war keine Geringere als Daniela Meier gewesen. Und der Name der Agentur lautete »108 Rosen«!

Sarah rief die Homepage auf. Es handelte sich um eine mittelgroße Agentur im achten Bezirk, Anfang der 1990er Jahre von zwei Männern gegründet, die auch heute noch Eigentümer waren. Sarah notierte sich ihre Namen. Dann suchte sie auf den Seiten nach einer Erklärung, warum die Agentur »108 Rosen« hieß, fand jedoch keine. Sie machte sich Notizen dazu. War das hier alles eine Art makabre Rätselrallye? Also die Leiche im Hochzeitsgewand, die 108 Rosen, der Weinkeller im Wald? Aber was sollte am Ende dabei herauskommen?

»108, 108, 108«, murmelte sie, als wäre es ein Mantra. Warum hieß ein Werbebüro »108 Rosen«?

Einer inneren Eingebung folgend griff sie zum Hörer und wählte die Nummer des Büros. Nach dem dritten Läuten meldete sich eine glockenhelle Frauenstimme.

Sarah nannte ihren Namen, sagte, sie sei Journalistin beim *Wiener Boten* und bei ihren Recherchen zu der Zahl 108 auf die Agentur gestoßen. Nun sei sie neugierig geworden, aus welchem Grund man einer Agentur diesen Namen gab. Die Telefonistin bat Sarah um einen Augenblick Geduld. Musik ertönte, und dann meldete sich ein Mann, dessen Namen sie nicht verstand.

»Meine Sekretärin hat mir schon gesagt, worum es geht. Also was genau wollen Sie von mir?«

Irgendwie widersprüchlich, dachte Sarah amüsiert. Sie wiederholte ihr Anliegen und erfuhr, dass die Namensgebung die Idee eines Branchenkollegen gewesen war.

»Er hat uns nach einer Indienreise erzählt, dass die Zahl 108 dort heilig ist. Und nachdem im antiken Griechenland die Rose eine heilige Blume war, haben wir gewissermaßen heilig und heilig zusammengeführt und, na ja, was soll ich sagen, damit war unser Agenturname geboren«, sagte er und lachte jovial. »Eine spannendere Geschichte kann ich Ihnen leider nicht bieten. Aber warum interessiert Sie das?«

»Kennt dieser Kollege sich eventuell mit Symbolik aus?«, überging Sarah seine Frage.

»Keine Ahnung. Wir haben uns mittlerweile aus den Augen verloren.«

»Darf ich fragen, ob er zufällig Anton Neuberg hieß?«, schoss Sarah ins Blaue, weil sie nicht wusste, wie sie sonst den Namen ins Spiel bringen sollte.

»Sie rufen aber jetzt nicht an, weil Sie alte Bekannte über Daniela Meier ausfragen wollen?«, fragte er plötzlich misstrauisch. »Dazu geben wir nämlich keinen Kommentar ab.«

»Nein, ich schreibe nicht über Daniela Meier«, versicherte Sarah ihm. »Mir geht es nur um den Agenturnamen. Und den Namen Ihres Kollegen habe ich einfach genannt, weil ich sonst niemanden aus der Branche kenne.«

»Ich nehme an, ich habe Ihre Frage beantwortet«, kam es um noch eine Spur kühler zurück. »Wiederhören.« Und damit legte er auf.

Sarah lehnte sich in ihrem Stuhl zurück. Die Geschichte klang zwar unspektakulär, doch dass ausgerechnet Anton Neuberg für »108 Rosen« gearbeitet hatte, war nicht unspannend. Sie griff noch einmal zum Telefon, rief die Chronik an und fragte den Ressortchef, ob schon jemand mit den Eltern der Meier Kontakt aufgenommen hatte.

Stepan verneinte. »Und da wir, wie du weißt, unterbesetzt sind …«

»Gib nicht mir die Schuld daran.«

»Eh nicht. Aber jetzt wo du fragst, könntest du mir den Gefallen tun und das übernehmen. Adresse und Telefonnummer hat Patricia schon rausgesucht. Und bei der Gelegenheit … Hättest du nicht Lust, generell für die Chronik zu arbeiten? Ich könnte noch eine gute Journalistin gebrauchen! Soll ich mal mit David reden?«

»Im Moment lieber nicht.«

»Wegen deines verrückten Fans?«

»Genau. Ah, da fällt mir noch was ein, sag, wisst ihr vielleicht Genaueres über Daniela Meiers Brautjungfern?«

»Brautjungfern? Nein. Was sollte das auch hergeben, außer Tratsch und Tränen für den Boulevard? So etwas will David sicher auch nicht im *Wiener Boten* lesen. Aber wenn du meinst, frag mal bei den Eltern nach, vielleicht täusche ich mich ja. Und überleg dir mein Angebot, ja?«

Sie verabschiedeten sich und legten auf.

Nachdenklich starrte Sarah ihre Notizen an. Warum wollte Stepan, dass sie in die Chronik wechselte? War er mit Patricias Arbeit etwa nicht zufrieden? Denn zugegeben: Das Angebot reizte sie.

16

DER ABSCHIED

Sterben vollzog sich in mehreren, aufeinanderfolgenden Phasen. Wenn das Herz aufhörte zu schlagen, brach der Bluttransport zusammen, und die Körperzellen wurden nicht mehr mit Sauerstoff versorgt. Das Phänomen der Helligkeit um einen herum wurde neurowissenschaftlich so erklärt, dass durch Sauerstoffmangel im Bereich des Gehirns, der für das Sehen zuständig war, das Kontrastverhältnis der Farben und vor allem zwischen hell und dunkel stieg. Dadurch erschienen Objekte plötzlich viel heller, oft geradezu leuchtend und wie mit einem Heiligenschein versehen. Gleichzeitig löste Atemnot auch eine Art der Euphorie aus, ähnlich wie manche Rauschmittel.

So in etwa hatte es ihm ein Neurowissenschaftler einmal erklärt, der sich auch mit Nahtoderfahrungen auskannte. Er hoffte nur, dass dies auch der Wahrheit entsprach und Daniela nicht leiden musste, als sie starb.

Er zog mit geschlossenen Augen einen Brief aus dem Stapel, weil die Wahl zufällig erfolgen sollte.

Heute war es nämlich so weit. Er musste Abschied nehmen von dem ersten Brief. Jeden Monat einer, so lautete die Regel, die er selber aufgestellt hatte. Lange dachte er darüber nach, ob der das Schriftstück nicht doch kopieren sollte, bevor er es aus der Hand gab. Am

Ende verwarf er den Gedanken, weil es gegen seine eigenen Regeln verstieß. Abschied nehmen hieß Abschied nehmen. Endgültig. Alles andere wäre eine halbe Sache gewesen. Außerdem hätte er für die Briefe keine Verwendung mehr gehabt. Was einmal war, das war einmal. Daran konnte man jetzt nichts mehr ändern. Nur lesen wollte er alle Briefe noch einmal. Das war er Daniela schuldig.

Er zog den Brief aus dem Kuvert.

Lieber Felix,
allmählich drehe ich durch. In den Nachrichten wurde gesagt, dass es gar keine Lösegeldforderung in meinem Fall gibt. Die Polizei meint, dass es dem Entführer nicht um Geld geht. Aber worum denn dann, Felix? Bitte erklär es mir! Ich sitze hier fest vor einer Art Märchenkulisse, der einzige Kontakt zur Außenwelt sind Fernseher und Zeitungen, die ich durch einen Schlitz in der Tür zugeschoben bekomme. Allmählich fürchte ich, dass meine Briefe nicht an dich weitergeleitet werden. Es kommt zwar keiner zu mir zurück, doch in den Medien berichten sie darüber nichts. Du hättest sie doch sicher der Polizei gezeigt! Die haben Spezialisten, lesen versteckte Botschaften heraus und so. Man hätte sicher schon in Baumärkten nachgefragt, ob in letzter Zeit jemand große Mengen Tapete mit Märchenmotiven gekauft hat.

Was hat das alles zu bedeuten? Das ergibt doch keinen Sinn. Warum sollte man mich entführen und kein Lösegeld fordern? Oder ist das alles nur Taktik? Ja, so wird's sein. Eine Taktik, um den Entführer zu verunsichern. Oder hält die Polizei solche Informationen offiziell zurück, um die Übergabe und damit den Erfolg nicht zu gefährden?

Ich hoffe, die Polizei weiß, was sie tut.

Ich hoffe, wir werden uns bald wiedersehen.

Ich liebe Dich,

Daniela

Er steckte den Brief zurück ins Kuvert, zog sich eine Jacke über und schob ihn in die Innentasche.

Dann verließ er die Wohnung, sorgsam darauf bedacht, niemandem zu begegnen.

17

DER ANRUF

Valentina träumte vom türkisblauen Meer, endlosen Standstränden mit palmgedeckten Hütten, weißen Vorhängen vor den offenen Fenstern eines hellen Hotelzimmers, die sich sanft im Wind bewegen, davon, dass sie und Felix sich in einem riesigen Himmelbett lieben und danach Cocktails an der Poolbar schlürfen …

Felix hatte gemeint, dass sie ihre Hochzeit zwar aufschieben müssten, jedoch nicht auch die geplante Reise in die Karibik. Zwei Wochen in der Sonne liegen und faulenzen würde ihnen beiden guttun, nach allem, was passiert war, hatte er gesagt. Doch ein kaum wahrnehmbares Zucken in seinem Gesicht hatte Valentina verraten, dass ihn bei der Vorstellung doch das Gewissen plagte – mit der zweiten Braut in Urlaub zu fahren, nachdem die erste gerade verstorben war …

Valentina hatte schon ausreichende Vorkehrungen getroffen, damit Ruth die Arbeit in der Agentur nicht über den Kopf wuchs, während sie sich am Strand rekelten. Ihre Vorfreude war trotz aller Bedenken mit jeder Minute gewachsen, und um die Stimmung nicht zu verderben, hatte sie beschlossen, die Sache mit Danielas Habseligkeiten im Abstellraum nicht anzusprechen. Das konnte warten bis nach dem Urlaub.

Außerdem hatte die Neugier sie inzwischen richtig gepackt, und sie war auf eine eigenartige Weise beherrscht von dem Wunsch, mehr über Daniela zu erfahren, sie besser kennenzulernen. Wer weiß, vielleicht entdeckte sie sogar Gemeinsamkeiten mit ihrer Vorgängerin oder womöglich neue Anhaltspunkte für die Entführung. Etwas, das bislang noch niemandem aufgefallen war und Licht ins Dunkel der vergangenen Ereignisse bringen würde.

Deshalb hatte sie an diesem Morgen, sofort nachdem Felix die Wohnung verlassen hatte, mit ihrer Inspektion begonnen. Doch sie fand nichts von Bedeutung oder irgendwelche Gemeinsamkeiten, ganz im Gegenteil: Allein Danielas Kreditkartenabrechnungen ließen Valentina schwindeln, sie hatte in einem Monat mehr Geld ausgegeben als Valentina verdiente. Vor allem, so schien es, für Markenware, die Valentina sich niemals würde leisten können, es sei denn, Felix bezahlte sie ihr. Doch sie gehörte nicht zu den Frauen, die sich mit Valentino, Prada oder Armani schmückten, weil der Mann an ihrer Seite über das nötige Kleingeld dafür verfügte. Ihre Selbstständigkeit war Valentina immer wichtig gewesen, und dazu gehörte nun mal auch, auf Dinge zu verzichten, die ihr Budget sprengten. Möglicherweise würde sich das ändern, sobald sie den Ehering am Finger trug, denn als Felix' Gattin kamen schließlich auch repräsentative Aufgaben auf sie zu.

Zum Mittagessen kam Felix an diesem Tag nicht heim, denn er hatte sich mit Danielas Eltern verabredet, um ihnen zur Seite zu stehen und bei den Vorbereitungen für das Begräbnis zu helfen. Es sollte in der kommenden Woche am Hietzinger Friedhof stattfinden, nicht weit entfernt von der Stelle, an der Valentina die Leiche gefunden hatte. Felix hatte vorgeschlagen, den Leichenschmaus im

Hotel abzuhalten, und Valentina hatte zugestimmt, weil sie zu schwach gewesen war, dagegen aufzubegehren.

Sie saß, lustlos in einem Salat mit Putenbruststreifen herumstochernd, über die Sonntagsausgabe des *Wiener Boten* gebeugt und las zum wiederholten Mal, dass Danielas Leiche in einem Rollstuhl transportiert worden war. Dies erschien ihr nur naheliegend, und etwas verwundert stellte sie fest, dass sie sich bisher noch gar keine Gedanken darüber gemacht hatte, wie Daniela überhaupt zum Großen Parterre gelangt war.

Das Telefon läutete – kein interner Anruf sondern jemand von außerhalb, das erkannte Valentina am Klingelton. Sie erschrak. Wer mochte das sein? Niemand würde tagsüber versuchen, Felix am Festnetz zu erreichen. Und sie selbst wurde sowieso ausschließlich am Handy angerufen. Abgesehen davon – wer außer Ruth und ein paar wenigen Eingeweihten wusste, dass sie hier war? Sie zwang sich zur Ruhe und wartete ab. Was sollte schon sein? Hier konnte ihr ja nichts passieren, sie war in Sicherheit. Vielleicht hörte es ja auch gleich wieder auf zu läuten.

Doch dem war nicht so, offenbar blieb da jemand ziemlich hartnäckig in der Leitung.

Valentina fasste sich ein Herz, spießte ihre Gabel in ein Putenstück und ging ans Telefon.

»Hallo?« Sie hielt den Hörer mit einigem Abstand zum Ohr, als fürchtete sie, dass irgendwer oder irgendetwas durch die Leitung hereinkriechen könnte.

»Hallo?«, wiederholte sie etwas lauter, weil keine Antwort gekommen war.

Sie wollte schon wieder auflegen, als eine kaum hörbare Stimme fragte: »Bist du's, Valentina?«

Sie zögerte, bevor sie antwortete: »Ja. Wer spricht denn da?«

»Toni hier.«

Toni? Warum rief der denn jetzt hier an? Felix hatte doch längst keinen Kontakt mehr mit ihm, soweit sie informiert war.

»Felix ist nicht da«, sagte sie möglichst neutral, um ihre Nervosität zu verbergen.

»Ich brauch nicht den Felix, ich wollte dich sprechen. Bist du alleine?«

Woher um alles in der Welt wusste Toni, dass sie in Felix' Wohnung war? Oder hatte er es nur auf gut Glück versucht? Was sollte sie sagen? Dass sie alleine in der Wohnung war?

»Nein«, antwortete sie mit fester Stimme.

»Ist er bei dir?«

Mit *er* konnte Toni nur Felix meinen. »Nein, eine Freundin«, sagte sie rasch.

»Ruth?«

»Nein.«

Was wollte Toni von ihr? Sie waren weder befreundet noch Kollegen gewesen. Er hatte in einer anderen Werbeagentur gearbeitet als sie. Sie waren wenige Male gemeinsam mit anderen abends ausgegangen und hatten sich ab und zu auf Szenepartys gesehen. Das war aber auch schon alles. Seit seiner Scheidung von Ruth hatte sie keinen Kontakt mehr zu ihm gehabt. Sie glaubte sich auch zu erinnern, dass er in den letzten Jahren gar nicht mehr in Wien gelebt hatte.

»Ich muss mit dir reden«, sagte Toni nun eindringlich. »Allein.«

Irrte sie sich, oder klang das betrunken? Sie sah auf

die Uhr. Früher Nachmittag. Gut möglich, dass er sich schon ein paar Achtel genehmigt hatte. Toni war ein Trinker. Die letzte Zeit vor ihrer Trennung und noch danach war ausgesprochen unerfreulich gewesen, insbesondere für Ruth. Toni hatte immer aufs Neue fürchterliche Streits vom Zaun gebrochen und Ruth die Schuld an seinem Alkoholkonsum gegeben. Dabei war sie sein Halt gewesen. Nur ihretwegen hatte er trotz seiner Unzuverlässigkeit und diverser Ausfälle den Job behalten, weil Ruth seinen Chef gut kannte und der Werbeagentur immer wieder zahlungskräftige Kundschaft vermitteln konnte. Nach jedem alkoholisierten Eklat schwor Toni Besserung, bis Ruth eines Tages endgültig der Faden riss und sie einen Schlussstrich zog. Nach der Scheidung wurde Toni entlassen, denn sein Chef sah keinen Grund mehr, ihn weiter zu beschäftigen.

Valentina hatte jedenfalls nicht das geringste Interesse daran, Toni jetzt auf einmal zu treffen.

»Ich kann jetzt nicht weg.« Ihr fiel so schnell keine passende Ausrede ein, doch die Wahrheit wollte sie ihm auf keinen Fall anvertrauen. »Ich … habe keine Zeit.«

»Es dauert auch wirklich nicht lange«, sagte er fast flehentlich. »Ich muss dir etwas sehr Wichtiges sagen.«

Was konnte so wichtig sein?

»Wie gesagt, ich komme hier leider nicht weg.«

Ruth würde nun sicher sagen, sie sei viel zu höflich. Wahrscheinlich war sie das auch. Sie sollte lieber einfach das Gespräch beenden und auflegen.

»Es muss sein, Valentina. Ich bitte dich!«

Da, jetzt hatte sie es deutlich gehört. Er lallte. Toni war betrunken.

»Ich bin nüchtern, falls du dich das gerade fragst.«

»Nein, das frage ich mich nicht«, log sie. Warum log sie? Ob sein Anruf etwas mit Daniela zu tun hatte? »Ich bin hier nur mitten in …«

»Nur eine halbe Stunde, Valentina«, unterbrach er sie. »Gib mir eine verdammte halbe Stunde.«

Natürlich rief er wegen Daniela an, was sonst? Das war doch sonnenklar!

»Worum geht es denn? Kannst du's mir nicht am Telefon sagen?«

»Nein. Es ist sehr wichtig, glaub mir.«

»Warum sprichst du nicht mit Ruth?«

Ein verächtliches Schnauben war die Antwort. »Bitte, Valentina!«

Nun gut, warum sollte er ausgerechnet Ruth anrufen? Die beiden hatten sich seit Langem rein gar nichts mehr zu sagen. Sie war kurz davor, den Hörer einfach aufzulegen. Doch im letzten Moment überlegte sie es sich anders und sagte: »Also gut. Konditorei Voland in der Wollzeile. Kennst du sie?« Die Neugier hatte wieder einmal gesiegt.

»Ja«, antwortete er, und sie hörte seine Erleichterung heraus.

»In einer Stunde, ich muss nämlich sowieso dorthin.«

Sie würde mit dem Taxi zu Josef fahren. In der Konditorei waren viele Menschen, es konnte ihr nichts passieren, auch wenn Toni ihr komisch kommen sollte. Was auch immer er mit ihr so dringend besprechen wollte, vielleicht war das nur ein Vorwand für ihn, Kontakt mit ihr aufzunehmen. Bei der Gelegenheit jedenfalls konnte sie mit Josef schon mal über die Idee des Winzers für seine Hochzeitstorte sprechen.

»Passt. In einer Stunde«, wiederholte Toni und legte auf.

Valentina starrte den Hörer noch sekundenlang an, bevor sie ihn in die Ladestation zurücksteckte. Ob sie Ruth oder Felix über ihr Vorhaben in Kenntnis setzen sollte?

Felix würde erst gegen sieben heimkommen. Dann wäre sie längst wieder da. Und Ruth würde sich womöglich unnötige Sorgen machen. Nein, sie würde niemandem Bescheid geben und somit jede Aufregung vermeiden. Entweder erzählte sie ihnen später von dieser merkwürdigen spontanen Verabredung, wenn es überhaupt etwas darüber zu erzählen gab, oder sie würde lediglich zugeben, mit Josef statt per Telefon oder E-Mail ihr aktuelles Projekt vor Ort durchgesprochen zu haben. Wo sollte das Problem sein? Sowieso würden beide sie rügen, weil sie gegen alle Vereinbarungen die Wohnung allein verlassen hatte, da war Valentina sich sicher.

Valentina gab sich alle Mühe, die leise warnende Stimme im Hinterkopf zu überhören …

18

DER STREIT

Sarah kniff die Augen eng zusammen und las zum dritten Mal die E-Mail, die Kollegin Franz ihr geschickt hatte: »Jacob und Katharina Meier« stand dort, die Eltern von Daniela Meier, darunter Adresse und Telefonnummer. Und zwar Jacob mit »c«. Wie der unbekannte Rosenkavalier. Schön, diese Schreibweise kam hierzulande selten vor, dennoch war das hier bestimmt nur ein ganz banaler Zufall. Obwohl …

Doch Sarah riss sich zusammen und beschloss, keinen weiteren Gedanken mehr an diesen Namen zu verschwenden.

Ihr Hals kratzte, und ihr Mund war ganz trocken geworden. Sie holte sich ein Glas Wasser aus der Küche, nahm noch ein Aspirin und trank das Glas in einem Zug leer.

Zurück in ihrem Büro schob sie eine CD von Pino Daniele ein und versuchte, sich der Jahresplanung ihrer Kolumnen zu widmen. Ihr war jedoch vollkommen bewusst, dass sie sich vor dem Anruf bei den Meiers drückte. Wie sollte sie auch beginnen? Wie sollte sie umgehen mit dem Schmerz der Eltern, die ihre Tochter auf so brutale Weise verloren hatten? Sarah war in solchen Situationen immer höchst emotional, es gelang ihr fast nie, hier die notwendige innere Distanz zu wahren. Sowieso hatte sie nah am Wasser gebaut – schon wenn es sich nur um einen Film handelte, um Musik oder Bücher und erst recht bei realen Geschichten, die andere Menschen ihr erzählten. Sicher gäbe sie analog zu Einklatschern eine hervorragende Einheulerin ab, wo auch immer eine solche gebraucht würde …

In dem Moment begann das Handy zu vibrieren, und eine ihr unbekannte Nummer leuchtete auf. Sarah nahm das Gespräch dennoch an.

»Pauli.«

»Grüß Sie, Frau Pauli. Irene Bucher spricht«, meldete sich die Brautsaloninhaberin und rückte auch schon mit der Neuigkeit heraus. Sie habe gerade mit der Marketingabteilung des *Wiener Boten* vereinbart, in der geplanten Hochzeitsbeilage ein Inserat zu schalten.

Sarah machte sich sofort eine entsprechende Notiz, um den Hinweis auf den Salon der Bucher sowie deren Logo, das Pentakel, nicht zu vergessen.

»Aber warum ich anrufe … Ich weiß, es ist sehr kurzfristig.« Irene Bucher hielt einen Moment inne. »Nun, also ich würde Sie gern für heute Abend zum Late Night Shopping für Brautpaare einladen. Es gibt Getränke und ein kleines Büfett. Auch ein paar Bekannte von mir werden kommen. Also wenn Sie Lust und Zeit haben, kommen Sie doch ab sechs vorbei. Ich würde mich freuen.«

Sarah musste nicht lange überlegen und antwortete spontan: »Sehr gerne, ich habe heute Abend eh noch nichts vor. Spätestens um halb sieben bin ich da!«

Die Tür zu ihrem Büro wurde geöffnet, und David kam herein. Er hatte ihren letzten Satz gehört und sah sie fragend an. Sarah beendete ihr Telefonat und legte auf, ohne David anzusehen.

»Wo wirst du spätestens um halb sieben sein?«, fragte er alarmiert.

Sie lächelte etwas betreten und fuhr sich verlegen durchs Haar. »Beim Late Night Shopping in Irene Buchers Salon«, sagte sie, bemüht darum, dass es bedeutungsvoll klang. »Du weißt schon …«

»Obwohl Stein und ich dich inständig gebeten haben, in nächster Zeit keine Alleingänge zu unternehmen?«, kam es vorwurfsvoll zurück.

»Du kannst mich ja begleiten.«

»Heute Abend? Da kann ich nicht.«

»Dann frage ich Gabi oder Chris.«

»Was, wenn die auch nicht können?«

»Dann gehe ich allein«, antwortete Sarah hartnäckig.

David sagte nichts.

»Ich trage doch meine Cornicelli, schau!« Sie fasste an ihre Ohrringe. »Mir kann gar nichts passieren.« Ein zugegeben matter Versuch, die angespannte Stimmung aufzulockern.

David sah sie nur an. Sarah brachte es in Rage, wenn er sie so anschaute, weil sie sich dann sofort unterlegen fühlte. Sie schwankte zwischen vernünftig sein und sich auflehnen, wobei die Auflehnung Oberhand gewann.

»Was ist?«, fragte sie herausfordernd.

»Sei nicht kindisch, Sarah«, sagte David mit spürbar unterdrückter Wut. »Du tust ja wirklich so, als wäre das alles ein Hollywoodstreifen mit Schlussmelodie und Abspann!«

Sie funkelte ihn an. »Was willst du denn damit jetzt wieder sagen?«

»Das hier ist kein Film, sondern die Realität. Es gibt ein größeres Problem, das scheinst du nur noch nicht begriffen zu haben!«

»Oh doch, das habe ich!«

»Das bezweifle ich.«

Die Stimmung zwischen ihnen wurde immer gereizter. Es war wieder einmal eine Machtprobe, und nicht die erste in ihrer Beziehung. Sarah wandte den Blick ab und sortierte in ihren Unterlagen auf dem Schreibtisch herum. Streit mit David war das Letzte, was sie jetzt wollte.

»Eigentlich wollte ich dir gerade vorschlagen, dich um fünf heimzufahren.«

»Aha. Ich dachte, du hättest keine Zeit?«

»Nein, so habe ich das nicht gesagt. Ich kann dich nicht zu dem Event begleiten, was aber nicht heißt, dass ich dich nicht nach Hause bringen kann.«

»Wie großzügig von dir. Du bringst mich also in Sicherheit«, erwiderte Sarah.

Wieder schwieg David. Sein Gesicht war ganz grau geworden, und um seine Mundwinkel lag ein bitterer Zug. Doch dass er schwieg, machte Sarah erst recht zornig.

»Jetzt schau mich nicht so an! Du hast doch selber mal gesagt, dass meine Neugier eines Tages meine Angst besiegen würde. Na, und jetzt ist es eben so weit.«

»Damit war selbstverständlich nicht gemeint, dass du dich absichtlich und sehenden Auges in Gefahr stürzen sollst!«

Sarahs Zorn schwoll immer weiter an, und sie konnte nichts dagegen tun.

»David! Es ist nicht so, dass ich einen Mafiaboss in einem dubiosen Lokal treffe! Herrgott, ich gehe in ein

Geschäft für Brautmoden, um mich dort mit ein paar harmlosen Leuten zu unterhalten.«

»Genau. Mit Leuten, die du nicht kennst, die aber alle mit der Meier zu tun hatten. So ist es doch, oder etwa nicht?«

»Diese Leute wollen ein Inserat in unserer Hochzeitsbeilage schalten«, erwiderte Sarah scharf. »Und ich will mit der Besitzerin über das Pentakel reden. Es interessiert mich.«

»Das kannst du auch am Telefon.« Er hob die Augenbrauen. »Himmel, Sarah, jetzt denk doch mal nach! Es ist nicht auszuschließen, dass sich in diesen Kreisen ein Mörder befindet! Ein Wahnsinniger, der es auf dich abgesehen hat!«

»Deshalb musst du mich noch lange nicht wie ein kleines Kind behandeln, David. Also bitte, hör auf damit!«

»Du willst es einfach nicht begreifen, Sarah!«, rief David wütend aus.

Sarah wurde es zu viel. Wie von der Tarantel gestochen sprang sie auf, stürzte zur Tür und schloss sie, bevor alle anderen in der Redaktion ihren Streit mitbekommen würden.

»Ich weiß schon, was ich tue«, zischte sie.

»Ich will nicht, dass du dort ohne Begleitung hingehst«, sagte David bestimmt.

»Und ich lasse auf keinen Fall zu, dass ein armer Irrer, der Fotos und Artikel von mir an die Wand pinnt, über mein Leben bestimmt.«

»Du benimmst dich wie ein bockiger Teenager. Kannst du nicht ein Mal tun, worum man dich bittet? Nur ein Mal, Sarah! Das ist doch nicht so schwer, und es bedeutet auch nicht, dass du deinen Willen nicht durchsetzt …«

»Mir geht es nicht darum, meinen Willen durchzusetzen«, unterbrach sie ihn barsch, »sondern es geht darum …«

Sie verstummte, denn im Grunde genommen war ihr nicht ganz klar, warum sie unbedingt heute Abend zu dieser Veranstaltung wollte.

»Diese Bucher wird nicht von dir erwartet haben, dass du auf der Stelle zusagst. Du hättest doch wenigstens vorher abklären können, ob jemand dich …« David unterbrach sich kurz und fuhr dann fort: »… ob ich dich dorthin begleiten kann.«

»Ich bin schon ein großes Mädchen, David«, sagte Sarah, und es klang zynischer als beabsichtigt.

Jemand klopfte an die Tür.

»Herein«, knurrte Sarah.

Die Tür wurde einen Spaltbreit geöffnet, und Patricia schaute herein.

Himmel, warum musste jetzt ausgerechnet die kommen!

Die junge Journalistin blickte unsicher von David zu Sarah und zurück zu David. »Die Kolleginnen im Foyer haben mich gebeten …« Sie räusperte sich verlegen. »Ich soll etwas hier abgeben. Darf ich?« Sie schob die Tür ein wenig weiter auf, und da erkannte Sarah, dass sie einen riesigen Strauß roter Rosen in der Hand hielt.

»Ach mach doch, was du willst«, sagte David halblaut, drängte sich an Patricia Franz vorbei und zog die Tür hinter sich geräuschvoll zu.

»Tut mir leid«, sagte Patricia, und Sarah hätte ihr dafür am liebsten eine Ohrfeige verpasst. Stattdessen nahm sie ihr den Blumenstrauß aus der Hand und bedankte sich knapp.

Die junge Kollegin verließ schleunigst das Büro.

Sarah ließ sich vollkommen ausgelaugt auf ihren Schreibtischstuhl fallen.

Sie hielt die Rosen noch immer in der Hand, als Gabi hereinschneite.

»Das war ja klar! Hat er dich geschickt, um mich zur Vernunft zu bringen?«, fragte Sarah, obwohl sie wusste, dass es eigentlich nicht Davids Art war, Gabi in ihre privaten Auseinandersetzungen mit einzubeziehen.

»Nein, hat er nicht. Aber ich hab's ihm angesehen, dass es Streit gab.«

»Hat er was gesagt?«

»Nein, nichts. Er ist wortlos in sein Büro verschwunden. Aber ich wusste, dass er vorher bei dir war. Was ist los?« Sie sah auf den Rosenstrauß.

Sarah ließ den Strauß auf den Boden fallen und erzählte von ihrer Auseinandersetzung mit David.

»Fordere es nicht heraus, Sarah«, sagte Gabi und sah sie ernst an.

»Was, bitte schön, fordere ich denn heraus? Was meinst du damit?«, fuhr Sarah auf.

»Du weißt doch genau, was ich meine!«

»Meine Güte, Gabi, diese Veranstaltung ist heute Abend. Gut, ich habe nicht groß nachgedacht, sondern gleich zugesagt. Sorry, dass ich niemanden um Erlaubnis gebeten habe. Aber das bin ich nun mal nicht gewöhnt, und ich habe auch keinesfalls die Absicht, mich daran zu gewöhnen. Wenn David deshalb jetzt eingeschnappt ist …«

»Himmel noch mal, Sarah! Hier geht's doch gar nicht um diese verfluchte Veranstaltung«, unterbrach Gabi sie aufgebracht. Sie schloss die Bürotür und baute sich vor Sarahs Schreibtisch auf. »Es geht auch nicht darum, ob David eingeschnappt ist oder nicht. Er macht sich Sorgen um dich, verstehst du das denn nicht? Da draußen läuft ein Narrischer rum, der wahrscheinlich einen Mord begangen hat und jetzt hinter dir her ist! Frag doch mal deinen Bruder, was der von der Sache hält!«

Augenblicklich meldete sich das schlechte Gewissen bei Sarah, wie so oft, wenn es um Chris ging. »Hey, ich passe wirklich auf mich auf, versprochen!«, meinte sie, um einen versöhnlichen Ton bemüht.

»David fühlt sich bis heute für Hildes Tod verantwortlich«, sagte Gabi.

»Woher weißt du das?«, fragte Sarah überrascht und sah auf. »Hat er mit dir darüber gesprochen?« Zwischen David und ihr war der Mord an ihrer früheren Kollegin so gut wie nie ein Thema.

»Ich bin schließlich seine Sekretärin, und außerdem bin ich auch mit ihm befreundet. Natürlich erzählt er mir manchmal Dinge, die er aus welchen Gründen auch immer aus eurem Privatleben heraushalten möchte. Er ist jedenfalls fest davon überzeugt, dass Hilde Jahn noch leben würde, wenn er ihre Alleingänge unterbunden hätte.«

»Aber das ist doch ein Schmarrn, Gabi! Die Hilde hätte sich niemals von David vorschreiben lassen, was sie zu tun oder zu lassen hat. Und das weiß er.« Sarah verschränkte ihre Arme vor der Brust.

»Ja, siehst du, und genau da liegt der Hund begraben. David kennt dieses Problem nämlich nur zu gut. Du und Hilde, ihr seid euch da sehr ähnlich, beide seid's solche Dickschädel. Und wie du weißt, hat die Hilde das mit ihrem Leben bezahlt.«

»Das kannst du doch gar nicht vergleichen. Erstens bin ich keine Enthüllungsjournalistin ...«

»Ach nein?«, unterbrach Gabi sie. »Und wie kommt es dann, dass du immer gleich zur Stelle bist, sobald es irgendwo brenzlig wird? Davor schützen dich auch deine Cornicelli nicht.«

»David weiß immer, wo ich bin.«

Gabi legte die Stirn in Falten. »Immer?«

»Gut«, lenkte Sarah ein. »Aber meistens weiß er es. Und was Hilde angeht, wie hätte sie denn damit rechnen können, erstochen zu werden, wenn sie einen Informanten trifft? Sowas kann doch niemand vorhersehen!«

»Sie war Enthüllungsjournalistin, Sarah. Da rechnet man immer mit allem«, entgegnete Gabi. »Vor allem die Hilde, sie hatte schließlich mehr als nur einen Gegenspieler.«

»Wie gesagt, ich bin keine Enthüllungsjournalistin«, wiederholte Sarah verbissen.

»Mensch, Sarah, du bist schon in etliche Situationen geraten, in denen alles auf Messers Schneide stand, und das weißt du ganz genau! Begreifst du nicht? Wir alle, David, Chris und ich, wir hatten mehrmals große Angst um dich!«

Sarah wusste das. Und ihr war auch klar, dass sie seit geraumer Zeit in Hilde Jahns Fußstapfen trat, auch wenn sie das niemals offen zugeben würde.

»Aber eigentlich geht es mir jetzt gar nicht so sehr um die Hilde«, fuhr Gabi fort. »Und ich will jetzt auch nicht die alten Geschichten aufwärmen, in die du hineingeraten bist. Es geht mir vor allen Dingen um David. Er reagiert aus gutem Grund sensibler als andere auf potenzielle Gefahren, schließlich hat er mit Hilde damals nicht nur eine begnadete Journalistin, sondern auch seine Lebensgefährtin verloren.«

»Ja, ja, ist schon gut! Ich habe verstanden.« Sarah hob abwehrend die Hände. Sie wusste, dass Gabi recht hatte. Und sie wusste, dass sie David Unrecht tat.

»Du kennst David. Bevor der zugibt, dass er Angst hat, zieht er sich in sein Schneckenhaus zurück.«

»Typisch Widder«, brummte Sarah.

»Führungspersönlichkeit«, meinte Gabi. »Ist das nicht auch typisch Widder?«

Sarah nickte. »Will sich durchsetzen, ohne Kompromisse einzugehen.«

Trotzdem, sie würde es sich nicht nehmen lassen, am Abend zu der Veranstaltung zu gehen, schlechtes Gewissen hin oder her. So war sie nun einmal gestrickt. Sie griff nach dem Telefonhörer.

»Was hast du vor?«, erkundigte Gabi sich.

»Ich will wissen, wer die Rosen in Auftrag gegeben hat. Vielleicht lässt sich das Rätsel ja diesmal schneller lösen.«

Sie fragte beim Empfang nach dem Namen des Botendienstes, der die Rosen geliefert hatte, notierte sich Namen und Telefonnummer und wählte die Nummer sofort. Sie wurde drei Mal weiterverbunden, bis sie endlich die Information erhielt, dass der Auftraggeber den Fahrradboten in ein Café in der Nähe des Westbahnhofs bestellt, ihm dort den Strauß übergeben und bar bezahlt hätte. Und nein, wie der Mann ausgesehen habe, könnte man ihr leider nicht sagen.

»Der Bote kann ihn doch vielleicht beschreiben.«

»Wissen Sie, wie viele Menschen am Tag unsere Boten zu Gesicht bekommen?«

»Aber es könnte ja immerhin sein, dass er sich an diesen Mann erinnern kann.«

Man versprach ihr, dem Boten auszurichten, er möge sie anrufen, sobald er wieder in der Zentrale wäre. Sarah legte auf. Man würde sie nicht zurückrufen, so viel stand fest.

Gabi stöhnte.

»War wieder eine Karte dabei?«, fragte sie mit einem Blick auf den Blumenstrauß auf dem Fußboden.

Sarah nickte und schob sie wortlos über den Tisch.

»Ihr größter Bewunderer, Jacob.«

19

VERSETZT

Valentina bestellte sich per Handy ein Taxi in eine Seitengasse des Hotels und schlüpfte durch die Hintertür hinaus. Niemand durfte etwas bemerken. Sie weigerte sich darüber nachzudenken, ob es klug war, was sie tat. Die Neugierde trieb sie an. Irgendetwas musste vorgefallen sein, das Toni dazu veranlasste hatte, aus der Versenkung aufzutauchen.

Gegen drei betrat sie die Konditorei. Das Geschäft schien zu florieren, die meisten der runden Kaffeehaustische waren wie immer besetzt. Toni war allerdings nicht unter den Gästen. Katrin stand hinter der Glasvitrine und verkaufte Kuchen und Torten. Sie war eine aparte Enddreißigerin und strahlte Valentina an, als sie sie erkannte.

»Wie schön, dich zu sehen. Ich dachte …« Sie dämpfte ihre Stimme. »Na ja, der Josef meinte, du gehst auf Tauchstation?«

»Bin kurz aufgetaucht, etwas Luft schnappen«, sagte Valentina leichthin.

Katrin kam hinter ihrer Vitrine hervor und küsste Valentina zur Begrüßung auf beide Wangen. Diese fragte sich aufs Neue, wie Katrin bei all den Köstlichkeiten, die sie umgaben, so schlank bleiben konnte.

»Brauchst du den Josef?«

Valentina nickte.

»Der ist noch unterwegs, aber bald wieder da. Setz dich doch!« Sie wies auf einen freien Tisch. »Ich bring dir eine Melange. Esterházyschnitten sind eben fertig geworden. Magst kosten?«

Valentina nahm das Angebot erfreut an und pfiff auf die Kalorien. Sie wusste, dass sie Josefs Frau damit eine Freude machte. Katrin kam mit der Melange und einer Esterházyschnitte zurück, stellte die Tasse und den Teller ab und setzte sich zu Valentina an den Tisch. »Jetzt erzähl aber mal. Der Josef hat gesagt, du hättest die Daniela gefunden? Wie furchtbar!«

»Na ja, gefunden. Es war so eine völlig absurde Szene«, antwortete Valentina. Dann erzählte sie Katrin, was an jenem verhängnisvollen Morgen passiert war. Wie sie beim Joggen durch den Park plötzlich gesehen hatte, dass dort jemand lag. Dass sie zuerst dachte, es würde ein Film gedreht. Wie sie von einem unsympathischen Polizeiinspektor endlos lange vernommen worden war.

»Ich sag dir's, allein wenn dich der anschaut, glaubst, etwas verbrochen zu haben.«

Katrin sah sie währenddessen teilnahmsvoll an und streichelte über Valentinas Hand. »Na, aber weißt, was schon witzig ist?«, sagte sie, nachdem Valentina ihren Bericht beendet hatte. »Dass ihr euch alle über die Daniela gefunden habt, der Josef, die Eva, die Ruth und du. Also als Hochzeitsplaner mein ich. Nur der Gerhard ist später dazugekommen. Wie schmeckt dir die Schnitte?«

»Fantastisch«, sagte Valentina und schob sich den letzten Bissen in den Mund.

Katrin stand auf. »Ich muss jetzt leider wieder.« Sie machte eine Kopfbewegung in Richtung Vitrine, hinter der jetzt eine junge Mitarbeiterin stand. »Der Josef ist sicher gleich da. Ich lasse dir noch einen Kaffee bringen.«

Den leeren Teller nahm Katrin gleich mit.

Josef erschien auch wirklich kurz danach. Auch er war überrascht, Valentina zu sehen, und wollte sofort wissen, wie es ihr ging. Deshalb fasste sie auch für ihn noch einmal zusammen, was passiert war, und wechselte dann das Thema, weil sie gern noch mit ihm über die extravagante Tortenidee des Winzers sprechen wollte.

Josef zeigte sich wie erwartet wenig begeistert.

»Eine Torte in Form einer Weinflasche? Schmarrn. Wie willst die denn überhaupt anschneiden?«

»Wie eine Roulade zum Beispiel«, meinte Valentina.

Josef verzog das Gesicht.

Sie diskutierten eine Weile hin und her, dann machte er einen anderen Vorschlag: Man könnte doch auch Weinflaschen aus Marzipan anfertigen als Dekoration für eine normale dreistöckige Torte.

»Von mir aus kleb ich ihm auch sein Etikett auf jede Flasche, aber rede ihm bitte diesen Schmarrn aus. Und das Giveaway für die Gäste, also … Ist das wirklich auf dem Mist des Winzers gewachsen? Klingt ehrlich gesagt nach Ruth. Das kennen wir doch zur Genüge, sie muss alles, was wir schon besprochen haben, einmal umkrempeln, weil ihr danach noch etwas«, er malte Anführungszeichen in die Luft, »Geniales eingefallen ist.«

»Lass uns das morgen auf der Sitzung mit Ruth besprechen, ja?«, sagte Valentina.

Zugegeben, sie war längst überzeugt davon, dass Ruth selber hinter den Änderungswünschen steckte. Um ihre Einfälle durchzusetzen, erzählte sie manchmal Dinge, die nicht ganz der Wahrheit entsprachen. Doch in der Regel hatten die anderen Nachsicht mit ihr, denn Ruth hatte nun mal die besten Ideen.

»Kommst du denn auch?«

Valentina schüttelte den Kopf. »Aber ich schalte mich via Skype dazu«, sagte sie. Das Meeting im Penthouse abzuhalten hatten Ruth und sie dann gar nicht mehr angesprochen.

Valentina sah auf die Uhr. Eine gute Stunde war inzwischen vergangen, doch Toni war nicht aufgekreuzt. Sie trank ihren Kaffee langsam aus und beschloss, nicht länger zu warten. Wer weiß, vielleicht hatte Toni in seinem Rausch längst vergessen, dass sie verabredet waren. Wahrscheinlich war schon sein Anruf bei ihr eine rein alkoholisierte Aktion gewesen, die nichts weiter zu bedeuten hatte. Immerhin war sie auf diese Weise, wenn auch nur für kurze Zeit, ihrem Gefängnis entflohen, und es hatte ihr gutgetan, Josef und Katrin wiederzusehen. Sie verabschiedete sich herzlich von den beiden und verließ die Konditorei.

Als Felix am Abend nach Hause kam, erzählte sie ihm sofort und ohne Umschweife von ihrem Ausflug, denn sie hielt solche Heimlichtuereien in Wirklichkeit überhaupt nicht aus. Es reichte schon, dass sie ohne sein Wissen in Danielas Kisten herumgewühlt hatte.

»Ich war einfach gespannt zu erfahren, was er nach so langer Zeit von mir wollte«, erklärte sie ungefragt. »Ich hatte ja nie viel mit ihm zu tun und war deshalb umso verwunderter über seinen Anruf.«

Mit seiner Reaktion hatte sie allerdings keinen Moment gerechnet. Felix geriet vollkommen außer Fassung, als er erfuhr, dass sie sich aus dem Hotel gestohlen und wider jede Abmachung in die Konditorei gefahren war. Er warf ihr grobe Unvernunft vor und entwarf grausamste Szenarien darüber, was alles hätte passieren können, nur aufgrund ihrer grenzenlosen Dummheit.

»Findest du das nicht doch ein wenig übertrieben?«, verteidigte sie sich. »Meine Güte, das hört sich ja fast so an, als würdest du glauben, dass Toni mich nur aus meinem Versteck locken wollte, um mich … ja was? Mich umzubringen? Glaubst du das wirklich?«

»Hast du denn vergessen, dass die Polizei ihn damals im Visier hatte? Ich verstehe dich nicht, Valentina!«, polterte Felix.

»Aber es weiß doch bis heute niemand, was wirklich passiert ist, Felix«, rechtfertigte sie sich.

»Was soll das denn heißen? Verteidigst du ihn auch noch?«

»Nein, natürlich nicht. Aber ihr seid schließlich einmal gute Freunde gewesen, mir ist gar nicht klar, wieso du ihm so etwas Arges unterstellen kannst!«

»Wie du ganz richtig sagst, wir waren mal gute Freunde.«

»Was ist damals passiert? Erklär es mir, Felix, ich verstehe es nicht.«

»Halt dich verdammt noch mal fern von dem Kerl«, überging er ihre Frage, »und verlass nie wieder, hörst du, nie wieder heimlich das Penthouse!«

»Aber ich bin doch nicht dein Eigentum«, rief sie aus.

»Dazu muss ich ja wohl hoffentlich nichts sagen.«

Er griff zum Handy und drückte auf eine Taste.

»Sag mal, was ist mit deinem Ex los?«, bellte er. Er hatte also Ruth an der Strippe. »Was will er von Valentina? Wenn er noch einmal …«

Valentina fühlte sich wie ein unartiges Kind, dem der Hausarrest gerade verlängert worden war und dessen Freundin nun auch noch Ärger bekam. Was konnte denn Ruth dafür, dass Toni sie angerufen hatte? Oder dass Valentina das Penthouse heimlich verlassen hatte? Sie konnte zwar im Ansatz nachvollziehen, dass Felix sich Sorgen ihretwegen machte und verärgert war, dass sie gegen ihre Abmachung gehandelt hatte. Doch das gab ihm noch lange nicht das Recht, sie so zu behandeln! Und was sollte die ganze Aufregung überhaupt? Ihr war ja gar nichts passiert! Wütend zog sie sich ins Schlafzimmer zurück, legte sich aufs Bett und schloss ihre Augen. Durch die Tür drangen Wortfetzen ins Zimmer, dann beendete Felix das Gespräch. Dann hörte sie Schritte. Offensichtlich lief er in der Wohnung auf und ab. Die Schlafzimmertür wurde geöffnet. Valentina hielt die Augen geschlossen. Sie hörte, wie er näher kam und sich neben sie aufs Bett legte. Eine Hand fuhr sanft über ihre Stirn.

»Entschuldige, dass ich so grob war.«

Sie öffnete die Augen. »Ich glaube, ich sollte mich auch entschuldigen. Es war unklug von mir, dass …«

Er lächelte sie versöhnlich an und legte seinen Zeigefinger auf ihre Lippen. »Schwamm drüber«, sagte er. »Ist ja zum Glück alles gut gegangen. Eigentlich wollte ich dir das hier noch zeigen.«

Erst jetzt sah sie die Zeitung in seiner Hand. Er schlug sie an einer bestimmten Stelle auf und reichte sie ihr.

»Auf Danielas Körper wurde eine Botschaft hinterlassen«, sagte er, während Valentina den Artikel las. Es handelte sich um nur wenige Zeilen im *Wiener Boten,* doch diese reichten aus, ein heilloses Durcheinander in ihrer Gefühlswelt anzurichten.

»Das ist doch …« Ihr fehlten die Worte.

»Es ist krank. Ja.«

Valentina spürte, wie es in ihm arbeitete. »Dieser Scheißkerl schmiert auf Daniela herum, als wäre sie ein Stück Papier«, presste er dann zwischen den Zähnen hervor.

»Deshalb bist du vorhin so durchgedreht, als ich dir die Sache mit Toni erzählt habe.«

Er sah sie an und nickte.

»Versprichst du mir …«

Sie legte die Zeitung beiseite, streckte ihre Hand aus und legte nun ihren Zeigefinger auf seine Lippen. »Ich werde in der Wohnung bleiben. Versprochen. Wenn er sich noch einmal melden sollte, lege ich einfach auf.«

»Und gibst mir sofort Bescheid.«

»Und gebe dir sofort Bescheid.«

Eine Weile lagen sie schweigend nebeneinander und hingen ihren Gedanken nach. Dann beugte Felix sich über sie. Seine Lippen berührten ihre, seine Zunge öffnete ihren Mund, und seine Hand fuhr sanft unter ihr T-Shirt und bis zu ihren Brüsten hinauf. Langsam konnte Valentina sich seinen Zärtlichkeiten hingeben, und sie ließ sich fallen.

20

LATE NIGHT SHOPPING

Natürlich hatte der zweite Blumenstrauß zu einer Grundsatzdiskussion geführt, wobei zu allem Überfluss auch noch Conny dazugestoßen war. Patricia hatte offenbar kein Wort über den Streit zwischen Sarah und David verloren, denn sonst hätte Conny Sarah sofort darauf angesprochen.

Sarah hatte irgendwann die Rosen vom Boden aufgeklaubt, zwei Sträuße daraus gebunden und einen Gabi und einen Conny geschenkt. Sie musste nicht erst nachzählen, um zu wissen, dass es auch diesmal wieder 108 Stück waren.

Da weder Conny noch Gabi Zeit hatten, sie am Abend zu begleiten, und Chris ab fünf im *Panorama* arbeitete, schlug Gabi einen Kompromiss vor, mit dem alle zufrieden waren: Sie nötigten ihren Fotografen Simon, Sarah bis vor die Tür des Brautsalons zu begleiten, und Sarah versprach hoch und heilig, später direkt von dort aus mit einem Taxi nach Hause zu fahren.

Conny war ziemlich pikiert darüber, nicht eingeladen worden zu sein, immerhin verhieß der Abend die Anwesenheit einiger Wiener Prominenz.

»Dann nehme ich halt die Kamera mit und schieße ein paar Fotos für deine Promi-Seite«, schlug Sarah vor.

»So weit kommt's noch«, schnaubte Conny. »Nein. Wer mich nicht persönlich einlädt, bekommt auch keinen Platz auf meiner Seite, selbst wenn die hundert Anzeigen im Hochzeitsblatt schalten!«

»Versprich mir, dass du immer unter Leuten bist«, flehte Gabi Sarah an.

»Versprochen«, sagte Sarah, obwohl ihr auf der Zunge lag, auch ein Taxifahrer könnte ein potentieller Entführer sein, doch sie vermutete, dass Gabi und Conny den Witz nicht lustig finden würden.

Insgeheim hatte Sarah inzwischen die Theorie entwickelt, dass der mysteriöse Fan sie möglicherweise nur benutzte, um von seinem nächsten Opfer abzulenken. Dann wäre nämlich gar nicht sie persönlich in seiner Schusslinie. Doch sie würde sich hüten, das laut zu sagen, um sich ja in keine Diskussionen mehr zu verwickeln.

Nachdem also der Abend so weit geklärt war, rief sie endlich bei Daniela Meiers Eltern an, um sie um ein Treffen zu bitten.

Herr Meier war sofort am Apparat. Zuerst versuchte er, Sarah abzuwimmeln, was nicht weiter verwunderlich war. »Die Presse, verstehen Sie, wir wollen das alles nicht.«

Doch nachdem Sarah mit aller Behutsamkeit ausführlicher dargelegt hatte, wer sie war und worum es ihr in dieser Angelegenheit ging, willigte er schließlich ein, sie zu treffen. Sie vereinbarten einen Termin für den nächsten Tag bei den Meiers. Sarah atmete erleichtert auf, da das Gespräch nicht so emotional aufwühlend verlaufen war, wie sie befürchtet hatte. Zufrieden legte sie auf.

Für den Moment blieb David ihre einzige Sorge. Er würde nun einen Grund mehr haben, not amused zu sein …

Um Punkt sechs klopfte Simon an ihre Bürotür, um sie abzuholen.

Der Fotograf zeichnete sich durch eine bemerkenswerte Wortkargheit aus, doch heute liebte Sarah diese wie selten zuvor. Er stellte keine Fragen und setzte sie einfach wie vereinbart vor dem Geschäft ab.

Feuerschalen aus Keramik in Edelstahlgestellen zierten den Eingang.

Sarah ging in den Salon hinein. Es waren schon einige Leute gekommen, vorwiegend Paare. Sie standen um die mit weißen Tischdecken versehenen Stehtische herum, plauderten, nippten an Drinks aus hohen Gläsern oder taten sich gütlich an den appetitlichen Kanapees, die dekorativ auf den Tischen angerichtet waren. Zwei, drei Pärchen begutachteten mit einem Glas Sekt in der Hand die im Salon ausgestellten Brautkleider. Dazwischen wieselten junge Frauen und Männer in Schwarz herum, servierten Fingerfood und tauschten beflissen leere Gläser gegen volle aus.

Respekt, dachte Sarah, die gibt sich wirklich Mühe, ihre Gäste zu verwöhnen.

»Wie schön, dass Sie kommen konnten!«, flötete da auch schon Irene Bucher, als sie Sarah sah. Sie trug ein eng anliegendes rosa Etuikleid, dazu rosa Stöckelschuhe, begrüßte Sarah herzlich und reichte ihr ein Glas Sekt.

»Kommen Sie, ich stelle Ihnen unseren bunten Haufen vor. Also, Valentina Macek und Felix Beermann werden heute leider nicht dabei sein. Ist ja auch verständlich, wenn man bedenkt, was die beiden alles mitgemacht haben, furchtbar. Aber alle anderen sind da, die würden sich auch gar nicht trauen, nicht zu kommen.«

Sie lachte, und Sarah zweifelte nicht daran, dass dies der Wahrheit entsprach.

»Immerhin mache ich mit einem solchen Tohuwabohu hier ja Werbung für das ganze Team, also erwarte ich auch, dass das Team anwesend ist«, kam es wie zur Bestätigung. »Eigentlich wollte ich die ganze Sache abblasen, nachdem das alles passiert war, aber es war nicht mehr möglich.« Sie redete in einer Tour, während sie Sarah vor sich her schob, zuckte bedauernd mit den Achseln und führte sie dann zu einer fünfköpfigen Gruppe, die um einen Tisch herumstand und sich angeregt unterhielt. Sarah erkannte fast alle Gesichter von der Homepage wieder, nur ein Schönling in der Runde war nicht mit auf der Agenturseite gewesen.

»Darf ich euch jemanden vorstellen? Das ist Sarah Pauli vom *Wiener Boten*.«

Die Leute reichten Sarah nacheinander die Hand und stellten sich ihrerseits vor. Eva Weber, die Floristin, hatte ein einnehmendes Lächeln und wirkte sehr sympathisch auf Sarah. Ruth Neuberg, die Agenturpartnerin der Macek, schien die Rädelsführerin der Truppe zu sein. Ihr Ausdruck war zwar nicht unfreundlich, zeugte jedoch vor allem von ausgeprägtem Geschäftssinn. Josef und Katrin Voland, das Konditorenpaar, waren offenbar unentschlossen, ob es sich privat oder dienstlich verhalten sollte; die beiden switchten zwischen Offenheit und Distanz hin und her.

So sieht also jemand aus, der den Namen des Teufels trägt, dachte Sarah.

Der Schönling in der Runde schließlich hieß Gerhard Dorfinger und war der Fotograf des Teams.

Sofort waren alle per Du mit Sarah.

Irene Bucher entschwand wieder Richtung Eingang, weil soeben neue Gäste hereinkamen. Sarah sah ihr nach und registrierte auf einmal ein Tattoo auf Irene Buchers linkem Knöchel. Ein Pentakel. Sarah wandte ihren Blick rasch wieder ab und widmete sich der Runde.

»Ich hab gehört, du beschäftigst dich mit dem Übersinnlichen«, sagte der Schönling und sah ihr dabei tief in die Augen.

»Ich beschäftige mich mit dem Aberglauben und mit Symbolik«, korrigierte Sarah.

»So eine Art Hexe?«, fragte er und zwinkerte ihr vertraulich zu. Sarah musste lachen.

»Sozusagen ja, eine Art Hexe.«

»Ich bin ein Fan deiner Artikel«, outete Eva Weber sich. »Du hast auch mal etwas über die Bedeutung von Rosen geschrieben. Das hat mir sehr gut gefallen, und seitdem hängt der Text bei mir in der Werkstatt, weißt schon, wo wir Kränze flechten und Sträuße binden, sozusagen als Ansporn, um die schönsten Buketts zu kreieren.«

»Das freut mich, danke«, sagte Sarah und schenkte der Frau ein Lächeln.

»Warst du schon mal zu den Rosentagen in Baden? Wenn nicht, musst du unbedingt hinfahren. Die sind Anfang Juni«, sagte Ruth.

»Ruth hat recht, die sind der Wahnsinn! Absolut sehenswert«, bestätigte die Floristin.

»Ihr und eure Badener Rosentage!« Die Konditorin verdrehte ihre Augen.

»Das Rosarium im Doblhoffpark ist ein Traum, das musst du dir einfach mal geben«, fuhr Eva unbeirrt fort.

»Und wie sieht es mit der Symbolik von Kuchen aus?«, fragte Katrin Voland Sarah lachend.

»Es gibt jede Menge Sagen, die meistens mit Wichteln und Kobolden oder Knechten, Mägden und Bauern zusammenhängen«, antwortete Sarah ganz ernst und stellte fest, dass sie die anderen damit überrascht hatte. »Und natürlich Bräuche, wie Allerseelengebäck zum Beispiel, Seelenzöpfe und -brote. Denn wenn die Verstorbenen in der Nacht von Allerheiligen auf Allerseelen aus dem Fegefeuer hinaufsteigen, müssen sie sich zwischendurch stärken und bekommen deshalb Gebäck und Brot, sagt der Volksglaube. Aber dieser Brauch ist höchstwahrscheinlich noch viel älter und geht auf heidnische Haar- und Totenopfer zurück.«

»Na, das ist aber schon spannend«, sagte Katrin Voland.

»Vielleicht sollten wir ja eine Torte backen, die voll beladen mit Symbolen ist«, sagte ihr Mann.

»Genau, eine Teufelstorte, eine ganz schwarze«, meinte Ruth kichernd. »Und mit roten Zahlen dekoriert, die zugleich für die Kalorien stehen, die da drinnen stecken.«

Sie plauderten munter weiter, und immer mehr wurde hinter vorgehaltener Hand auch über die anderen Gäste getratscht. Wie Conny richtig vermutet hatte, gab es einige Promis unter ihnen, weswegen auch ein Fernsehteam zugegen war. Der Redakteur suchte immer wieder nach neuen Kulissen, vor denen er sie interviewte oder sie wie beiläufig beim ungezwungenen Gespräch filmte. Conny wäre hier sicher ganz in ihrem Element gewesen.

»Sind alles unsere Kunden«, sagte Ruth nicht ohne Stolz, um dann Outfits, Accessoires und Frisuren der einen oder des anderen gnadenlos durch den Kakao zu ziehen.

»Meine Güte, Ruth!«, stöhnte Eva. »Musst du denn echt an jedem herumnörgeln?«

»Daniela hätte da noch weitaus mehr zu sagen können«, sagte Ruth, ohne auf Eva einzugehen. »Die verstand sich auf Mode besser als wir alle miteinander.«

»Lass die Leute halt so, wie sie sind«, sagte Eva wieder.

Ruth sah sie missbilligend an. »Nur weil du keinen Wert auf dein Äußeres legst? Mich stört es eben, wenn diese Leute nicht das Beste aus ihrer Persönlichkeit herausholen. Ich finde das nämlich wichtig. Es sagt schließlich etwas aus über dich.«

Eva schien der Seitenhieb nichts auszumachen, sie schüttelte nur den Kopf. »Aber deshalb musst du ja nicht jedem deinen Stil aufs Aug' drücken.«

»Das tu ich doch gar nicht!«

»Kann es sein, dass es dich gerade nervt, hier nicht auch interviewt zu werden? Als beste Freundin von Daniela?«, mischte sich nun die Konditorin ein.

Ruth tat so, als hätte sie Katrins Frage überhört, und fuhr an Sarah gewandt fort: »Wahrscheinlich haben sie gehofft, Valentina und Felix hier anzutreffen. Tja, Pech gehabt.« Ob sie mit »sie« das Fernsehteam oder die Promis meinte, blieb offen. Jedenfalls beschloss sie offensichtlich, sowohl den einen als auch den anderen die kalte Schulter zu zeigen und stattdessen Sarah in die Sorgen und Freuden der Hochzeitsplaner einzuweihen.

Der schöne Gerhard fragte Sarah nach Ursprung und Geschichte verschiedener Hochzeitsbräuche, und Sarah kam sich fast vor, als würde sie geprüft. Außerdem fiel ihr auf, dass er sie immer häufiger mit tiefem Blick und einem strahlenden Lächeln bedachte als es passend erschien. Flirtete der Kerl jetzt etwa mit ihr? Sie gab sich Mühe, das zu ignorieren, während er ihr seine Funktion als der Fotograf des Teams ausführlich darlegte und dann ausführte, wie er welche Motive für die Beilage des *Wiener Boten* einzubeziehen gedachte.

Je später der Abend wurde und je häufiger Sekt- und Weingläser nachgefüllt waren, desto freimütiger wurden plötzlich die Fragen, die Sarah zur Causa Daniela Meier aus der Runde gestellt bekam. Langsam dämmerte ihr, dass hier vermutlich der Grund lag, warum sie überhaupt eingeladen worden war. Man wollte ihr offenbar entlocken, was den Medien bislang nicht zu entnehmen war. Sie musste also auf der Hut sein.

Ob die Polizei Journalisten gegenüber mit Informationen früher als offiziell herausrückte, wollte Ruth wissen.

»Ganz und gar nicht«, antwortete Sarah wahrheitsgemäß. »Wir erfahren nur das, was die Ermittlungen nicht gefährdet.« Dass Martin Stein ihr manchmal mehr anvertraute, behielt sie wohlweislich für sich.

»Und was ist mit diesem Irren, der da Fotos von dir sammelt und aufhängt? Ich habe es in der Zeitung gelesen. Ist ja unheimlich! Stimmt es denn, dass Daniela in demselben Keller eingesperrt war?«, fragte Eva.

»Ich weiß es nicht, die Ermittlungen laufen ja noch. Aber ich denke, man muss erstmal abwarten, was es damit überhaupt auf sich hat. In manchen Zeitungen wurde das alles hoffnungslos übertrieben.« Sarah bemühte sich, die Sache so gut es ging herunterzuspielen, da sie auf keinen Fall weiter darüber sprechen wollte.

Inzwischen hatten sich die ersten Gäste bereits verabschiedet, und es kamen auch keine neuen mehr nach. Irene Bucher gesellte sich zu ihnen an den Tisch.

»Amüsiert ihr euch gut?«, fragte sie ein wenig angeheitert. »Kommts', lasst uns noch etwas trinken!« Sie wedelte einem der jungen Servierer mit einem leeren Glas zu, der auch sofort mit einer Flasche Sekt herbeieilte und allen nachschenkte.

»Wisst ihr was?«, meinte sie dann auf einmal ganz verschwörerisch, »ich habe eine fantastische Idee.« Es folgte eine längere Kunstpause, und alle am Tisch sahen sie erwartungsvoll an. »Ich werde Daniela zu Ehren ein Modell kreieren, das ihren Namen tragen soll. Was sagt ihr dazu?«

Sekundenlang herrschte Stille.

Ruth meldete sich als Erste.

»Das ist ja wunderbar!«, rief sie aus. »Irene, ich bin begeistert!«

»Wirklich?«, fragte Katrin ungläubig. »Du willst das Modell eines Brautkleides nach einer Toten benennen? Das ist doch makaber! Wer soll denn das bitte anziehen?«

»Irene muss es ja nicht jeder auf die Nase binden, warum das Kleid Daniela heißt«, mischte Eva Weber sich ein. »Aber wir wissen es. Und immer wenn wir dann eine Braut in diesem Kleid sehen, denken wir an Daniela. Also ich finde die Idee sehr schön.«

»Und wenn wer fragt, sagst halt, das Modell ist nach einer Freundin benannt, die dich dazu inspiriert hat«, meinte Ruth.

Sarah hörte dem Hin und Her noch ein wenig zu und beschloss dann, das Thema zu wechseln. »Sagt einmal«, sagte sie offen in die Runde, »als Danielas Brautkleid damals gestohlen wurde, woher wusste der Dieb eigentlich so genau, um welches Kleid es sich handelte?«

»Ganz einfach«, antwortete Irene Bucher. »An den reservierten Kleidern hängen Namensschilder.«

»Und woher wusste er, dass das Kleid hier war?«

»Ich weiß nicht, worauf du hinauswillst«, sagte Irene Bucher. »Das ging doch damals durch die gesamte Presse, dass Daniela ein Kleid aus meiner Kollektion tragen würde.«

»Schon. Aber es hätte inzwischen doch längst bei ihr daheim im Kleiderkasten hängen können.«

Irene Bucher zuckte mit den Achseln. »Dort hing es aber nicht. Außerdem war das ein offenes Geheimnis damals, dass ihr Modell bei mir im Salon ausgestellt wurde.« Sie trank einen Schluck Sekt. »Im Übrigen, es bringt Unglück, wenn der Bräutigam das Brautkleid vor der Trauung sieht. Das solltest du doch eigentlich wissen.« Sie zwinkerte Sarah konspirativ zu.

Sarah nickte nur.

»Es musste alles auf dieses Kleid abgestimmt werden«, sagte nun der Konditor, »Blumen, Deko, Fotos, Torte, alles halt. Da war's einfacher, das Kleid hier im Laden zu lassen. War schon ein Mordsaufwand, das Ganze.«

»Josef hat für die Anfertigung der Schablonen jedes Detail des Kleides fotografiert«, ergänzte Katrin. »Die Zuckerglasur der Torte sollte exakt so aussehen wie die Spitze am Dekolletee«, ergänzte Katrin. »Das war eine Arbeit, sag ich euch, ich hab den Josef selten so fluchen gehört.«

Das Gespräch erfuhr ab nun eine spürbare Wendung, und Sarah erfuhr so einiges über Daniela Meiers Persönlichkeit. Nichts Geringeres als Extravaganz, Outriertheit, Respektlosigkeit und Arroganz wurden ihr ohne Umschweife nachgesagt.

»Wissen Sie etwa nicht, wer ich bin?«, imitierte die Floristin, »ich bin die Miss Austria …«

»Und wenn ihr etwas nicht gefallen hat, dann hat sie's dir um die Ohren gehaut, dass d' nur so g'schaut hast«, sagte Ruth, »da kannte sie nichts.«

Daniela Meier musste ihr Umfeld ganz schön terrorisiert haben. Und das Umfeld hatte sich das gefallen lassen, weil es durchaus Vorteile aus der Freundschaft mit ihr zog. Soviel hatte Sarah inzwischen begriffen.

»Wer war eigentlich damals noch mit auf dieser Party?«, fragte sie wieder recht übergangslos in die Runde.

Schlagartig verstummten alle am Tisch.

»Willst du uns etwa aushorchen, um dann einen Artikel über uns zu schreiben?«, fragte Josef, plötzlich misstrauisch geworden.

»Nein, nein, keine Sorge«, antwortete Sarah schnell. »Ich bin einfach nur neugierig, ehrlich. Eine Berufskrankheit. Ihr müsst mir ja auch gar nicht antworten.«

»Warum nicht?«, meinte Ruth leichthin. »Ist eh kein Geheimnis, dass die Irene und ich zusammen mit Daniela dort waren. Wir zwei sind schon vor Mitternacht wieder gegangen, und sie ist noch geblieben. Die hat sich recht amüsiert an dem Abend, gell?« Sie sah Irene vielsagend an.

Die nickte. »War ja auch alles da, was in der Branche Rang und Namen hat und wichtig für die Karriere ist.«

»Wie meint ihr das?«, hakte Sarah nach.

Aber die beiden Frauen ließen sich zu keinem weiteren Kommentar diesbezüglich hinreißen. Sarah vermutete jedoch, dass es wie in der Film- und Theaterszene auch in der Businesswelt so etwas wie eine Besetzungscouch gab.

»Daniela war halt immer und überall der strahlende Mittelpunkt«, sagte Ruth, »und das hat nicht allen Leuten gepasst.« Dabei sah sie Katrin an.

»Na, du musst es ja wissen«, sagte die, und es klang ein wenig gehässig.

»Daniela und ich, wir waren Freundinnen, wie du weißt, wir hatten kein Problem miteinander«, fuhr Ruth sie an.

»Ach was!« Katrin bedachte Ruth mit einem eisigen Blick.

Irene rettete die Situation, indem sie Wein nachschenkte.

»So, die letzte Runde, meine Lieben, dann mache ich Schluss für heute. Ich muss hier noch aufräumen.«

Sofort boten alle ihre Hilfe an, und ehe Irene Bucher sichs versah, waren Gläser, Flaschen und Teller auch schon in die dafür vorgesehenen Plastikwannen geräumt worden. »Die holt der Caterer morgen Früh ab«, sagte sie, als Gerhard Anstalten machte abzuspülen.

Sarah zog ihr Handy hervor und stellte fest, dass der Akku leer war.

»Kann mir vielleicht jemand ein Taxi rufen?«, fragte sie in die Runde.

»Wo musst du hin?«, fragte Gerhard.

»Zum Yppenplatz.«

»Kannst mit mir fahren. Ich muss nach Hernals, da komme ich ja fast bei dir vorbei.«

Sarah zögerte. Sollte sie nicht doch besser ein Taxi …?

»Du musst aber nicht extra …«, begann sie.

»Kein Problem!«

»Kannst denn überhaupt noch fahren?«

Er sah sie belustigt an. »Keine Angst, ich hab vorher genug gegessen. Die paar Gläser Wein tun mir nichts.«

Warum hatte sie nicht einfach behauptet, mit dem Auto hier zu sein? Unbehagen breitete sich in ihr aus. Die Promille des Fotografen waren noch ihre kleinste Sorge, aber was wenn … Andererseits bekamen fünf andere Leute gerade mit, wer sie nach Hause brachte, so könnte sie der Welt zumindest nicht einfach mir nichts, dir nichts abhandenkommen.

»Also gut!«, willigte sie schließlich ein.

Gerhards Wagen parkte gleich ums Eck, ein BMW X5, registrierte Sarah unbeeindruckt. Sie machte sich nichts aus Statussymbolen, und schon gar nichts aus welchen auf vier Rädern. Gerhard betätigte den Türöffner am Schlüssel, die Blinker leuchteten kurz auf, und sie stiegen ein.

»Und warum warst du heute wirklich bei Irene?«, fragte er, während er den Motor anließ.

»Weil sie mich eingeladen hat«, antwortete Sarah, die die Frage überraschte.

Er sah sie von der Seite an. »Das glaubst du doch selbst nicht.«

»Aber ja doch. Sie hat mich angerufen.«

»Das meine ich nicht. Du wolltest wissen, wer und wie Danielas Freunde so sind, hab ich recht?«

»Wie kommst du darauf?«

»Ich hab dich beobachtet, weißt du. Du registrierst alles, was um dich herum passiert, und passt auf wie ein Wachhund, damit dir ja nichts entgeht.«

Er blinkte, und sie bogen in den Rennweg ein.

»Ich hab eh bemerkt, dass du mich beobachtest, und jetzt weiß ich auch warum.«

Schweigen.

»Du denkst also auch, dass ich euch aushorche und dann eine reißerische Story über euch schreibe?«

»Tust du's?«

»Ruth sagte vorhin, Daniela hätte sich auf der Party besonders amüsiert. Was meint sie damit?«

»Du tust es.« Er drosselte die Geschwindigkeit.

»Ich schreibe keine Story. Das habe ich doch eben schon gesagt.«

»Willst du auf diese Weise rauskriegen, wer das ist, der dich da im Visier hat?«

Der Typ war zumindest nicht dumm, stellte Sarah fest.

»Von uns ist es jedenfalls keiner, falls du das denkst«, fügte er hinzu.

»Du bist misstrauisch.«

»Ich weiß, wie Journalisten ticken.«

»Schlechte Erfahrungen gemacht?«

Er schwieg.

»Seit wann arbeitest du eigentlich mit im Team?«

»Noch nicht lange. Erst ein paar Wochen.«

»Aha. Aber alle anderen kennen sich schon länger, oder?«

»Nächster Halt Yppenplatz. Ausstieg rechts.« Er bremste und fuhr rechts ran. »Also, da wären wir.«

Sarah sperrte ihre Wohnungstür auf und wurde von Dunkelheit empfangen. Es fiel ihr wieder ein, dass Chris heute im *Panorama* arbeitete. Sie drückte auf den Lichtschalter.

»Marie?«

Die Katze kam laut maunzend auf sie zugelaufen.

»Du wärst ein super Wachhund«, sagte Sarah lächelnd.

Marie strich um ihre Beine, Sarah nahm sie hoch, und sie schnurrte laut.

»Was meinst? Sollen wir David anrufen und ihm sagen, dass ich gut daheim angekommen bin?«

Sie setzte die Katze sanft wieder auf dem Boden ab und ging in die Küche. Marie folgte ihr. Sarah stellte sich ans Fenster. Aus irgendeinem Grund stand sie hier am liebsten, wenn sie telefonierte. Der Ausblick auf den Yppenplatz entspannte sie, und in den Lokalen ringsum herrschte noch reges Treiben.

Marie sprang auf einen Stuhl und begann, sich ausgiebig zu putzen.

Sarah drückte die Kurzwahl für David. Es läutete, dann sprang sofort die Mailbox an. Sie hinterließ ihm eine kurze Nachricht, bat ihn zurückzurufen, und sagte: »Wenn du willst, komm ich noch zu dir«, bevor sie auflegte.

Enttäuscht, ihn nicht erreicht zu haben, ließ sie sich vor dem Fernseher nieder, zappte sich durch ein paar Programme und blieb dann bei einem Thriller hängen, ihr Handy stets im Auge behaltend.

Schließlich war der Film aus, und sie hatte noch immer nichts von David gehört. Sie schickte ihm eine SMS, dann fuhr sie ihren Laptop hoch und googelte nach »Gerhard Dorfinger«.

Warum sie spontan seinen und nicht den Namen einer der Frauen aus dem Team eingegeben hatte, war ihr selber nicht recht klar. Hatte er etwa doch einen stärkeren

Eindruck bei ihr hinterlassen, als sie es sich eingestehen wollte? Na, und selbst wenn. Das Internet bot ihr schon an zweiter Stelle den Fotografen an. Sarah klickte sich durch die Seiten und staunte nicht schlecht. Der Mann schien einiges draufzuhaben. Von Produktfotografie über Starporträts zu namhaften Werbeagenturen, Filmsets, Hochzeiten … Sie stutzte, als sie entdeckte, dass er anscheinend auch für Gärtnereien oder Blumengeschäfte arbeitete. Diesen Schluss jedenfalls ließ eine Galerie von Pflanzenfotos zu, die unter anderem auch eine Serie mit Rosen zeigte.

Das Handy war stumm geblieben. Sie schaltete den Laptop aus und ging schließlich müde und mit einem diffusen Grummeln im Bauch ins Bett.

Dienstag, 21. April

21

DAS INTERVIEW

Als Valentina in die Küche kam, bereitete Felix gerade das Frühstück zu. Er hatte nicht viel geschlafen, das sah sie ihm an. Er schlief seit Danielas Tod nicht mehr viel, das wusste sie. Manchmal wurde sie nachts davon wach, wenn er aufstand und ruhelos durch die Wohnung geisterte. Dann empfand sie tiefes Mitleid mit ihm und fragte sich, ob er sie verlassen hätte, wenn Daniela lebendig zurückgekehrt wäre. Eines Tages würde sie ihm diese Frage stellen.

Valentina setzte sich an den Tisch, goss sich Kaffee ein und sah ihm dabei zu, wie er in der Küche herumhantierte, und schnitt eine Banane in ihr Müsli.

»Ich hab nachgedacht«, sagte Felix, während er Honig auf eine Scheibe Schwarzbrot strich. »Ich kann ja verstehen, dass dir die Decke auf den Kopf fällt, wenn du den ganzen Tag hier in der Wohnung sitzt. Was hältst du davon, wenn dich der Chauffeurdienst in die Agentur fährt und abends von dort wieder abholt?«

»Das ist doch aber eine Serviceleistung für Hotelgäste.« Valentina hatte sich schon an dem Abend, als der Fahrer sie vom Büro abgeholt hatte, privilegiert gefühlt.

Felix lachte. »Ich bin der Chef des Hotels. Schon vergessen? Ich nutze den Service auch manchmal. Die Fahrten werden ganz normal verrechnet. Du musst also nicht befürchten, dass ich meine Position ausnutze.« Es schien ihn zu amüsieren, dass für Valentina Limousinen eher den Reichen und Schönen vorbehalten waren.

Er beugte sich über den Tisch und küsste sie.

»Ruf nach der Pressekonferenz in der Rezeption an und lass dir sagen, wann ein Wagen frei ist. Und versprich mir, dass du ausschließlich mit dem Chauffeurdienst fährst und nicht wieder alleine in der Stadt herumläufst.«

»Ich versprech's.«

»Ach ja, und sprich doch mal mit Ruth, ob ihr die Agentur nicht ins Hotel übersiedeln wollt. In der Büroetage sind zwei Räume frei. Dann könntest du mit dem Lift vom Penthouse direkt zur Arbeit fahren, und wir könnten mittags zusammen im Restaurant essen. Wie hört sich das an?«

»Gut«, sagte Valentina.

Ihr Bauchgefühl jedoch sagte etwas ganz anderes. Zuerst war es ja vielleicht schön, ein paar Wochen lang, aber mit der Zeit würden sie sich auf die Nerven gehen, wenn sie einander permanent sahen. Und am Ende hätten sie einander nichts mehr zu erzählen.

»Ach ja, bevor ich es vergesse, Valentina, könntest du heute Abend den Schlüssel für deine Wohnung bitte an der Rezeption abgeben?«

»Warum?«

»Unser Anwalt wird die Wohnungsübergabe für dich regeln. Dann brauchst du nicht mehr in die Schönbrunner Schlossstraße zu fahren. Die Wohnung ist eh schon fast leer.«

Unser Anwalt? Valentina wusste bis jetzt nicht, dass sie einen Anwalt hatten. Sie schwieg. Auf keinen Fall würde sie Felix jetzt sagen, aus welchem Grund sie gern noch einmal in ihre Wohnung wollte. Er würde es als kindisch abtun.

Felix stand auf.

»Komm jetzt, wir müssen los!«

Darüber ist noch nicht das letzte Wort gesprochen, dachte Valentina.

Das Treffen mit den Presseberatern war für neun Uhr anberaumt. Valentina wurde auf ihre Rolle und ein paar Phrasen für die Medien eingeschworen. Man trauere um Daniela Meier, fühle mit ihrer Familie und verurteile die Tat und den Mörder aufs Schärfste.

Das alles empfand Valentina auch ohne Briefing. Doch Felix bestand darauf, seine PR-Strategen mit ins Boot zu holen. Zu schnell war ein Satz unbedacht ausgesprochen, und die Gazetten zerrissen einen in der Luft, hatte er erklärt.

»Wir sind nämlich so etwas wie öffentliche Personen. Daran wirst du dich schon noch gewöhnen.«

Pünktlich um zehn saßen Valentina und Felix Seite an Seite in einem der kleinen Veranstaltungsräume des Hotels. Kaffee, Mineralwasser, Säfte und ein Imbiss standen bereit. Die Journalisten sollten sich ja willkommen fühlen und nicht hungrig in ihre Redaktionen zurückfahren.

Um sie herum wurden Kameras und Mikrophone aufgebaut. Felix hatte sechs ausgewählte Medien zu der Frage- und Antwortstunde eingeladen. Unter ihnen befand sich ein Team des ORF, die Redakteurin eines Radiosenders und Journalisten von vier Printmedien, eine von ihnen war Conny Soe.

Felix und die Gesellschaftsreporterin des *Wiener Boten* kannten einander seit Jahren. Denn wer in der Stadt Rang und Namen hatte und etwas auf sich hielt, war bestrebt, Conny Soe kennenzulernen. Die Society-Löwin, wie sie wegen ihrer kupferroten Mähne genannt wurde, platzierte Glück und Erfolg der Promis auf der Gesellschaftsseite des *Wiener Boten,* einer Zeitung mit Niveau, in der noch Wert auf guten Journalismus gelegt wurde. Wer dort ankam, fühlte sich wertgeschätzt.

Und auch Felix legte darauf großen Wert.

Valentina hatte sie auf Hochzeiten einige Male am Rande mitbekommen und sie ganz sympathisch gefunden.

Die herzliche Umarmung zur Begrüßung und zwei auf die Wange gehauchte Küsschen gehörten zum Spiel.

»Wie geht's euch?«, fragte die Gesellschaftsreporterin, und es klang beinahe familiär.

»Es geht so. Das alles setzt uns natürlich ziemlich zu. Es ist einfach zu schrecklich, um wahr zu sein«, begann Valentina, ihren einstudierten Text herunterzubeten. »Wer tut so etwas Furchtbares?«

Felix begrüßte Conny ebenfalls mit zwei Wangenküssen, allen anderen Journalisten gab er die Hand. Er wollte ihnen das Gefühl vermitteln, dass er sie mehr brauchte als sie ihn. Dann ließen sie sich am Tisch nieder, nahmen sich von den Getränken und scheuten auch nicht, bei den Häppchen zuzugreifen.

Dann stellten sie ihre Fragen. Wie gingen Valentina und Felix mit der Situation um? Welche Auswirkungen hatte sie auf ihr Privatleben? Was ging Valentina durch den Kopf, als sie die Leiche fand? Etwas anderes interessierte die Leser nicht. Valentina hörte nur mit halbem Ohr zu.

»Was werdet ihr unternehmen, dass so etwas nicht noch einmal passiert?«

Bei der Frage horchte Valentina auf. Conny Soe lächelte sie an, und Felix warf ihr einen raschen Blick zu. War das auch in dem Briefing vorgekommen?

»Ein persönlicher Wachdienst wird Frau Macek rund um die Uhr zur Seite stehen«, hörte sie Felix sagen.

Es klang merkwürdig, wenn er sie Frau Macek nannte. Und was hieß hier persönlicher Wachdienst? Du lieber Himmel, sie war doch nicht die Queen.

»Wurden Sie denn bedroht?«, fragte ein Journalist.

Schon? Gab es Kidnapper, die eine Entführung vorher ankündigten?

»Nein«, antwortete Felix. »Eine konkrete Drohung gab es nicht. Aber wir sind natürlich alarmiert.«

»Glauben Sie, es war Zufall, dass ausgerechnet Sie die Leiche von Frau Meier gefunden haben?«, wandte sich ein Journalist nun direkt an Valentina.

Mit dieser Frage hatte sie gerechnet.

»Ja, ich glaube, dass es Zufall war«, antwortete Valentina wie vereinbart, obwohl ihr längst Zweifel daran gekommen waren.

»Woher hätte der Täter wissen sollen, dass Frau Macek um diese Uhrzeit durch den Schönbrunner Park joggt?«, kam Felix ihr zu Hilfe.

»Joggen Sie regelmäßig dort?«, hakte der Journalist nach. »Und womöglich immer zur gleichen Zeit?«

Es war klar, worauf er hinauswollte. Valentina zögerte und warf Felix einen raschen Blick zu. »Nein«, log sie dann, »ich jogge nicht immer in Schönbrunn und auch nicht immer zur gleichen Zeit.«

Felix drückte unter dem Tisch ihre Hand.

Einige Journalisten machten sich Notizen. Als ob das so wichtig wäre, wann ich wo jogge, dachte Valentina. Doch im Grunde wusste sie, dass es wichtig war. Der Täter konnte sie über einen längeren Zeitraum beobachtet und sich ihre Laufzeiten und Wegstrecken gemerkt haben. Doch das wollte sie auf keinen Fall in der Zeitung lesen, denn es würde sie noch tiefer in die Sache verwickeln.

Valentina wurde schlecht. Sie atmete möglichst unauffällig gegen die aufsteigende Übelkeit an.

Es folgte die Frage, ob sie beide am Begräbnis teilnehmen würden.

»Selbstverständlich werden wir beide zum Begräbnis gehen«, antwortete Felix.

Valentina fühlte sich einmal mehr wie die zukünftige Gemahlin eines Monarchen, die ihre Pflichten zu übernehmen hatte, ob es ihr passte oder nicht. Sie hatte sich nämlich noch gar nicht entschieden, ob sie mitgehen wollte.

Eine Dreiviertelstunde später war alles vorbei und alle Teller und Flaschen leer. Die Journalisten verabschiedeten sich händeschüttelnd und wünschten viel Kraft und Energie für die nächste Zeit.

»Was hast du mit Wachdienst gemeint?«, fragte Valentina Felix, sobald sie allein waren. »Du hast doch nicht etwa einen privaten Wachdienst engagiert, oder?«

»Nein. Aber das soll dem Kerl da draußen hoffentlich signalisieren, dass er nicht an dich herankommen wird.« Er zog sie an sich. »Wobei mir wirklich wohler wäre, dich beschützt zu wissen. Ich würde es nicht ertragen, dich auch noch zu verlieren.«

Valentina schluckte. Nur zwei Wörter mehr, »auch« und »noch«, verschoben die Aussage des Satzes. »Ich würde es nicht ertragen, dich zu verlieren«, war einfach etwas anderes.

»Ich weiß nicht, ob ich zur Beerdigung gehe«, murmelte sie in seine Schulter. Er schob sie sanft ein Stück von sich.

»Was soll das heißen? Natürlich wirst du hingehen und an meiner Seite stehen.«

»Ich finde das nicht passend.«

»Und ich finde das sehr wohl passend.«

»Lass uns jetzt bitte nicht darüber diskutieren. Ich habe im Moment keine Kraft dafür.«

In einer schicken dunklen Limousine wurde Valentina zur Agentur gebracht.

Erstaunt stellte sie fest, dass die Eingangstür geschlossen war. Hatte Ruth etwa verschlafen? Oder war etwas passiert? Der Gedanke versetzte sie in Angst und Schrecken. Was, wenn Toni …

So leise wie möglich schob sie den Schlüssel ins Schloss und sperrte auf. Sie zog die Schuhe aus und ging in Strümpfen und auf Zehenspitzen durch den Flur. Aus Ruths Büro kam leise Musik, und die Tür stand offen.

Ruth lehnte an ihrem Schreibtisch, eng umschlungen mit jemandem, von dem Valentina zuerst nur den Rücken sah. Sie bemerkten Valentina nicht. Dann erkannte sie, wer der Mann war.

Ausgerechnet Gerhard, dachte Valentina. Er war ein Topfotograf, doch ansonsten war er ihr nicht sehr sympathisch – ein selbstverliebter, arroganter Typ, der wusste, dass er gut aussah und auf Frauen wirkte. Irene hatte ihn erst vor ein paar Wochen für das Team an Land gezogen, und womöglich hatte ja auch die was mit ihm … Jedenfalls war Ruths Devise seit ihrer Scheidung, »Never fuck the office«, in diesem Falle außer Kraft gesetzt, so viel stand fest. Wenn sie sich da mal bloß nicht unglücklich machte.

Aber was ging Valentina das alles an? Ruth war schließlich erwachsen und würde schon wissen, was sie tat. Und wer weiß, vielleicht tat sie ihm unrecht, sie kannte ihn ja kaum.

Auf Zehenspitzen huschte sie über den Flur zurück und aus der Tür hinaus, um dann geräuschvoll noch einmal hereinzukommen.

»Überraschung!«, rief sie laut, bevor sie den Flur betrat.

Ruth kam aus ihrem Büro gelaufen. »Hey, was machst du denn hier?« Sie wirkte genau wie immer, weder aufgeregt noch so, als hätte Valentina sie bei etwas gestört. Als wäre nichts gewesen.

Valentina lachte. »Gell, da schaust!«

Sie schlüpfte aus ihrer Jacke, hing sie an einen Garderobenhaken und erklärte dann, warum und wie sie gekommen war. Von Gerhard war weit und breit keine Spur. Versteckte der sich etwa hinter Ruths Tür? Wie erbärmlich war das denn?

»Komm, lass uns einen Kaffee trinken«, schlug Ruth vor. »Und erzähl von der Pressekonferenz. Was wollten diese Hyänen denn nun alles wissen?«

»Pressekonferenz kann man das nicht nennen. Es waren ja nur ein paar ausgewählte Journalisten da«, sagte Valentina, während sie sich bereitwillig in die

Küche bugsieren ließ. Sollte Gerhard doch die Möglichkeit haben, sich unauffällig fortzustehlen, um dann zum Meeting offiziell wieder zu erscheinen. Es war allein Ruths Sache, ob sie ihre Affäre geheim halten wollte oder nicht.

Gegen elf kam das Team zusammen, einer nach dem anderen trudelte ein. Alle, bis auf Gerhard. Ruth entschuldigte ihn, ein wichtiges Fotoshooting sei ihm dazwischengekommen. Stattdessen sei ja nun überraschenderweise Valentina gekommen, was auch die anderen zu freuen schien.

»Also, womit fangen wir an?«, fragte Irene.

»Die Hochzeit nächste Woche. Ich würde gerne den Ablauf noch mal durchgehen«, schlug Ruth vor. »Um sieben macht Eva die Deko in der Kirche, um dieselbe Zeit schlägt das Filmteam bei der Braut auf und begleitet sie zum Friseur. Gerhards Job. Ich bin heute Morgen mit ihm die Details durchgegangen, er weiß Bescheid.« Das Brautpaar wünschte sich nämlich eine möglichst umfangreiche Dokumentation seiner Hochzeit, und Gerhard hatte sich bereit erklärt, die Sache zu koordinieren.

Die Besprechung der beiden habe ich gesehen, dachte Valentina und gluckste still in sich hinein.

Ruth verteilte an alle Ausdrucke mit dem Tagesplan.

»Stellt euch vor«, sagte Eva plötzlich, »jemand von der Polizei war in meinem Laden. Um acht in der Früh. Grad dass ich den Laden aufgesperrt hab. Und das nach dem Late-Night-Shopping gestern.«

»Hättest ja auch früher gehen können«, sagte Irene.

»Und dir den Rotwein alleine überlassen? Oh nein,

meine Liebe.« Dann wandte sie sich augenzwinkernd an Ruth. »Denn du warst ja plötzlich weg.«

Oha, die weiß also auch Bescheid, dachte Valentina.

»Ich dachte halt, nach dem kollektiven Aufräumen ist allgemeiner Aufbruch. Hat mir ja keine gesagt, dass noch Rotwein da war«, verteidigte Ruth sich. »Was wollte die Polizei denn von dir?«

»Sie wollten wissen, ob in letzter Zeit jemand einen größeren Strauß gekauft hat, rote Rosen, über 100 Stück.«

Sie lachte. »Was sie denn wohl glauben würden, hab ich gefragt. Bei mir werden laufend rote Rosen in Stückzahlen auch weit über hundert gekauft oder bestellt, Anlässe gibt's ja genug. Jetzt wollten die doch glatt eine Liste mit sämtlichen Namen haben, Firmen und Private, die ab einem bestimmten Datum größere Bestellungen bei mir aufgegeben haben. Ja bin ich deppert? Ich hab ihnen gesagt, sie sollen wiederkommen, wenn sie einen Gerichtsbeschluss dafür haben.« Sie tippte sich mit dem Zeigefinger an die Stirn. »So weit kommt's noch, dass ich meinen Kunden die Polizei ins Haus schicke. Da kann ich gleich zusperren.«

Die anderen pflichteten ihr bei, und es folgte eine kurze Unterhaltung über Sinn und Unsinn polizeilicher Ermittlungsmethoden.

Irgendwann fragte Valentina, wie denn der gestrige Abend bei Irene gewesen sei. Sie erfuhr vom Besuch der Journalistin vom *Wiener Boten* und dass sie »über Aberglauben und Symbolik und so Zeugs« schreibe, wie Eva sich ausdrückte.

»In erster Linie interessierte sie sich für mein Logo, weil es ein Pentakel ist«, sagte Irene nicht ohne Stolz.

Es läutete an der Tür. Überrascht sahen alle Ruth an, die sofort ihren Terminkalender konsultierte. »Wer kann das sein? Hast du vielleicht was ausgemacht?«, fragte sie Valentina. Die schüttelte den Kopf.

»Na, schauen wir mal.« Ruth ging zur Tür.

Kurz danach kam sie in Begleitung eines Mannes und einer Frau zurück, beide in Zivil, Jeans und T-Shirts. Waffen im Gürtelholster lugten unter ihren Jacken hervor. Auch ohne diese hätte Valentina den Mann sofort wiedererkannt. Wie hieß er noch? Stein, wenn sie sich richtig erinnerte. Die Frau war bei ihrer ersten Begegnung nicht dabei gewesen.

Der Polizist grüßte in die Runde, stellte seine Kollegin vor und wandte sich an Valentina.

»Frau Macek«, sagte er. »Ich würde mich gerne mit Ihnen unterhalten.«

Valentina lächelte unsicher. »Warum?«

»Allein, wenn's geht«, antwortete er, ohne einen Grund zu nennen.

Valentina erhob sich seufzend. Die anderen beobachteten die Szene gespannt. Valentina sah achselzuckend in die Runde und sagte zu Stein: »Gut. Gehen wir in mein Büro.«

»Anschließend würde ich gerne mit Ihnen reden, Frau Neuberg.«

»Mit mir?« Ruths Stimme klang schrill. »Warum denn das?«

»Das erfahren Sie dann.«

»Und wir?«, fragte Irene. »Sollen wir lieber gehen?«

»Nein, mir wär's sehr recht, wenn Sie alle bleiben. Es kann gut sein, dass ich Ihnen auch noch ein paar Fragen stellen muss.«

Die Spannung im Raum wuchs.

»Meinetwegen«, sagte Irene betont cool. »Wenn es nicht zu lange dauert.«

Sie langte nach der Thermoskanne, goss sich Kaffee in eine Tasse und sagte, an die beiden Beamten gerichtet: »Wenn Sie auch einen wollen, bedienen Sie sich.«

Die anderen folgten ihrem Beispiel.

Valentina ging hinaus in den Flur, und sie spürte die Blicke der anderen in ihrem Rücken. Der Polizist folgte ihr auf dem Fuße.

22

SCHÖNBRUNN

Sofort nach ihrem einsamen Frühstück verließ Sarah schlecht gelaunt ihre Wohnung. David hatte sich nicht mehr gemeldet, nicht mal ihre SMS war ihm eine Antwort wert gewesen. Chris und Gabi waren nachts auch nicht mehr gekommen, ansonsten hätten die beiden am Morgen das volle Ausmaß von Sarahs Übellaunigkeit abbekommen.

Auch das orientalisch anmutende Flair des Brunnenmarktes rang ihr kein Lächeln ab, obwohl sie ihn sonst vor allem morgens so liebte, wenn er erwachte, und auch nicht, als ein Händler, den sie vom Sehen kannte, ihr einen Apfel in die Hand drückte. Seine Buntheit war normalerweise Balsam für ihre Seele, ein kleines bisschen Urlaub im Alltag.

Die mit missmutigen Menschen überfüllte U-Bahn und der beißende Geruch nach Parfum, Schweiß und Essen gaben ihr den Rest, und die Strecke von Ottakring bis Hietzing schien endlos zu sein.

Auf dem Weg von der Haltestelle bis zur Maxingstraße, wo die Meiers wohnten, versuchte sie, ihre miese Laune abzuschütteln. Was konnten die armen Leute dafür, dass ihr Privatleben gerade nicht rundlief?

Gegenüber von Meiers Haus war der Schönbrunner Tiergarten. Ob sie hier wohnen bleiben würden, nachdem man die Leiche ihrer Tochter ganz in der Nähe gefunden hatte?

Vor dem Haus angekommen zögerte sie, auf den Klingelknopf zu drücken. Die Furcht vor dem Schmerz der Eltern stieg erneut in ihr hoch. Es war noch nicht so lange her, dass sie mit der Mutter eines Opfers telefoniert hatte, das durch die Detonation einer Handgranate in der Hofburg ums Leben gekommen war. Die Erinnerung daran schnürte ihr die Kehle zu. Schließlich fand ihr rechter Zeigefinger die Kraft zu läuten.

Ein Summton erklang, sie ging hinein und fuhr mit dem Aufzug in den vierten Stock. Daniela Meiers Vater stand bereits in der geöffneten Wohnungstür und erwartete sie. Er trug Jeans und einen grauen Pullover, Sarah schätzte ihn auf Anfang 60. Er machte auf sie den Eindruck eines Mannes, der den größten Teil seines Lebens hinter einem Schreibtisch zugebracht hatte. Sein Blick war leer und seine Stimme matt, als er sie bat einzutreten. Er führte sie in ein dunkles Wohnzimmer. Die Vorhänge waren zugezogen. Am Tisch saß seine Frau, etwa im selben Alter wie er, in sich zusammengesunken, eine sehr zarte und vor Kummer gebrochen wirkende Frau. Vor ihr lag eine Tageszeitung auf dem Tisch, daneben stand eine Kanne Tee. Sarah sah sich diskret um. An einer Wand hingen Fotos von Daniela und zwei anderen jungen Frauen, wahrscheinlich ihre Schwestern. Sie ähnelten einander. Sarah sah die Eltern an, zwei alternde und in ihrer Trauer miteinander verbundene Menschen, die dennoch verloren wirkten, jeder für sich allein. Dennoch konnte Sarah Zuneigung in ihren Gesichtern erkennen und Würde.

»Setzen Sie sich doch«, sagte Herr Meier. »Möchten Sie einen Tee?«

Sarah nickte, und der Mann ging in die Küche, um eine Tasse zu holen.

»Warum sind Sie hier?«, fragte Frau Meier. Es klang abweisend. Jedenfalls hat ihr apartes Äußeres durch all den Schmerz keinen Abbruch erlitten, dachte Sarah.

»Ich will Sie auch nicht lange stören«, sagte Sarah. »Es geht mir nur darum herauszufinden, warum jemand mich offenbar im Visier hat und Artikel von mir sammelt, mit der er die Wände eines Kellerraumes pflastert. Und wie das alles im Zusammenhang mit der Entführung Ihrer Tochter steht und ob es damit überhaupt etwas zu tun hat.«

Sie kramte Stift und Notizblock aus ihrer Umhängetasche. »Ihre Tochter und ich, wir haben uns nicht gekannt.«

Katharina Meier sah sie an. »Ich will wenigstens verstehen, was passiert ist. Wer lässt denn einen Menschen verhungern?«

»Sie ist verdurstet«, sagte ihr Mann leise.

»Was macht das schon für einen Unterschied?«, sagte sie, »man hat sie elendig sterben lassen. Mein Kind.« Verzweifelt kämpfte sie gegen ihre Tränen an.

Und wieder einmal bewahrheitete sich, dass Angehörige der Opfer von Gewaltverbrechen ebenfalls Opfer waren. Sarah holte tief Luft und atmete dann lautlos aus.

»Ich wüsste nicht, wie wir Ihnen helfen könnten«, sagte die Frau frostig.

»Erzählen Sie mir von Daniela. Vielleicht gibt es ja etwas, das mir weiterhilft. Vielleicht können wir der Polizei ja so dabei helfen, den Täter bald zu fassen.«

Gut, dass Stein sie jetzt nicht hören konnte. Was konnte sie schon herausfinden, was die Polizei nicht ohnehin längst wusste?

Doch siehe da, es wirkte. Sie begannen zu erzählen, von der Kindheit über die Jugend ihrer Tochter bis hin zu ihrer Karriere als Model.

»Mit ihren Hochzeitsplänen hat sie uns ziemlich überrascht«, sagte die Mutter.

»Wir waren skeptisch damals«, sagte der Vater. »Sie stand doch gerade am Beginn einer internationalen Karriere.«

»Das eine schließt aber das andere nicht unbedingt aus«, meinte Sarah vorsichtig.

»Felix drängte darauf, möglichst bald Kinder zu bekommen«, sagte Frau Meier. »Und er ist nicht der Typ, der sich daheim um ein Kind kümmert, während seine Frau durch die Welt reist. Außerdem wollte er sie möglichst immer in seiner Nähe haben. Deshalb auch der schnelle Entschluss zu heiraten. Sie waren ja damals erst ein Jahr zusammen. Die Idee kam sicher nicht zuerst von Daniela, davon sind wir überzeugt. Wir mögen den Felix, nicht dass Sie mich falsch verstehen. Aber ich will ganz offen sein. Er ist ein sehr konservativer Mensch, auch wenn er nach außen hin vielleicht weltoffen und modern erscheinen mag.«

»Was genau meinen Sie mit konservativ?«

»Ich meine damit, dass er altmodische Vorstellungen hat. Für ihn gilt nach wie vor, dass die Frauen daheim bei den Kindern bleiben und die Männer das Geld verdienen«, antwortete Danielas Mutter. »Wir haben unsere Töchter so nicht erzogen, sondern ihnen vermittelt, dass es wichtig ist, finanziell auf eigenen Füßen stehen zu können und nicht von Ehemännern oder Partnern abhängig zu sein. Für Daniela war das deshalb immer ganz klar, bis sie Felix traf.«

»Wie meinen Sie das? Wollte sie seinetwegen aufhören, als Model zu arbeiten?«

»Ja, das wollte sie, sobald sie schwanger geworden wäre. Selbst wenn eine Modellaufbahn irgendwann zu Ende ist, hätte sie doch erstmal weitermachen und die Zeit genießen können, fanden wir. Später hätte man ja immer noch schauen können.«

»Was hat Ihre Tochter eigentlich beruflich gemacht, bevor sie ein Model wurde?«

»Sie werden lachen«, sagte Jacob Meier. »Sie war Rezeptionistin im Beermann-Hotel. Felix war ihr Chef.«

Sarah hielt kurz die Luft an. Immerhin war auch sie mit ihrem Chef liiert. Ob diese an sich unspektakuläre Parallele hier vielleicht von irgendeiner Bedeutung war?

Katharina Meier wandte sich an ihren Mann. »Im Hotel hat die Ruth sie damals angesprochen, erinnerst du dich?«

»Ja«, sagte er. »Bevor Felix und sie ein Paar wurden.«

Sarah erfuhr, dass Ruth damals im Beermann-Hotel einen Modelcontest organisiert hatte. Im Zuge dessen hatte sie Daniela kennengelernt, deren Potenzial erkannt und versucht, sie zur Teilnahme an dem Contest zu überreden. Da Daniela sich zunächst gesträubt hatte und auch ihre Eltern nicht sonderlich begeistert von der Idee waren, hatte Ruth sie schließlich mit Designerklamotten geködert und mit einem neuen Look, der Danielas Schönheit auf eine Weise zur Geltung brachte, die sie schließlich selber überzeugte. »Das muss man ihr lassen, der Ruth. Sie hat das richtige Gespür dafür, aus den Menschen herauszuholen, was in ihnen steckt«, sagte Katharina Meier und lächelte leise. »Daniela hat den Contest gewonnen, und ab da bekam sie die ersten Aufträge.«

»Aber sie arbeitete weiter im Hotel«, sagte der Vater. »Sich Hals über Kopf in ein Abenteuer zu stürzen; dazu war unsere Tochter viel zu sehr Realistin. Sie freute sich jedes Mal, wenn eine Anfrage reinkam, aber wenn nicht, so war es auch kein Problem.«

»Bis zum Miss-Austria-Titel«, sagte Frau Meier. »Danach änderte sich alles.«

»War sie zu der Zeit schon mit Felix Beermann zusammen?«, fragte Sarah.

Katharina Meier schüttelte den Kopf. »Nein, nein. Bis dahin hatte Felix Daniela doch gar nicht wahrgenommen, und alles Geschäftliche lief nur über ihren Vorgesetzten. Doch als sie zusammenkamen, ging alles ziemlich schnell. Nach nicht mal einem Jahr hat Felix ihr den Heiratsantrag gemacht, und das Planen begann. Ruth und Irene und natürlich unsere beiden anderen Töchter sollten die Brautjungfern sein.« Sie zeigte auf das Foto an der Wand. »Ruth hat sich um fast alles gekümmert, weil Daniela ja dann viel unterwegs war.«

Sarah fasste sich ein Herz, denn jetzt war der richtige Moment zu fragen. »Sagen Sie, kennen Sie den Brauch aus England, nach dem die Braut am Hochzeitstag etwas Altes, etwas Neues, etwas Geliehenes und etwas Blaues bei sich tragen und in ihre Kleidung integrieren soll?«

»Ich glaube, ich weiß, was Sie meinen. Da ging es damals um ein blaues Strumpfband, auf dem stand ein Spruch, an den ich mich nicht mehr erinnere. Neu waren das Gewand und der Brautstrauß von der Eva, und ich hätte ihr meinen Haarschmuck geborgt.«

Sie seufzte, stand dann auf und ging hinaus. Sarah sah Herrn Meier fragend an, doch er nickte beruhigend. Dann kam Frau Meier mit einer Handvoll roter Rosen-Curlies zurück, die sie Sarah zeigte. »Sie haben ihr sehr gefallen und hätten so gut gepasst, denn ihr Hochzeitsthema war Platin und Rosen.«

»Platin für die Unvergänglichkeit und rote Rosen als Zeichen ewiger Liebe?«, fragte Sarah.

»So ist es.« Sie putzte sich die Nase. »Das Alte kam von Felix' Mutter, ein märchenhaftes Collier in Platin mit eingearbeiteten Röschen. Ein Erbstück aus der Familie, soweit ich weiß.«

Daniela Meiers Mutter seufzte wieder und tupfte sich die Augenwinkel. Es fiel ihr sichtlich schwer, die Tränen zurückzuhalten.

Sarah indes versuchte, sich ihre Aufregung nicht anmerken zu lassen. Denn allmählich reihte sich in ihrem Kopf ein Mosaiksteinchen an das andere …

Nachdem sie die Meiers verlassen hatte und wieder unten auf der Straße stand, sah sie zuerst auf ihrem Handy nach, ob David sich inzwischen endlich gemeldet hatte. Hatte er nicht. Sie wusste noch nicht einmal, wo er am Vorabend gewesen war, nur dass er keine Zeit hatte, sie zum Salon der Bucher zu begleiten. Ob sie nicht auch ihn hätte begleiten können, davon war erst gar nicht die Rede gewesen. Sie verspürte plötzlich nicht mehr die geringste Lust, in die Redaktion zu fahren, und beschloss spontan, hinüber in den Schlosspark zu gehen. Das Gehen und die frische Luft würden ihr sowieso guttun, sie könnte das Gespräch mit dem Ehepaar noch ein wenig sacken lassen und außerdem endlich auch den Fundort der Leiche besichtigen.

In dem Moment kam die Sonne hinter den Wolken hervor, und es wurde sofort viel wärmer. Sie setzte sich ihre Sonnenbrille auf und ging durch das Hietzinger Tor in den Schlosspark.

Sie genoss die Ruhe und das Grün um sich herum und näherte sich langsam der Stelle, an der die Leiche gelegen hatte. Nichts erinnerte hier mehr an die makabre Inszenierung. Es wirkte alles friedlich und aufgeräumt. Dazu der Blick auf das Schloss Schönbrunn und die Gloriette gegenüber – eine Postkartenidylle.

Du stehst in der Mitte des Pentagramms.

Sarah schloss ihre Augen. Sie konzentrierte sich auf ihren Standort. Vielleicht ließ sich seine Energie erspüren, seine Würde. Doch sie spürte nichts und öffnete die Augen wieder. Ein Passant hatte sie offenbar bei ihrer Tranceübung beobachtet. Vermutlich hatte sie etwas sonderbar auf ihn gewirkt. Sie lächelte ihn an, und er ging weiter. Sie schaute hinüber zum Neptunbrunnen, wo sich in wenigen Wochen wieder Tausende Menschen einfinden würden, um den Wiener Philharmonikern beim Sommernachtskonzert zu lauschen. Niemand von ihnen würde an die Leiche einer jungen Frau denken, die genau an diesem Ort grausam zur Schau gestellt worden war.

Sarah ließ sich auf einer der Parkbänke nieder, zwischen Hannibal und Paris als Hirte mit Hund, und sah Joggern, Spaziergängern und fotografierenden Touristen eine Weile zu.

Auf einmal näherte sich ihr ein Mann zielstrebig. Gerhard Dorfinger.

»Verfolgst du mich etwa?«, fragte sie, als er vor ihr stand.

»Nein. Warum sollte ich?« Er lachte.

»Warum bist du ausgerechnet jetzt auch hier?«

»Ich hab ein paar Auftragsbilder geschossen.«

»Blumen?«

Er setzte sich unaufgefordert neben sie.

»Nein. Wieso Blumen? Ich musste ein paar Fotos von Schönbrunn machen, für den Tourismusverband. Die geben einen neuen Katalog raus.« Er blickte über das Parterre. »Hier hat Valentina sie gefunden, stimmt's?«

Sarah nickte.

»Wahnsinn.«

»Ja. Wahnsinn.«

»Bist du deswegen hergekommen?«

Sarah antwortete nicht darauf.

»Darf ich dich auf einen Kaffee einladen?«

Sie lächelte. »Hast du denn keine Angst, dass ich dich aushorchen und dann einen Artikel über dich schreiben könnte?«

»Ich hätte gar nicht gedacht, dass du zu den Frauen gehörst, die beleidigt sind, wenn man ihnen sagt, was man denkt.«

»Bin ich nicht.«

»Ach, und warum dann die Meldung?«

Sarah zuckte mit den Achseln. »Mir war halt danach.«

»Was ist jetzt mit dem Kaffee?«

»Okay. Warum nicht?«

Das Schönbrunner Schlosscafé hatte bereits Tische und Stühle im Freien stehen. Sie nahmen an einem der Tische Platz und bestellten zwei Melangen.

»Was interessiert dich eigentlich so an der Sache mit der Daniela?«, fragte Gerhard Dorfinger.

»Wie kommst du denn darauf, dass mich das interessiert?«

»Na, komm schon! Das Spielchen hatten wir gestern schon auf der Heimfahrt. Du bist doch nicht wegen der Brautkleider zu Irene gekommen.«

»Ich bin Journalistin.«

»Aber weder für die Chronik noch für den Lifestyle, oder doch?«

Die Kellnerin brachte ihren Kaffee. Sarah nahm die Sonnenbrille ab und legte sie auf den Tisch.

»Du bist aber auch ganz schön neugierig«, sagte sie und fuhr sich durchs Haar. Der intensiv forschende Blick des Fotografen machte sie nervös. »Ich hab's gestern schon gesagt, ich schreibe nicht über Daniela. Das machen meine Kollegen. Und warum interessiert dich diese Geschichte?«

»Weil das Team von nichts anderem mehr spricht.«

»Ist doch auch klar. Die waren ja alle mit ihr befreundet.«

Gerhard lachte wieder. »Wenn du mich fragst, war das vor allem eine Zweckgemeinschaft. Ohne Publikum ist es noch ärger, sie lassen kein gutes Haar an ihr.«

»Sie muss ganz schön speziell gewesen sein. Was sagt Ruth über sie, wenn es kein Publikum gibt?«

Er zögerte, bevor er antwortete. Vielleicht wunderte er sich, dass sie ihn ausgerechnet nach Ruth fragte. »Ruth hält sich meistens raus, so gut es geht. Sie waren wohl wirklich befreundet.«

»Hast du Daniela auch gekannt?«

Er schüttelte den Kopf.

»Du arbeitest doch für Werbeagenturen?«

»Du warst auf meiner Homepage.«

Sarah spürte, dass sie rot wurde. »Erwischt.«

»Also doch interessiert.«

»Reine Journalistenneugier.« Sie bemühte sich, cool zu bleiben.

Er nahm einen Schluck Kaffee und bedachte sie mit einem Blick, der so viel hieß wie: Ich glaub dir kein Wort.

Sarah wich seinem Blick aus. Der sollte sich mal bloß nichts einbilden!

»Warum glaubt ihr Frauen immer, dass wir Männer nur das Eine von euch wollen?«

Nur nicht aus der Fassung geraten, dachte Sarah. »Glaub ich gar nicht.«

Er grinste. »Glaubst du doch.«

»Ist es nicht so?«

»Eh!«

»Kennst du Toni Neuberg?«

»Du meinst den Ex von der Ruth?«

»Genau den.«

»Hab mal mit ihm zu tun gehabt, ist aber schon eine Weile her.«

»Und? Wie ist der so?«

»Ganz okay. Hat gute Arbeit geleistet.«

»Ich hörte, dass er ziemlich viel trinkt.«

»Zeig mir einen in der Branche, der nicht ab und zu einen zu viel trinkt. Das bringt der Stress mit sich.«

»Ich meinte eher, dass er Alkoholiker ist.«

»So genau kenne ich ihn nicht. Als ich mit ihm gearbeitet hab, kam er mir nicht vor wie ein Alkoholiker.«

»Es gibt graduelle Unterschiede.«

»Ach ja? Sprichst du da aus Erfahrung?«

»Wie lange hast du mit ihm gearbeitet?«

»Eine Woche.« Er sah sie von der Seite an. »Du stellst ganz schön viele Fragen. Warum interessiert dich der Toni?«

»Ach, nur so.«

»Apropos Arbeit. Ich hab deinen Artikel über das Pentagramm in Schönbrunn gelesen. Klingt nicht uninteressant, was du so schreibst.«

»Findest du?«

»Schon. Vor allem die Sache mit dem unsichtbaren Pentagramm. Woher weißt du sowas?«

»Ich beschäftige mich halt damit.«

»Und was kommt als Nächstes? Das Hexagramm?« Er lachte.

»Wie kommst du jetzt darauf? Beschäftigst du dich etwa auch mit Symbolen?«

»Um Himmels willen, nein! Ich hab nur mal gelesen, dass es das alte Zunftzeichen der Wiener Bierbrauer war und noch auf dem Dach eines Hauses in der Stammersdorfer Straße zu sehen ist. Das ist aber schon alles, was ich darüber weiß.«

»Ich schreibe in der nächsten Ausgabe über den Obeliskbrunnen hier im Park.«

»Was gibt es über den Spannendes zu erzählen?«

»Da steckt so viel Symbolik drin, dass ich eine ganze Ausgabe des *Wiener Boten* damit füllen könnte. Der Grottenberg symbolisiert zum Beispiel das Dunkle und die unbändigen Kräfte der Erde. Die vier Schildkröten, auf deren Rücken der Obelisk steht, bedeuten Beständigkeit und Unendlichkeit. Na, am besten du liest meinen Artikel.«

»Mach ich. Sag, darf ich dich fotografieren?«

Was sollte diese komische Frage? »Wofür?«, fragte sie.

»Für mich.«

»Blödsinn.«

»Warum Blödsinn?«

»Weil das Blödsinn ist.«

Er drückte ein paar Mal ab.

»Hey, ich hab nicht ja gesagt«, protestierte Sarah.

»Aber auch nicht nein«, sagte er lachend.

»Jetzt ist's aber genug.« Sarah war die ganze Situation auf einmal nur noch unangenehm. Sie trank ihre Melange aus und winkte der Kellnerin.

»Ich muss wieder in die Redaktion.«

»Lass nur. Ich lad dich ein.«

»Danke.« Sarah stand auf und verabschiedete sich.

»Dann hoffe ich auf ein baldiges Wiedersehen«, sagte er.

Sarah lächelte nur und setzte die Sonnenbrille wieder auf.

In der U-Bahn steckte sie die Brille zurück ins Etui und notierte sich ein paar Details. Sie versuchte, wieder Ordnung in ihre Gedanken zu bringen. Dass sie noch immer nichts von David gehört hatte, nagte an ihr. So lange hatte noch nie Funkstille zwischen ihnen geherrscht. Sie musste das unbedingt klären.

Sarah hatte gerade ihr Büro betreten, als Gabi hinter ihr hereinkam.

»Du wirst nicht glauben, was ich soeben erfahren habe«, sagte sie aufgeregt.

»Was denn?«

»Wo warst du eigentlich?«

»Bei Danielas Eltern.« Sarah erzählte von ihrem Besuch bei den Meiers. Dabei fiel ihr noch etwas ein, und sie machte sich schnell eine Notiz.

»Und was hast du nun erfahren?«, fragte sie Gabi.

»Also«, begann Gabi von Neuem. »Die Polizei hat einen Verdächtigen, und jetzt rate mal, wer das ist!«

»Ich habe keine Lust auf Ratespiele.«

»Jetzt mach schon!«

»Keine Lust.«

»Schlecht gelaunt?«

»Sehr schlecht.«

»David?«

»David.«

»Ich hab dich gewarnt.«

»Bitte nicht. Das hilft mir jetzt nicht.«

»Er ist in seinem Büro. Geh zu ihm!«

»Will ich nicht.«

»Dickschädel.«

»Was ist jetzt mit dem Verdächtigen?«

»Angeblich steckt Toni Neuberg hinter der Sache. Den hatte die Polizei anscheinend damals schon im Visier.«

»Der wurde verdächtigt, die Meier gestalkt zu haben. Es ist aber nichts dabei rausgekommen, hat Conny erzählt.«

»Im Moment läuft eine Großfahndung nach ihm, und Stein will, dass wir seinen Namen und ein Foto rausbringen.«

»Woher weißt du das alles?«, fragte Sarah verblüfft.

»Ich habe Stepan beim Kaffeeautomaten getroffen.

Der wollte es dir persönlich berichten, aber du warst ja nicht da. Weil er wegmusste, habe ich versprochen, es dir zu sagen, wenn du zurückkommst. Was ich hiermit eingelöst habe.« Gabi machte Anstalten zu gehen. »Soll ich David was ausrichten?«

Sarah überlegte kurz, dann schüttelte sie den Kopf.

»War David heute auch schon beim Kaffeeautomaten?«

Gabi sah sie verständnislos an. »Nein. Wieso sollte er? Wir haben doch eine Kaffeemaschine im Büro. Ich gehe da ja nur hin, um den neuesten Tratsch zu hören. Aber warum fragst du?«

»Nur so.«

»Nur so. Klar!«

Gabi ging und zog die Tür hinter sich zu.

Sarah stellte sich ans Fenster und starrte auf die Mariahilferstraße hinunter. Seit dieser Teil der Einkaufsstraße zur Fußgängerzone geworden war, hatte sich das Straßenbild verändert. Es war ruhiger geworden und zugleich lebendiger, eine neue urbane Landschaft, die sich unter ihr ausbreitete und die sie sehr mochte.

Sie schnappte sich ihr Handy und rief Stein an, denn sie wollte wissen, ob man inzwischen den Riesenrosenstraußkäufer ausfindig gemacht hatte. Sie erreichte jedoch nur Steins Mailbox und legte wieder auf.

Sie setzte sich an ihren PC und gab die Webadresse des Bundeskriminalamtes ein. Ein Foto von Anton Neuberg prangte auf der Fahndungsseite. Einen Moment lang starrte sie sein Gesicht an, dann schloss sie das Programm, stand auf und schnappte sich ihre Jacke. Sie musste auf der Stelle hier raus, sonst drehte sie noch durch.

Conny saß in der Küche am Tisch, eine Kaffeetasse mit beiden Händen umklammert, und starrte vor sich hin. Sissi lag unterm Tisch zu ihren Füßen.

»Alles in Ordnung?«, fragte Sarah und blieb im Türrahmen stehen.

Die Society-Löwin blickte auf. »Ja, ja, alles okay.«

Sarah ging in die Küche und setzte sich zu ihr an den Tisch.

»Wie war die Pressekonferenz?«

Der Mops sprang auf und drückte sich gegen Sarahs Wade.

»Einstudiert. Die haben garantiert ihre Antworten vorher mit ihren PR-Beratern abgesprochen. Und die Macek kam so steif daher wie der Ständer ihres Verlobten.«

»Conny!«, empörte sich Sarah gespielt über die derbe Ausdrucksweise ihrer Kollegin. Sie bückte sich grinsend zu dem Hund und hielt ihm die Ohren zu. »Das wollen wir gar nicht hören, gell, wenn's Frauli so garstige Wörter sagt, gell Sissi?«

Der Hund wedelte freudig.

»Wenn's doch wahr ist«, brummte die Gesellschaftsreporterin. »Stell dir vor, der Beermann hat für die Macek einen privaten Wachdienst engagiert, der sie rund um die Uhr im Auge behält.«

»Wirklich?« Sarah richtete sich wieder auf. Der Hund tapste zurück unter den Tisch und legte sich nieder.

»Hat er jedenfalls behauptet.«

»Ist doch irgendwie romantisch, findest du nicht?«, kicherte Sarah.

»Wenn du meinst.« Conny zuckte mit den Achseln. »Eine Frage hat sie dann aber doch ein bisschen aus dem Konzept gebracht. Nämlich ob sie regelmäßig in Schönbrunn joggt.«

»Und?«

»Die Antwort war nein. Aber glaub einer alten Füchsin wie mir. Das war gelogen. Die läuft regelmäßig dort.«

Sarah sah Conny eine Weile nachdenklich an. »Das könnte ja heißen, dass der Täter wollte, dass sie die Leiche findet.«

»Das Restrisiko, dass ein anderer vor ihr dran vorbeiläuft, ist zwar gegeben, aber gering, wenn man miteinkalkuliert, dass die Macek ein Gewohnheitstier ist.«

»Wer sagt das?«

»Hat die Neuberg mal nebenbei erwähnt. Auf der Hochzeit eines Schlagersternchens. Harmoniebedürftiges Gewohnheitstier, so hat sie sie genannt. Nicht hinter Valentinas Rücken, das würde sie nicht tun. Und auch nicht bös gemeint. Die zwei passen eh ganz gut zusammen. Die eine chaotisch und kreativ, die andere strukturiert und bodenständig. Mich würde die Neuberg ja narrisch machen. Ich hab mal miterlebt, wie die ihre Leute vor einem Event herumscheucht. Alles musste x-mal geändert werden, nichts passte, und sie weiß und kann alles besser. Aber dieses Rumgschafteln kann die Macek mit ihrer gelassenen Gewohnheitstier-Art ganz gut nehmen scheint's.«

»Und Beermann, wie ist der so?«

»Schwer zu sagen. Typ Workaholic, diskret, macht nichts unbedacht. Anders formuliert: Er hält die Fäden in der Hand, ohne sich in den Vordergrund zu drängen. Hat ein Händchen fürs Geschäft und soll knallhart bei Verhandlungen sein. Ich kenne ihn nur von ein paar offiziellen Events und fand ihn da immer recht charmant. Aber das sagt nicht viel, denn dort wird eh nur belangloses Zeug geredet. Dass er mich heute zu seiner Pressekonferenz eingeladen hat, war mir eine Ehre. Da saßen nämlich nur sechs Leute, weißt?«

Von denen er dachte, sie leicht manipulieren zu können, dachte Sarah. Stattdessen wechselte sie das Thema.

»Was, wenn Anton Neuberg die Macek beobachtet und gecheckt hat, dass sie immer zur selben Zeit am selben Ort joggt. Und ihr dann kurz vor ihrer Hochzeit mit dem Beermann ihre Vorgängerin als Leiche vor die Füße legt. Warum tut er das?«

»Er will sie oder Beermann oder beide demütigen. Psychodrama«, schlug Conny vor.

»Aber was wäre das Motiv?«

»Keine Ahnung. Um die Hochzeit zu verhindern?«

»Warum will er die Hochzeit verhindern?«

»Aus Rache. Irgendwas aus der Vergangenheit. Was weiß ich.«

»Stoff für eine gute Story.«

»Wie willst du das beweisen ohne Interview mit dem Täter? Obwohl, mit einem Fragezeichen könnten wir's vielleicht bringen.« Sie malte einen Bogen in die Luft. »Wollte der Täter die Hochzeit von Valentina Macek und Felix Beermann verhindern?«

»Klingt ein bisschen theatralisch.«

»Na, so ähnlich halt.«

»Etwas ganz anderes. Hast du eine Einladung zur Hochzeit bekommen?«

Conny fuhr sich durch ihre kupferroten Locken. »Davon kannst du ausgehen. Ich wurde sowohl damals zur Hochzeit Beermann-Meier als auch jetzt zu der von

Beermann und Macek ganz offiziell und schriftlich eingeladen.«

»Du hast nicht zufällig die Einladung von damals noch, oder?«, fragte Sarah, einer spontanen Eingebung folgend.

Conny lächelte triumphierend. »Doch. Solche Sachen hebe ich auf, damit ich sie mir mit 80 noch ansehen kann. Wozu brauchst du sie?«

»Ich suche nach Parallelen. Was du vorhin von der Macek erzählt hast, hat mich auf die Idee gebracht. Das mit dem Gewohnheitstier. Es gibt doch da diese These, dass wir instinktiv immer nach demselben Typ Partner und Partnerin suchen.«

Conny nickte. »David ist das beste Beispiel dafür. Schau dich und Hilde an. Ihr habt einen ähnlichen Charakter. Sie war genauso rastlos und kompromisslos bei der Suche nach der Wahrheit wie du. Nur äußerlich unterscheidet ihr euch.«

Sarah ging nicht weiter darauf ein.

»Dir ist sicher schon aufgefallen, dass sich Daniela Meier und Valentina Macek ein wenig ähneln. Haare, Figur, Augen.«

Conny überlegte. »Jetzt wo du's sagst. Stimmt. Sie sehen sich wirklich ähnlich.«

»Die These besagt auch, dass unser Denken und Fühlen unser Handeln bestimmt und dass wir immer nach denselben Verhaltensmustern agieren, solange wir die nicht bewusst durchbrechen«, fuhr Sarah fort.

»Worauf willst du hinaus?«

»Ich war gestern in dem Brautsalon und habe die Hochzeitsplanerpartie kennengelernt.« Sarah begann an ihren Fingern abzuzählen. »Der Beermann und die

Macek wollen in Schönbrunn heiraten. Josef Voland backt die Torte. Die Blumen kommen von Eva Weber, das Kleid von Irene Bucher.« Sie ließ ihre Hand sinken. »Vier Parallelen. Und die Bräute sind einander ähnlich, fünfte Parallele. Das Hochzeitsthema von der Meier und dem Beermann hieß Rosen und Platin. Und das Hochzeitsthema von der Macek und dem Beermann heißt?«

»Rosen und Platin!«, rief Conny aus. »Langsam checke ich, worauf du hinauswillst!«

Sie stand auf. Sissi kam sofort unter dem Tisch hervor und fixierte ihr Frauchen freudig wedelnd. Hörte dieser Hund eigentlich nie auf, sich zu freuen?

»Komm mit, ich such dir die Einladung raus!«

Sie gingen gemeinsam in Connys Büro. Mit einem Griff zog Conny eine weiße Box aus ihrem Regal.

»Hier sind alle Einladungen aus den Jahren 2009 bis 2012 drin.«

Es dauerte eine Weile, bis sie eine rosarote Karte aus den Tiefen der Box fischte. »Du glaubst also, dass die zwei die Hochzeit kopieren, oder anders gesagt einen neuen Anlauf versuchen?«

»Genau das meine ich«, sagte Sarah. »Die Hochzeitsplanerinnen sind Valentina Macek …«

»… und Ruth Neuberg«, ergänzte Conny.

»Normalerweise entscheiden Braut und Bräutigam, wie sie ihre Hochzeit feiern wollen. Ergo werden Beermann und Macek sich bewusst dafür entschieden haben, auf die bereits vorhandenen Pläne zurückzugreifen. Ist das nicht seltsam?«

»Wenn es schon immer mein Traum gewesen ist, in Schönbrunn zu heiraten …«

»Schön möglich«, unterbrach Sarah sie. »Schönbrunn

ist ein begehrter Ort für Hochzeiten. Aber gleich dasselbe Motto zu wählen, ich weiß nicht.«

»Viele der Gäste, die schon damals eingeladen waren, haben das aber sicher längst vergessen. Ich konnte mich ja auch nicht mehr daran erinnern.«

»Schon, aber es genügt doch, wenn die Macek und der Beermann es wissen.«

»Und die Neuberg und ihr ganzes Team«, warf Conny ein.

»Verstehst du, was ich meine?«

»Vielleicht finden sie das einfach alle nur klasse. Wenn die Bucher sogar ein Kleidermodell Daniela nennen will? Eine Art Erinnerungskiste an die Meier.«

Sarah sah Conny skeptisch an. »Echt jetzt? Also ich käme mir anstelle der Macek doch wie die Zweitbesetzung im Theater vor. Dieselbe Location? Dasselbe Motto?«

»Nur dass die Zweitbesetzung jetzt keine Zweitbesetzung mehr ist, weil die Erstbesetzung tot ist«, meinte Conny kopfschüttelnd.

»Kann's sein, dass die Macek gar nichts von dem Motto wusste?«

»Geh, Blödsinn. Gerade die wird doch das frühere Hochzeitsmotto ihres Bräutigams kennen. Entweder ihr taugt's, oder es ist ihr egal. Außerdem konnte niemand wissen, dass man die Meier ausgerechnet jetzt findet. Übrigens gibt es noch eine Übereinstimmung.«

Conny legte die aktuelle Einladung neben die von damals. »In Schönbrunn kannst du nur standesamtlich heiraten, doch beide Male war auch eine kirchliche Hochzeit geplant.« Sie zeigte auf bestimmte Zeilen in beiden Versionen.

»Die Peterskirche!«, sagte Sarah.

»Die Peterskirche«, wiederholte Conny vielsagend.

»Die kirchliche Trauung sollte also früher wie heute in der Peterskirche stattfinden«, murmelte Sarah, »und was das Auffinden der Leiche anbelangt …« Sie sah Conny an. »Daniela Meier verschwindet zwei Wochen vor ihrer Hochzeit von der Bildfläche und taucht genau zwei Wochen vor der Hochzeit vom Beermann und der Macek wieder auf. Jetzt einmal angenommen, auch die Entführung soll sich wiederholen … Dann müsste das demnächst geschehen.«

»Die Hochzeit wurde doch abgesagt«, warf Conny ein.

»Schon, aber hält das den Täter oder die Täterin von dem Plan ab?«

23

UNWILLKOMMENER BESUCH

Valentina saß an ihrem Schreibtisch, Stein und seine Kollegin standen davor. Die Frau sah sich interessiert die Fotos an, die an der Wand hingen: Urlaubsbilder von Nizza, Florenz und London, wo Valentina und Felix gewesen waren, daneben einige, die Valentina als Planerin auf Hochzeiten zeigten.

»Frau Macek«, begann Stein. »Hatten Sie in den letzten Tagen Kontakt zu Herrn Anton Neuberg?«

Valentina spürte eine plötzliche Hitze in sich aufsteigen. Sie brauchte ein paar Sekunden, um zu begreifen, was die Frage mit ihr zu tun hatte. Die wissen von dem Anruf!, hämmerte es in ihrem Kopf.

»Warum?«, fragte sie und sah die Ermittler an.

Stein beugte sich vor und stützte sich mit beiden Händen am Tisch ab, wodurch sich der Abstand zwischen ihnen verringerte. »Hatten Sie, oder hatten Sie nicht?«

»Ich weiß nicht«, sagte Valentina verunsichert.

»Wie bitte? Sie wissen nicht, ob Sie Kontakt zu ihm hatten oder nicht?« Er warf seiner Kollegin über die Schulter hinweg einen raschen Blick zu. Die beiden dachten sicher, dass sie etwas verheimlichte. Es kostete Valentina alle Mühe, sich auf das Gespräch zu konzentrieren. Weshalb fragte die Polizei sie nach Toni? Was war passiert?

»Haben Sie ihn festgenommen?«

»Warum sollten wir ihn festnehmen? Wissen Sie etwas, das wir nicht wissen?« Der Polizist richtete sich wieder auf und setzte sich dann auf einen Stuhl.

Das ist eine Fangfrage, dachte Valentina. Nicht antworten! Sie wischte ein paar unsichtbare Krümel vom Schreibtisch und erzählte dann von Tonis merkwürdigem Anruf, und dass sie sich in der Konditorei Voland mit ihm treffen wollte, er jedoch nicht kam. Sie merkte, dass sie vor Nervosität sehr schnell sprach.

»Hat er sich danach noch einmal bei Ihnen gemeldet?«

Valentina schlug die Beine übereinander und schüttelte den Kopf.

Ob sie denn wisse, was Toni von ihr wollte. Sie verschränkte die Arme vor ihrer Brust. »Ich habe keine Ahnung, was da in ihn gefahren ist. Wir waren nie befreundet oder gar vertraut miteinander. Ich kannte ihn im Grunde genommen nicht. Wir sind uns nur hin und wieder begegnet, als er noch mit Ruth verheiratet war. Er war irgendwie …« Sie verstummte.

»Irgendwie was?«, hakte Martin Stein nach.

»Irgendwie komisch.«

»Komisch?«, wiederholte der Ermittler. »Inwiefern?«

Jetzt eine Zigarette!, dachte Valentina sehnsüchtig, obwohl sie seit fünf Jahren nicht mehr rauchte.

»Sie können uns gegenüber ruhig offen sein«, ermutigte die junge Polizistin sie. »Wir plaudern nichts von dem aus, was man uns anvertraut.«

Valentina biss sich auf die Unterlippe. Sie zögerte. »Vielleicht trifft es der Begriff aufdringlich besser als komisch.« Sie holte tief Luft und gab sich einen Ruck. »Vielleicht kennen Sie den Ausdruck, der fickt alles, was nicht bei drei auf dem Baum ist?« Sie errötete.

»Entschuldigen Sie meine Ausdrucksweise, eine bessere Beschreibung ist mir jetzt leider nicht eingefallen.«

»Schon gut.« Die Polizistin lehnte sich an den Schreibtisch. »Und Herr Neuberg ist so einer?«

»Ich kann mich natürlich auch täuschen«, versuchte Valentina ihre Aussage abzuschwächen.

»Und worauf stützt sich Ihr Eindruck nun genau?« Sie ließ nicht locker.

Valentina wurde noch heißer, und sie starrte peinlich berührt die Wand an. Warum hatte sie jetzt damit angefangen? Hätte sie doch nur den Mund gehalten!

»Er … hat es mir angeboten«, murmelte sie.

»Was hat er Ihnen angeboten?«, fragte Steins Kollegin.

Valentina hob den Kopf. »Es ist … alles schon sehr lange her.«

»Erzählen Sie's trotzdem.«

»Ruth und ich waren ausgegangen, nur wir zwei Frauen unter uns und außerhalb der Arbeit. Auf einmal tauchte er in dem Lokal auf, schon ziemlich betrunken. Und als Ruth dann auf der Toilette war, fing er an, mich zu begrapschen, und sagte, dich werd ich auch noch irgendwann ficken, so wie alle ihre Freundinnen.«

Das sei es doch, was alle Weiber wollten, hatte er noch gesagt, aber das behielt Valentina für sich. Es war so schon schlimm genug, diese demütigende Begebenheit auch noch erzählen zu müssen.

»Hm«, machte die junge Polizistin und legte ihre Hand behutsam auf Valentinas Arm. »Leider gibt es solche Typen zur Genüge. Haben Sie Frau Neuberg von dem Zwischenfall erzählt?«

Valentina schüttelte den Kopf. Die Frau zog ihre Hand wieder weg.

»Warum nicht?«

»Ich hab's ignoriert, weil ich dachte, dass es so besser ist. Er war betrunken, und ich wollte keinen Ärger provozieren. Es ist ja nie etwas passiert zwischen uns. Es wäre auch nie etwas passiert«, fügte sie rasch hinzu. »Außerdem war da gerade ihre Scheidung durch, und ich wollte nicht noch zusätzlich Öl ins Feuer gießen.«

»Er hat Sie nicht angerufen und, sagen wir, bedrängt?«, fragte Stein nun wieder.

Valentina schüttelte den Kopf. »Er war betrunken«, wiederholte sie noch einmal.

»Wen könnte er denn mit allen ihren Freundinnen gemeint haben?«, hakte Martin Stein nach.

»Ich weiß es nicht, aber ich glaube, er hat einfach nur blöd dahergeredet, weil er sich wieder mal wichtigmachen wollte.«

»Hat er das öfter? Sich wichtiggemacht, meine ich?«

»Na ja, er hat sich halt ganz allgemein gerne in den Vordergrund gespielt. Das werden die anderen Ihnen bestätigen.«

Eine Weile herrschte Schweigen.

Valentina musste an Ruth und Gerhard denken. Ihre Freundin hatte sich schon wieder so ein Exemplar geangelt, davon war sie überzeugt.

»Und wie kommen Sie nun darauf, dass wir ihn festgenommen haben?«, fragte Martin Stein schließlich mit ruhiger Stimme.

Valentina zuckte mit den Achseln. »Es war nur so ein Gedanke.«

»Merkwürdig, ich hätte wahrscheinlich zuerst gefragt, ob ihm etwas passiert ist«, meinte der Ermittler.

»Ist ihm etwas passiert?«, fragte sie leise.

Anstatt ihr zu antworten, bat er seine Kollegin, Ruth in Valentinas Büro zu holen.

»Ich habe mit meinem Exmann seit unserer Scheidung vor vier Jahren keinen Kontakt mehr«, stellte Ruth gleich zu Beginn klar.

»Warum nicht?«

»Warum nicht, fragen Sie? Warum trennt man sich denn? Weil man sich so gut versteht?«, antwortete Ruth aufbrausend. »Ich hatte seine Sauferei und seine ständigen Lügen einfach satt. Und ich war nur froh, nach der Scheidung nichts mehr mit ihm zu tun zu haben. Der Kerl hat mich genug Nerven gekostet, Herr Inspektor, das können Sie mir glauben.«

»Das kann ich bezeugen«, mischte Valentina sich rasch ein, um ihre Freundin zu unterstützen. »Auch mein Verlobter hat keinen Kontakt mehr zu ihm, obwohl sie früher eng befreundet waren.«

»Was war denn für ihn der Grund?«, fragte Stein sie.

»Toni war unberechenbar geworden. Man konnte sich nicht mehr auf ihn verlassen. Er log einem mitten ins Gesicht. Deshalb hat er auch seinen Job und viele Freunde verloren«, erklärte Ruth, noch bevor Valentina antworten konnte.

»Hat Ihr Mann Sie während Ihrer Ehe betrogen?«, fragte Stein.

Die Frage überraschte Ruth, und sie warf Valentina einen fragenden Blick zu.

»Was … hat das jetzt damit zu tun?«

»Hat er, oder hat er nicht?«

»Ja, hat er«, sagte Ruth gespielt gleichgültig. Ihre Körpersprache jedoch verriet ihre Unsicherheit.

»Hat Sie das nicht wütend gemacht?«, fragte die

Polizistin, als würde sie sich danach erkundigen, ob Ruth lieber Tee oder Kaffee trank.

»Er kam danach jedes Mal angekrochen, weil er es immer sofort bereut hat. Und er ist selten öfter als zweimal mit derselben Frau ins Bett gegangen.«

Wie kann sie sich selber so belügen?, schoss es Valentina durch den Kopf. Sie hatte miterlebt, wie Ruth unter den ständigen Affären ihres Ex gelitten hatte. Da fielen ihr auf einmal die Fotos ein, die sie in Felix' Abstellkammer gefunden hatte. Auf einigen hatten Toni und Daniela den Eindruck eines Liebespaares erweckt. Hatten sie damals eine Affäre miteinander? Und wenn ja, hatte Felix es gewusst?

Eine weitere Erkenntnis durchzuckte sie wie ein Blitz, und sie fragte die Beamten: »Woher wissen Sie eigentlich, dass er mich angerufen hat?«

Martin Stein lächelte nachsichtig, als hätte er schon längst auf diese Frage gewartet. »Wir haben sein Handy gefunden.«

»Wo?«, fragte Valentina.

»Vor Abschluss unserer Ermittlungen kann ich Ihnen das leider nicht verraten.«

»Nun sagen Sie doch, was passiert ist«, forderte Ruth den Ermittler um eine Nuance zu laut auf.

Stein betrachtete sie eine Weile unbewegt, bis er endlich die Bombe platzen ließ: »Wir müssen leider davon ausgehen, dass Ihr Exmann etwas mit dem Tod von Daniela Meier zu tun hat.«

Ruth und Valentina schlugen sich im selben Moment die Hand vor den Mund.

»Das kann doch nicht sein!«, rief Ruth aus. Jegliche Farbe war aus ihrem Gesicht gewichen.

»Das kann doch nicht ... aber Daniela und er ...« Hilflos sah sie Valentina an. »Wir waren doch alle ... wir waren doch Freunde!«

Sie stand auf und begann, in Valentinas Büro auf und ab zu gehen.

»Aber wie kommen Sie überhaupt jetzt darauf? Haben Sie nicht schon vor fünf Jahren ... Damals hatten Sie doch schon keine Beweise.« Sie hielt inne. »Sind Sie sicher? Auch wenn ich keinen Kontakt mehr mit ihm habe und er ein elender Säufer war und meine Ehe mit ihm unrühmlich endete, aber Mord? Nein, dass er Daniela ermordet hat, das kann ich mir nicht vorstellen, dazu wäre er einfach nicht fähig.«

»Es gibt Hinweise darauf, leider«, sagte Stein.

»So wie vor fünf Jahren? Hören Sie, egal wie ich zu meinem Exmann stehe, aber noch so eine Hexenjagd wie damals hat er nicht verdient.«

Was sollte das alles? Valentina wurde übel. Das alles hier fühlte sich für sie nicht mehr richtig an. Nichts passte mehr zueinander. Sie glaubte, sich auf der Stelle übergeben zu müssen.

»Wissen Sie, wo sich Herr Neuberg zurzeit aufhält?«, fragte der Ermittler geduldig. Er wirkte wie einer, der solche Situationen gewohnt war und sie im Griff hatte.

»Nein, ich habe doch keine Ahnung. In seiner Wohnung?«

Valentina presste sich die Hände auf den Magen.

»Dort ist er nicht«, antwortete Steins Kollegin. »Und laut Aussagen der Nachbarn ist er dort auch schon länger nicht mehr gewesen.«

»Dann ist er wahrscheinlich auf einer Sauftour«, sagte Ruth bitter. »Da kann's passieren, dass er tagelang nicht nach Hause kommt. Sie müssen nur die Bars in der näheren und weiteren Umgebung abklappern, irgendwo dort werden Sie ihn schon finden.«

»Er wird aber kaum Tag und Nacht in einer Bar sitzen«, merkte die Polizistin an.

»Nicht? Dann müssen Sie halt in den Betten seiner Bekannten suchen«, meinte Ruth unverhohlen zynisch.

Die Ermittler sahen sie nur unergründlich an, und dann sagte Stein: »Also gut. Sollte sich Herr Neuberg bei einer von Ihnen melden, rufen Sie uns bitte unverzüglich an!«

Er ließ seine Visitenkarte auf dem Schreibtisch liegen.

Dann verließen er und seine Kollegin den Raum und gingen zurück in Ruths Büro. Ruth folgte ihnen, doch Valentina rannte so schnell sie konnte zur Toilette und übergab sich. Schon zum zweiten Mal innerhalb weniger Tage.

Als sie in Ruths Büro kam, war die Polizei bereits gegangen.

»Sie wollten wissen, ob jemand von uns Toni gesehen oder gehört hat«, sagte Irene, »weiter nichts.«

»Und ob Toni einer von uns ein eindeutiges Angebot gemacht hätte. Was ist das denn für eine Frage?«, sagte Eva.

Valentina ging noch einmal hinaus auf den Flur, um Felix anzurufen und ihm kurz mitzuteilen, was los war, damit er sich nur ja keine Sorgen machte.

Als sie zurückkam, klagte Ruth den anderen gerade ihr Leid darüber, dass nun alles wieder hochkomme, wo sie doch gedacht hatte, nach den Jahren der Ungewissheit endlich abschließen zu können.

»… und nicht genug, dass er sich seinen Verstand

weggesoffen hat, jetzt hat er auch noch Daniela umgebracht!«

Die anderen starrten sie entsetzt an.

»Er steht erstmal nur im Verdacht, Ruth«, versuchte Valentina, sie zu beschwichtigen, doch die bekam das gar nicht mit.

»Das heißt auch, er hat sie entführt und fünf Jahre eingesperrt!«

Sie war außer sich. Josef Voland füllte ein Glas mit Wasser und schob es ihr hin.

»Beruhige dich, Ruth. Das alles hat doch nichts mit dir zu tun.«

»Nichts mit mir zu tun?« rief sie aus. »Und zu wem kommt die Polizei, weil er untergetaucht ist und sie ihn nicht finden?«

»Natürlich zu dir. Wir haben alle mitbekommen, dass der Polizist dich sprechen wollte.«

»Kaum steckt der Scheißkerl in Schwierigkeiten, muss ich für ihn geradestehen, oder wie? Ich bin doch nicht seine Mami! Und sicher werden jetzt auch die ganzen alten Geschichten wieder ausgegraben.«

»Welche alten Geschichten?«, fragte Valentina und sah die anderen fragend an.

Eva und Josef zuckten ratlos die Achseln.

»Reg dich nicht auf, Ruth«, sagte Irene, »Sippenhaftung ist hierzulande abgeschafft.«

»Ach ja? Und was glaubst du passiert, wenn die Öffentlichkeit erfährt, dass der Ex der Hochzeitplanerin die Braut seines ehemals besten Freundes umgebracht hat? Dann können wir zusperren. So schaut's aus.«

Sie ließ sich erschöpft auf einen Stuhl fallen und schlug die Hände vors Gesicht.

»So war's doch nicht gemeint«, versuchte Irene einzulenken. »Ich weiß, dass es der Agentur schaden wird. Ich meinte Sippenhaftung im Zusammenhang mit den alten Geschichten.«

»Jetzt grab um Gottes willen keine alten Geschichten aus«, fuhr Ruth sie an.

»Aber du hast doch selber …«

»Er macht das alles absichtlich, der Mistkerl, nur um mir eine reinzuwürgen, und das bei allem, was ich für ihn getan habe!«

Ruth steigerte sich immer weiter in ihre Erbitterung hinein, und es schien unmöglich, sie zu beruhigen.

Irgendwann war allen klar, dass ihr Meeting gelaufen war.

Irene ging als Erste, und die anderen folgten nach und nach, bis nur noch Valentina übrig blieb.

Ohne ein Wort zu wechseln, begannen sie und Ruth aufzuräumen.

Das Wort Sippenhaftung ging Valentina nicht mehr aus dem Kopf. Was hatte Irene damit gemeint?

Sie kannte Ruth nun auch schon ziemlich lange, aber sie hatte keine Ahnung, wodurch Toni, von seiner Trinkerei einmal abgesehen, ein schlechtes Licht auf Ruth geworfen oder ihr gar geschadet hatte. Wieso also Sippenhaftung? Es war jedenfalls eine heikle Geschichte für Ruth, deshalb musste Valentina behutsam vorgehen, um zu erfahren, was sich dahinter verbarg.

»Warum hast du Toni den Polizisten gegenüber vorhin eigentlich so vehement verteidigt?«, fragte Valentina möglichst beiläufig, während sie die Kaffeetassen vom Tisch auf ein Tablett räumte.

»Es hat mich einfach geärgert, dass sie sofort wieder zu mir kommen, wenn er in Schwierigkeiten steckt.«

»Na ja, sie sind zu mir gekommen, weil er mich angerufen hat«, meinte Valentina vorsichtig.

»Warum hat er dich eigentlich angerufen?«

»Ich weiß es nicht. Er wollte mich treffen, aber dann ist er halt nicht gekommen.«

»Und warum hast du überhaupt eingewilligt, ihn zu treffen? Du weißt doch, wie der tickt.«

»Keine Ahnung. Neugier?«

Ruth sah sie zweifelnd an.

»Aber sag«, kam Valentina auf ihre Frage zurück, »warum hast du ihn vorhin verteidigt?«

»Weil er Daniela damals weder gestalkt noch bedrängt hat. Ich weiß nicht einmal, wer dieses Gerücht in Umlauf gebracht hat.«

»Wie kannst du dir da so sicher sein?«

Valentina dachte sofort an die Szene, die sie den Beamten hatte schildern müssen.

Ruth schwieg eine Weile, bevor sie schließlich sagte: »Weil Toni und Daniela etwas miteinander hatten.«

Valentina ließ sich auf einen Stuhl fallen. Volltreffer, dachte sie.

»Echt?«

»Ja.«

»Weiß Felix das?«

Ruth setzte sich ebenfalls auf einen Stuhl und fuhr sich nervös durchs Gesicht. »Nein.«

»Du hast es ihm nicht gesagt?«

»Ich war doch Danielas Freundin. Außerdem haben beide mir versichert, dass es nicht mehr passieren würde.«

»Hast du ihnen geglaubt?«

Ruth schwieg.

Valentina dachte, dass im Grunde ja auch sie Ruth etwas verheimlicht hatte.

Und als hätte sie ihre Gedanken gelesen, fragte Ruth: »Warum hat mich die Polizei eigentlich gefragt, ob Toni untreu war? Hast du ihnen irgendetwas angedeutet?«

»Nein, das habe ich nicht«, antwortete Valentina schnell. »Und woher wusstest du das mit Daniela und Toni?«

Ruth sah sie an. »Ich habe sie erwischt. In flagranti. In unserer Wohnung. Sie dachten, ich wäre den ganzen Tag auf einer Veranstaltung, aber ich bin früher nach Hause gegangen, weil es mir nicht gut ging.«

»Scheiße!«

»Das kannst du laut sagen. Deinen Mann und deine beste Freundin bei dir daheim beim Vögeln anzutreffen, das tut verdammt weh.«

Valentina stand auf, ging auf ihre Freundin zu und umarmte sie. »Das tut mir sehr leid, Ruth. Da hast du ja einiges mitgemacht und nie darüber gesprochen.« Sie ließ Ruth wieder los, hielt sie sanft an den Schultern fest und sah ihr tief in die Augen. »Und in Zukunft schluckst du deinen Kummer nicht mehr hinunter, sondern redest mit mir! Okay?«

Ruth nickte stumm.

Valentina setzte sich auf den Stuhl neben sie.

»Das hat Irene aber nicht mit Sippenhaftung gemeint, oder?«

Ruth schüttelte den Kopf, noch immer stumm. Valentina sah ihr an, wie unangenehm ihr die Situation war.

Ruth starrte die Tischplatte an und rieb sich unablässig ihre Hände.

»Na sag's halt. Wir haben doch gerade ausgemacht, dass du keinen Kummer mehr schluckst.«

Ruth hob den Kopf. »Toni saß mal im Gefängnis.«

»Oh nein! Was hat er getan?«

»Vergewaltigung.«

»W… was?« Valentina konnte nicht fassen, was sie da gerade hörte.

»Ich hab's erst erfahren, als wir schon verheiratet waren«, fügte Ruth hastig hinzu.

»Aber … warum hast du mir das nie erzählt?«, fragte Valentina bestürzt.

»Weil das nichts ist, womit man angibt.«

»Ich bin deine Freundin.«

»Trotzdem.«

»Und Irene weiß davon?«

»Ja. Irene kennt ihn seit ihrer Jugend.«

Valentina schwieg einen Moment.

»Aber die Medien haben darüber nicht berichtet, als Daniela verschwand«, meinte sie dann leise, »oder irre ich mich?«

»Nein, zum Glück. Nicht auszudenken, was passiert wäre, wenn die Meute das damals schon ausgegraben hätte.«

»Aber du hast Angst, dass sie es jetzt tun, richtig?«

Statt einer Antwort begann Ruth bitterlich zu weinen, und Valentina nahm sie noch einmal in den Arm.

Oft waren es schwache Männer, die ihre Schwäche mit Alkohol und mit Gewalt kompensierten. Anton Neuberg war so ein Mann.

Auf dem Heimweg bat Valentina den Chauffeur, einen Abstecher zu ihrer alten Wohnung zu machen. Sie wollte das unter keinen Umständen mit Felix diskutieren und sich, wie vorgenommen, von ihrer Wohnung verabschieden. Außerdem wollte sie jetzt eine Weile alleine sein.

In der Schönbrunner Schlossstraße angekommen fragte der Chauffeur, ob er sie nach oben begleiten solle.

»Nein, das ist nicht notwendig«, antwortete Valentina.

Vor ihrer Wohnungstür zögerte sie. In dieser Wohnung hatte sie immerhin die letzten sieben Jahre verbracht, und jetzt würde sie sie zum allerletzten Mal betreten. Ihr wurde ein wenig schwer ums Herz. Sie öffnete die Tür, und augenblicklich wurde sie von Stille umgeben. Sie lächelte und merkte, wie sie diese besondere Stille hier vermisst hatte.

Langsam ging sie durch die Zimmer, fuhr mit den Fingerspitzen über Wände, Fenster und Fensterbänke und flüsterte: »Ich wünsche dir einen wunderbaren neuen Mieter oder eine wunderbare neue Mieterin.«

Die Küchenzeile und ein einzelner Stuhl waren zurückgeblieben. Valentina setzte sich, legte den Kopf in den Nacken, schloss die Augen und überließ sich ihren Erinnerungen an die Zeit, die sie hier erlebt hatte.

Wie aufgeregt sie gewesen war, bevor Felix sie zum ersten Mal besuchte. Sie hatte überall Kerzen aufgestellt, eine CD von Norah Jones aufgelegt und ein besonders raffiniertes Essen zu kochen versucht, das ihr vor lauter Nervosität komplett misslungen war. Doch verliebt wie sie waren, hatte das keine Rolle gespielt. Sie hatten zum ersten Mal wunderbaren Sex miteinander, tranken den guten Wein, den Felix mitgebracht hatte und bestellten sich Pizza, die an jenem romantischen Abend besser gar nicht hätte schmecken können …

Valentina seufzte und öffnete die Augen wieder. Das Parkett im Vorraum knarzte. Sie erschrak zu Tode. Die Wohnungstür! Sie hatte vergessen, sie zu schließen!

24

DIE NEUAUFLAGE

Endlich hatte Sarah Inspektor Stein an der Strippe.

»Sie haben einen Verdächtigen, ich hab's schon gehört«, kam sie sofort auf den Punkt. »Wissen Sie, ob er's war, der mir die Rosen geschickt hat?«

»Nun mal langsam mit den jungen Pferden. Wir wissen noch nichts Genaueres«, antwortete Stein, »es gibt einen Verdächtigen, das ist richtig. Wir haben in seiner Wohnung Spuren gefunden, die womöglich auf einen Zusammenhang mit dem Mord an Daniela Meier schließen lassen. Wir wissen aber nicht, ob dieser Mann auch Ihr Rosenkavalier ist.« Bevor Sarah protestieren konnte, fuhr er fort: »Aber wir haben immerhin etwas in dieser Sache herausgefunden. Ihr Fan bestellte den Fahrradboten beide Male in Cafés. Dort bekommt der Bote den Blumenstrauß, die Empfängeradresse und das Geld für die Fahrt bar in die Hand gedrückt. Ohne Beleg.«

»Aber der Bote kann den Kerl beschreiben, oder?«

Stein lachte. »Ja, das konnte er. Aber Ihr Verehrer ist klug, das muss man ihm lassen. Er spricht nämlich Passanten auf der Straße an und bittet sie, die Übergabe für ihn zu erledigen.«

»Wie bitte?«

»Beim ersten Strauß war es ein Mädchen, nicht älter als 13, sagt der Fahrradbote. Den zweiten Strauß übergab ein älterer Herr.«

»Kann man die denn nicht ausforschen?«

»Mit welcher Begründung sollte ich nach ihnen suchen lassen? Kriminelle Rosenstraußtransaktion?«

»Aber wenn das möglicherweise im Zusammenhang mit einem Mord steht?«

»Das sagen Sie. Dafür gibt es keinen Beweis.«

»Also keine Spur«, meinte Sarah unzufrieden.

»Keine.«

»Was ist mit den Blumenläden?«

»Auch nichts. Nirgends, wo wir bis jetzt nachgefragt haben, sind so viele Rosen auf einmal verkauft worden, dass es aufgefallen wäre, oder es fiel nicht auf, weil dort generell große Gebinde über den Ladentisch gehen. Wenn Sie mich fragen, der kauft immer woanders ein, und immer nur so viel, dass es nicht weiter auffällt. Wie gesagt, dumm ist er nicht.«

»Vorausgesetzt, er bekommt in jedem Geschäft dieselbe Sorte.«

»Rote Rosen sind rote Rosen«, erwiderte Stein. »Darauf achtet doch in Wahrheit niemand.«

Da hatte Stein recht. Sarah konnte sich nicht erinnern, ob sich die Rosen irgendwie unterschieden hatten. Sie waren alle rot …

»Und Anton Neuberg? Sind Sie dem inzwischen auf die Spur gekommen?«

»Nein, die Fahndung läuft noch.«

»Ich dachte, Sie waren in seiner Wohnung? Wie sind Sie denn reingekommen, wenn er gar nicht zuhause war?«

Stein lachte wieder. »Noch nie was von Gefahr im Verzug gehört? Und die Hausmeisterin dort war sehr kooperativ.«

»Wie kamen Sie eigentlich auf ihn? Nur weil er damals schon mal verdächtigt wurde? Wer hat Sie diesmal informiert? Und warum Gefahr im Verzug?«

»Hören Sie auf mit der Fragerei, Sarah, Sie sind keine Staatsanwältin. Verbuchen Sie's einfach unter Polizeiarbeit. Gut?«

»Okay, okay.«

»Was wir jedenfalls jetzt sicher wissen, ist, und ich denke, das interessiert Sie, dass die Meier nicht dort in dem Keller im Wienerwald festgehalten wurde.«

»Was? Sie war woanders eingesperrt?«

»Gut kombiniert, kommen Sie doch zu uns«, antwortete er ironisch.

»Also war die Sache mit der verrückten Wanddekoration doch nur ein Ablenkungsmanöver?«

»Wieso Ablenkungsmanöver?«, fragte Stein.

»Um eine Art Nebenschauplatz zu inszenieren, womit er von seinem nächsten Mord ablenken will.«

»Moment, Moment. Ich gehe davon aus, dass er es nach wie vor auf Sie abgesehen hat. Also kein Ablenkungsmanöver. Er will uns wissen lassen, wer sein nächstes Opfer wird, weil er sich überlegen fühlt. Er glaubt, dass wir Sie nicht vor ihm beschützen können. Obwohl er uns mit der Nase draufstößt, dass Sie die Nächste sind. Und um uns das mitzuteilen, nimmt er den Umweg über den Weinkeller im Wienerwald, denn sein wirkliches Versteck kann er uns natürlich nicht verraten.«

»Wollen Sie mir Angst machen?«

»Wenn Sie das davon abhält, ohne Begleitung auf die Straße zu gehen, dann ja!«

Sarah kritzelte auf ihrem Block herum.

»Aber warum? Ich meine, warum denn ausgerechnet ich?«

»Sie sind tough. Sie stehen mit beiden Beinen im Leben«, meinte Stein.

»Und das aus Ihrem Mund«, kicherte Sarah. »Noch eine Frage. Wurden die Artikel von mir in dem Keller eigentlich alle erfasst?«

»Wenn Sie mit erfasst katalogisiert meinen, nein. Aber sie wurden selbstverständlich gesichert, analysiert und ausgewertet und sind keimfrei wie ein Babypopo. Jetzt liegen sie in einer Kiste in der Asservatenkammer und bleiben dort, bis der Fall abgeschlossen ist.«

»Kann ich sie sehen?«

»Was glauben Sie denn zu finden?«

»Tja, so genau weiß ich das ehrlich gesagt auch nicht.«

»Sie kommen mir jetzt aber bitte nicht mit einer Vorahnung oder irgend so einem Hokuspokus daher, oder? Sie wissen, dass das bei mir auf taube Ohren stößt. Ich halte mich lieber an die Fakten. Das hat sich in meinem Beruf bewährt.«

»Mir kommt es so vor, als ginge es hier um ein Spiel.«

»Was für ein Spiel?«

»Ich weiß nicht. Vielleicht ein Rätsel.«

»Ach hören Sie auf, Sarah, das hier ist kein Spiel und auch kein Rätsel!«

»Ich würde die Artikel einfach nur gerne sehen. Vielleicht irre ich mich ja auch, aber …«

»Meinen Sie, er hat sie nicht zufällig gesammelt, sondern es steckt ein Plan dahinter?« Martin Stein hatte

Sarahs intuitive Herangehensweise mittlerweile schon in einigen Fällen miterlebt und schätzte sie mehr, als er jemals zugeben würde.

»Jemand, der eine Leiche so dort hindrapiert, als wär's die Bühne für ein Theaterstück, so einer macht das nicht zufällig.«

Sarah hörte Stein laut ausatmen.

»Ich hoffe, Sie sitzen in Ihrem Büro«, sagte er, »bewacht von drei scharfen Hunden.«

Sarah lachte. »So ähnlich.«

»Dann bleiben Sie, wo Sie sind. Ich bin nach Feierabend bei Ihnen.«

Sie sollte jetzt mit David sprechen, die Aussprache war längst überfällig. Irgendwer schien es auf sie abgesehen zu haben, wenn es stimmte, was Stein vermutete. Also war sie doch allemal aufgefordert zu handeln. Sie war keine, die sich ängstlich in ihren vier Wänden verkroch, das wusste David. Ihm musste einfach klar sein, dass sie recherchieren würde. Sie verstand ja, dass er sich Sorgen machte. Auch dass ihr Bruder und Gabi sich Sorgen machten. Dennoch konnte sie in dieser Angelegenheit keinesfalls untätig herumsitzen und abwarten.

Sarah beschloss, sofort zu ihm zu gehen und mit ihm zu reden. Alles andere hielt sie jetzt sowieso nicht mehr aus.

Als sie das Vorzimmer betrat, gab Gabi ihr ein Zeichen, leise zu sein. Sie schien angestrengt zu horchen, was in Davids Büro nebenan vor sich ging.

»Was ist los?«, formten Sarahs Lippen lautlos.

Gabi nahm ein Blatt Papier, schrieb »Patricia Franz« darauf und hielt es hoch.

Sarah nahm ihr den Stift aus der Hand und kritzelte »Was will sie?« darunter.

Gabi zuckte mit den Achseln.

Sarah winkte ihrer Freundin und flüsterte ihr ins Ohr: »Ich komme nachher wieder.«

Sie zog die Tür geräuschlos hinter sich zu und blieb auf dem Flur stehen. Ihr war plötzlich heiß geworden, und sie spürte ihr Herz klopfen. Sie atmete tief durch. Dennoch ratterten ihre Gedanken unaufhaltsam weiter. Was wollte Patricia von David? Sie kündigte. Sie besprach mit ihm eine Story. Falsch, dafür wäre ihr Ressortleiter zuständig. Sie beschwerte sich bei David über Stepan. Über Conny. Über sie … Sie gestand ihm, dass sie sich in ihn … Sie gestanden sich gegenseitig ihre Gefühle füreinander … Aus! Schluss jetzt!

Auf Zehenspitzen ging sie zurück in ihr Büro und hoffte nur, nicht ausgerechnet jetzt Conny über den Weg zu laufen. Sie wäre das gefundene Fressen für ihre Kollegin, denn die witterte Beziehungskrisen wie ein Bluthund Fährten.

Doch zum Glück erreichte sie ungesehen ihr Büro und schloss sofort die Tür hinter sich fest zu.

Endlich meldete Gabi sich.

»Die Luft ist rein, du kannst kommen.«

»Heißt was genau?«

»Sie ist weg.«

»Jetzt erst? Was hatten die denn so lange zu besprechen?«

»Keine Ahnung, ich habe nichts mitbekommen. Aber wenn du willst? Er ist jetzt frei.«

»Jetzt mag ich nicht mehr.«

»Sei nicht kindisch.«

»Dasselbe könntest du auch zu David sagen. Er kann ja genauso gut zu mir kommen, oder? Außerdem erwarte ich Stein gleich bei mir.«

Sie weihte Gabi in ihre Vermutungen ein, die sie mit Stein näher zu besprechen beabsichtigte.

»Darf ich David das erzählen?«

Sarah zögerte, sagte dann: »Meinetwegen«, und legte auf.

Sie schob eine CD von Pino Daniele in den Player, schloss ihre Augen und überließ sich der Musik.

Stein tauchte pünktlich nach Feierabend auf.

»Ich lass mich drauf nur ein, weil Sie es sind«, sagte er zur Begrüßung.

»Und weil Sie neugierig sind, geben Sie's zu«, meinte Sarah und grinste ihn an. »Sie wollen sicher wissen, was in meinem Hokuspokus-Gehirn vor sich geht, oder?«

Statt einer Antwort legte Stein einen Stapel Ausdrucke im A3-Format auf den Tisch.

»Ich habe sie vergrößert«, erklärte er.

Sarah strich mit den Fingern über die Fotoausdrucke. Dann legte sie ihren Terminkalender parat, ging rasch Artikel für Artikel auf den Papierbögen nach Erscheinungsdaten durch und glich diese direkt mit ihren Einträgen im Kalender ab. Was war an den jeweiligen Tagen passiert? Gab es etwas Besonderes? Doch es erschloss sich nichts von Bedeutung. Dann nahm sie sich die Themen vor. Was hatte sie warum verfasst? Häufig waren es bevorstehende regionale oder überregionale Feste und Feiertage, denen uralte heidnische Bräuche oder Traditionen zugrunde lagen – und sie hatte sie über Vorgeschichten und Zusammenhänge geschrieben. Einmal ging es um Hexen, das war vor der Walpurgisnacht, ein anderes Mal um den Perchtenlauf oder um die Sonnwendfeiern. Doch sie erkannte auch auf diese Weise kein Muster, keine Idee dahinter.

»So wird das nichts«, seufzte sie, stand auf und befestigte nun Artikel für Artikel und Foto für Foto mit Klebestreifen an der Wand.

»Wissen Sie, in welcher Anordnung das alles in dem alten Weinkeller hing?«

»Natürlich.«

Stein holte eine Skizze aus seiner Mappe und sagte Sarah an, welchen Artikel und welches Foto sie wo hinhängen sollte.

Als sie fertig waren, ging Sarah einen großen Schritt zurück und sah sich die Ausdrucke an ihrer Bürowand an.

Die Schachbrettmethode. Artikel für Artikel. Bild für Bild.

Martin Stein stellte sich neben sie, und sie prüften Reihe für Reihe intensiv.

Im ersten Artikel ging es um das mystische Wien, im Besonderen um die Pestsäule am Graben und um die Symbolik der Zahl Drei, die eine große Rolle spielte, wenn man die künstlerische Botschaft verstehen wollte. Sarah notierte sich »3«.

Als Nächstes kam das Thema Wald, und es ging um die Waldgeister.

Stein ging ein Stück näher an die Wand heran und setzte sich eine Brille auf.

»Ich wusste gar nicht, dass Sie eine Brille tragen.«

»Kommen Sie erst mal in mein Alter, dann wird auch Ihnen eine Brille nicht erspart bleiben.« Er begann laut zu lesen: »Waldgeister sind Vegetationsdämonen. Die Grenze zu Hausgeistern, Zwergen und anderen dämonischen Wesen ist fließend. Attribute, die sich dem Wald zuordnen lassen, prägen auch das Aussehen von Dämonen: So sind sie oft klein, haben ein faltiges Gesicht und wirr vom Kopf abstehende Haare, und meistens ist ihre Kleidung grün. Mooshütten und hohle Bäume dienen ihnen als Wohnstatt. Waldgeister sind gutartige und hilfsbereite Wesen, die jede Gefälligkeit, die ein Mensch ihnen erweist, großzügig belohnen. Verspottet oder ärgert man sie jedoch, so reagieren sie höchst empfindlich und können auch durchaus böse werden …«

»Und so weiter und so weiter«, unterbrach Sarah ihn ungeduldig. »In der Literatur und vor allem in der Romantik wird Wald häufig mit Melancholie assoziiert«, erklärte sie und schrieb das Wort »Wald« unter die »3«.

»Wissen Sie zufällig, ob Daniela Meier Depressionen hatte?«

»Nein«, antwortete Stein. »Ist ja interessant, was Sie da alles schreiben.«

Das glaubte Sarah ihm zwar nicht ganz, doch sie ging nicht darauf ein, sondern widmete sich dem nächsten Artikel. Darin ging es um Spiegel.

»Der Spiegel symbolisiert einerseits Wahrheit und Selbsterkenntnis, andererseits aber auch Eitelkeit und Wollust«, sagte sie. »Da lässt sich doch eine Verbindung zu Daniela Meier herstellen!«

Martin Stein sah sie belustigt an. »Sitzen Sie da nicht einem Klischee auf?«

»Ich glaube nicht. Ich denke, als Model musste sie wohl eitel sein. Und was ihre sexuellen Aktivitäten angeht, hat die Saloninhaberin Irene Bucher eine, sagen wir, eindeutig zweideutige Bemerkung gemacht. Daniela dürfte auf dem Fest an jenem verhängnisvollen Abend, bevor sie verschwand, offenbar ganz gut angebändelt haben, auch wenn's da vor allem um ihre Karriere ging. Könnte man jedenfalls Wollust zuordnen.«

Stein machte sich Notizen.

»Sehen Sie, und damit schließt sich doch der Kreis«, sagte Sarah und war mittlerweile ganz in ihrem Element, »denn jetzt kommen wir auf Schneewittchen zurück. Spiegel gehören zu den zentralen Elementen im Märchen! Und Schneewittchen wohnte im Wald bei den Zwergen, bei den Waldgeistern sozusagen!«

Verwirrt schüttelte Stein den Kopf.

»Ich kann mir ehrlich gesagt nicht vorstellen, dass noch jemand so abgedrehte Ideen hat wie Sie und sich dann auch noch die Mühe macht, uns mit so gefinkelten Spielchen zum Narren zu halten.«

»Nein, ich glaube nicht, dass er Sie oder uns zum Narren hält. Er hat mich in sein Spiel involviert. Er versucht, sich auf meine Art zu Denken einzulassen und konstruiert daraus seine Botschaft. Ich weiß nur noch nicht, was er uns mitteilen will.«

Sie holte die Grußkarten, die an den Blumensträußen befestigt waren, aus ihrer Schreibtischschublade hervor.

»Da, schauen Sie. Auf der ersten Karte steht ›Ihr größter Fan‹, auf der zweiten ›Ihr größter Bewunderer‹.«

»Jacob«, las Stein. »Kennen Sie einen Jacob?«

»Nur den Vater von Daniela Meier. Aber den schließe ich ganz klar aus.«

»Sie sind noch immer davon überzeugt, dass die Rosen etwas mit dem Fall zu tun haben?«, fragte Stein.

»Ja«, antwortete Sarah fest.

Es klopfte, und David kam herein. »Gabi hat mir erzählt, was ihr beide da austüftelt«, sagte er, um einen möglichst lockeren Ton bemüht.

»Von wir beide kann keine Rede sein«, brummte Stein. »Sarah weiht mich gerade in ihre okkulten Betrachtungen ein.«

»Kann ich zuhören?«, fragte David, und seine dunklen Augen ruhten auf Sarah. Er lächelte sie entwaffnend an, als hätte es nie einen Streit zwischen ihnen gegeben.

Sarahs Herz schlug höher. »Wenn du willst«, antwortete sie heiser und räusperte sich. »Komm ruhig rein!«

»Ich hab uns auch etwas mitgebracht.« Er zog hinter seinem Rücken eine Cognacflasche und drei Gläser hervor. »Ich hoffe, du bist nicht im Dienst, Martin.«

»Schon seit 45 Minuten nicht mehr.«

War das ein Friedensangebot? Sarah würde es mit Freuden annehmen, solange sie keine weiteren Diskussionen über ihr Tun und Lassen führen musste.

David schenkte ein, und Sarah brachte ihn auf den aktuellen Stand der Dinge. »Du siehst, besonders weit sind wir noch nicht gekommen.«

David verteilte die Gläser.

»Du vermutest also ein Rätsel hinter alldem hier.« Er zeigte mit dem Glas in der Hand auf die Wand. »Und was bringt dich auf die Idee?«

Sie stießen an.

»Sagen wir so«, meinte Sarah, »nach allem, was ich

bis jetzt beobachtet habe, kommt es mir ziemlich logisch vor.«

»Logisch?« Stein konnte sich ein Lachen nicht verkneifen. »Wie sollte ein Zeitungsartikel über Waldgeister logisch zur Lösung eines Falls beitragen?«

Sarah schieg nachsichtig.

Sie war indes davon überzeugt, dass jedes Handeln, mochte es für andere auch noch so wenig nachvollziehbar sein, einer inneren Logik folgte, und zwar in Bezug auf alle Lebenslagen. Es gab immer einen Grund, warum man sich für das eine oder andere entschied, auch wenn man sich dessen oft gar nicht bewusst war. Sie glaubte nicht an Zufälle. So gesehen präsentierten sich ihr die Artikel eben nicht willkürlich zusammengestellt, sondern der Anordnung lag eine vom Täter bewusst oder unbewusst geschaffene Struktur zugrunde. Diese galt es zu erkennen, um das Geheimnis zu lüften, das sich hinter allem verbarg. Sie behielt ihre Gedanken jedoch lieber für sich und berichtete stattdessen von ihren Besuchen im Brautsalon und bei dem Ehepaar Meier. Die Stippvisite in Schönbrunn inklusive Fundortbesichtigung und den Kaffee mit Gerhard Dorfinger ließ sie wohlweislich aus.

»Unverbesserlich, diese Frau«, meinte Stein. »Dabei sollten Sie doch nicht mal allein in den Supermarkt gehen …«

Sarah sprach schnell weiter, damit dieses Thema nur ja nicht vertieft wurde. Sie klärte den Inspektor und David über ein paar Details auf, die sie inzwischen herausgefunden hatte, etwa dass Anton Neuberg in der Werbeagentur »108 Rosen« gearbeitet hatte, für deren Kosmetikkampagne Daniela Meier die Werbeträgerin gewesen war. Dann zeigte sie an der Wand auf einen Artikel der Augustausgabe des vergangenen Jahres und sagte: »Hier ging es mir um die Zahlensymbolik von Rosen. Also wenn man zum Beispiel jemandem eine Rose schenkt, dann heißt das klipp und klar ›Ich liebe dich‹. Mit 10 Rosen bekundet man Dankbarkeit, mit 21 Treue. 99 Stück gelten als lebenslanges Liebesversprechen, und 108 stehen für einen Heiratsantrag.«

Wieder klopfte es, und Conny und Gabi traten ein.

Sarah sah die beiden an. »Was wird das jetzt? Eine Redaktionssitzung?«

»Wir sind auch ganz leise«, beteuerte Gabi rasch und ließ sich auf dem freien Stuhl nieder. Conny hatte ihren eigenen Stuhl mitgebracht. Sissi blieb hechelnd im Zimmer stehen und wedelte mit ihrem Schwanz.

Im nächsten Text ging es um den historischen Zwölf Apostelkeller, einen Stadtheurigen in einer der kleineren Gassen hinter dem Stephansdom. Drei Kellergeschosse führten hier 18 Meter tief unter die Erde, die in Kriegszeiten auch als Zufluchtsstätten gedient hatten.

»Mit diesem speziellen Ort könnte er auf das Versteck anspielen, wo Daniela Meier gefangen gehalten wurde und dann verdurstet und verhungert ist.«

»Tja, bleibt nur zu hoffen, dass da nicht noch mehr Leute eingekerkert sind. Die Vermisstenliste ist lang«, sagte Martin Stein. Er unterdrückte ein Gähnen und streckte sich.

Gabi genehmigte sich einen Schluck Cognac aus Sarahs Glas und stellte es zurück auf den Tisch.

»Und was sagst du in diesem Kontext zu deinem Artikel über die Taube?«, fragte David.

»Ehrlich gesagt noch nicht sehr viel«, gab Sarah zu. »Tauben symbolisieren ja bekanntlich Frieden und auch Liebe und Leben. Im Alten Testament wurden sie allerdings geopfert, weil sie als kultisch rein galten, und im Neuen Testament versinnbildlichen sie den Heiligen Geist.« Dann sah sie David tief in die Augen und fuhr fort: »Wusstet ihr übrigens, dass Tauben monogam sind?« David hielt ihrem Blick stand. »Aber ab und zu sind Seitensprünge nicht ausgeschlossen«, fügte sie rasch hinzu.

»Alles gut und schön«, sagte Stein leise seufzend, »aber was will uns das jetzt sagen?«

»Vielleicht fühlte sich jemand von der Meier betrogen. Vielleicht hat sie jemandem etwas weggenommen oder so. Was ist mit dem Neuberg? Könnte es nicht sein, dass sie ihn um irgendetwas geprellt hat, und der Neuberg sie deshalb gestalkt hat?«

»Und woher haben Sie das nun wieder?«, fragte Stein.

»Von Conny.«

»Das erzählt man sich in der Branche«, sagte die rasch, als Stein sie forschend ansah.

»Das stimmt aber nicht«, erwiderte Stein. »Wer hat dieses Gerücht überhaupt in die Welt gesetzt? Seine Exfrau scheint dem auch aufzusitzen. Sie sagt, es hätte ihm damals ziemlich zugesetzt, als die Polizei ihn deshalb in die Mangel nahm. Also bin ich heute Nachmittag noch mal sämtliche Akten durchgegangen. Neuberg wurde weder verdächtigt, die Meier gestalkt noch etwas mit ihrer Entführung zu tun zu haben. Er wurde routinemäßig befragt, so wie alle anderen aus dem Umfeld der Meier auch. Das war alles.«

»Aber woher kommt dann das Gerücht?«, fragte Conny verdutzt. »Mir wurde die Geschichte nämlich drei Mal erzählt, von unterschiedlichen Leuten. Hat der das am Ende selber verbreitet, um sich wichtig zu machen? Er soll sich ja gerne in den Vordergrund spielen.«

»Da würde ich mir allerdings was Interessanteres ausdenken«, sagte Sarah.

»Oder es wollte ihm jemand schaden. Sowas verbreitet sich wie ein Lauffeuer, und Wien ist ein Dorf. Wenn man Pech hat, ist man schnell weg vom Fenster«, sagte Stein und schnippte mit den Fingern.

»Sie meinen, jemand hat absichtlich üble Nachrede über ihn geführt?«, fragte Sarah.

»Möglich.«

»Aber warum sagt seine Ex dann, die Sache hätte ihn fertiggemacht, wenn gar nichts dran war?«, fragte Sarah. »Die müssen doch beide mitbekommen haben, dass er nicht verdächtiger war als alle anderen!«

Stein zuckte mit den Schultern. »Vielleicht hat er ihr gegenüber nur so getan, als wäre er der Hauptverdächtige, und hat das Opfer gegeben.«

»Aber warum hätte er das tun sollen?«, fragte Sarah.

»Übersteigertes Geltungsbedürfnis«, meinte Stein. »Da kommen Menschen auf die absurdesten Ideen.«

»Aber selbst wenn dem so gewesen wäre, warum wird er denn jetzt verdächtigt?«, unterbrach Conny ungeduldig die Mutmaßungen.

»Weil wir Spuren in seiner Wohnung gefunden haben, die darauf schließen lassen, dass er damit etwas zu tun hat«, antwortete Stein.

»Welche?«

Stein seufzte vernehmlich. »Das kann ich Ihnen nicht sagen.«

»Und wie geht's jetzt weiter?«, fragte Sarah, trank noch einen Schluck Cognac und genoss die Wärme, die sich sofort in ihrem Magen ausbreitete.

»Wir werden ihn so schnell wie möglich dingfest machen und verhören.«

»Heißt das, es war damals ein Irrtum der Polizei, und der Neuberg ist doch in die ganze Sache mit der Meier verwickelt?«, bohrte Conny nach.

»Vielleicht, vielleicht auch nicht«, antwortete Stein vage. »Möglich, dass die Meier ein Zufallsopfer war und einfach zur falschen Zeit am falschen Ort.«

»Sie war doch nach einer Party plötzlich von der Bildfläche verschwunden. Hat denn da niemand was gesehen?«

»Dazu waren dort viel zu viele Leute, Sarah. Die haben die Meier zwar alle auf dem Fest gesehen, aber niemand hat mitbekommen, wann sie ging, schon gar nicht ob allein oder in Begleitung.«

»Taxifahrer?«, fragte Sarah.

»Sie hat kein Taxi genommen. Glauben Sie mir, die Kollegen haben damals in Wien das Unterste zuoberst gekehrt.«

Sarah ließ sich nicht beirren. »Ich habe mir die Fotos von mir, die in dem Weinkeller hingen, noch einmal angesehen. Und dabei ist mir etwas aufgefallen. Die hat er nicht selber aufgenommen, sondern alle von der Homepage des *Wiener Boten* runtergeladen. Der hat mich nicht verfolgt oder so!«

Sie ging zur Wand und zeigte auf ein Foto, auf dem sie mit einem Glas Wein in der Hand an einer Bar stand.

»Das hier zum Beispiel, es wurde auf der Weihnachtsfeier im *Panorama* aufgenommen. Man sieht hier aber nur einen Ausschnitt.«

»Stimmt«, bestätigte Conny. »Ich erinnere mich, da hat der Simon fotografiert.«

Sarah hatte auf der Homepage des *Wiener Boten* die Bildergalerie aufgerufen, in der das Foto zur Gänze zu sehen war: Sarah an der Bar im Gespräch mit einem Mann. »Ein Werbekunde«, sagte sie. »Das hier ist das offizielle Pressefoto, was sich jeder x-Beliebige runterladen oder kopieren kann.«

»Warum sagen Sie mir das denn erst jetzt?« Stein raufte sich seine nicht mehr vorhandenen Haare.

»Als Sie die Fotos bei uns auf dem Esstisch ausgebreitet haben, waren wir doch alle komplett überrumpelt und gar nicht in der Lage, das sofort zu checken. Aber jetzt ist es eindeutig. Niemand hat mich im Visier. Der Unbekannte hat mich einfach in sein Spiel einbezogen.«

Sie sah Stein an und sagte: »Ich hatte recht. Es handelt sich eindeutig um ein Ablenkungsmanöver.«

»Sie glauben also wirklich, dass das alles hier eine Inszenierung ist. Mir kommt das allerdings nach wie vor einigermaßen abwegig vor.«

»Haben Sie denn eine bessere Idee?«

»Neuberg ist hinter Ihnen her«, schlug Stein vor und ließ sich von David noch einen Cognac einschenken.

»Genau das sollen wir glauben. Aber das ist falsch. Jemand, der sich die Mühe macht, uns vor diese Herausforderung zu stellen …«

»Sagten Sie, stellt uns vor eine Herausforderung?«, fragte Stein mit der Betonung auf »uns«.

»Okay, okay, er stellt die Polizei vor eine Herausforderung«, ruderte Sarah zurück. »Ich bin jedenfalls davon überzeugt, dass so jemand sein nächstes Opfer nicht auf dem Silbertablett präsentiert.«

Sie warf einen Blick auf ihre Notizen: Drei. Wald. Waldgeister ... Sie glaubte einfach nicht an Steins These.

Stein räusperte sich in das allgemeine Schweigen hinein.

»Was ist?«, fragte David erwartungsvoll. »Bringt dich das auf etwas?«

»Nun«, begann Stein, »es ist so. Wir wissen inzwischen, dass in dem verfallenen Weinkeller im Wienerwald, in dem all diese Artikel und Fotos gefunden wurden, vor 17 Jahren ein Mädchen vergewaltigt wurde. Der Vergewaltiger hieß Anton Neuberg. Das Mädel war 14, er 16. Der Neuberg hat dafür ein Jahr in Gerasdorf gesessen.«

»Und da hat man ihn vor fünf Jahren nicht noch ein bisschen genauer unter die Lupe genommen?«, fragte Gabi entrüstet.

»Wie ich schon sagte«, entgegnete Stein leicht gereizt. »Neuberg wurde genauso unter die Lupe genommen wie alle anderen. Wir können ja nicht jeden festnehmen, nur weil er als Jugendlicher Scheiße gebaut hat.«

»Was ist mit dem Mädchen von damals?«, fragte Sarah.

»Sie wohnt nicht mehr in Wien.«

»Was haben Sie eigentlich in Neubergs Wohnung gefunden? Was machte ihn diesmal zum Hauptverdächtigen? Kommen Sie, das hilft uns vielleicht weiter.«

Martin Stein sah von einem zum anderen.

»Objekte, also Dinge, die eindeutig Daniela Meier gehörten«, antwortete er schließlich.

»Echt jetzt?«, entfuhr es Conny.

»Ja, echt.«

»Aber dann habt ihr doch euren Täter schon längst, Martin«, mischte David sich wieder ins Gespräch. »Was soll da noch die ganze Show hier?«

»Falsch«, erwiderte Stein. »Erstens haben wir einen Verdächtigen und keinen Täter, und zweitens läuft dieser immer noch frei herum, und wir haben keine Ahnung, wo er ist. Deshalb dachte ich, dass Sarah uns mit ihrer, sagen wir, eigenwilligen Sicht der Dinge ... Also ich dachte, es kann nicht schaden, mir ihre Theorien anzuhören, weil sie mich vielleicht auf neue Ideen bringt.«

»Und? Hat sie?«, fragte David.

Stein wiegte den Kopf hin und her. »Ich muss noch drüber nachdenken.«

»Sie denken über meine Theorien nach? Im Ernst?« Sarahs Freude war aufrichtig. »Das ist ja glatt ein Kompliment!«

Stein war sichtlich verlegen.

»Noch was«, fuhr Sarah fort. »Ist Ihnen schon mal aufgefallen, dass die Macek und die Meier sich ziemlich ähnlich sehen? Als wollte der Beermann eine zweite Daniela Meier ehelichen. Und es gibt noch mehr Übereinstimmungen.«

Sie zählte die Punkte an den Fingern ab: kirchliche Trauung in der Peterskirche, Hochzeitsfeier in Schönbrunn, dasselbe Motto wie damals, dieselbe Hochzeitsplaner-Crew, Ruth Neuberg als dieselbe erste Brautjungfer.

»Nur der Fotograf im Team ist neu«, schloss sie und sah von Stein zu David und wieder zurück zu Stein. »Wer hätte eigentlich vor fünf Jahren das Privileg gehabt zu fotografieren?«

»Gute Frage«, meinte Stein, der ihr aufmerksam zugehört und sich Notizen gemacht hatte.

»Das finde ich raus«, sagte Conny schnell.

»Lassen Sie's gut sein. Da sind wir schneller«, meinte Stein.

Conny sah David an. »Was hältst du davon«, fragte sie, »wenn wir berichten, dass die Beermann-Macek-Hochzeit eine Art Neuauflage wird?«

David verzog das Gesicht. »Schauen wir mal. Ich will das vorher noch mit Herbert besprechen.«

»Feigling«, murmelte Conny.

»Die Macek macht übrigens keinen Schritt mehr ohne Begleitung«, sagte Stein an Sarah gewandt. »Nur falls Sie denken sollten, sie sei in Gefahr. Diesen Gedanken hatte die Polizei selber schon. Wir sind schließlich auch nicht auf der Nudelsuppen dahergeschwommen.«

»Aber die vielen Parallelen waren Ihnen bislang noch nicht aufgefallen, gell?«, meinte Sarah, stolz darauf, etwas gefunden zu haben, was die Vorkommnisse noch einmal in ein anderes Licht rückte. »Fragen Sie den Beermann und die Macek doch mal, warum sie das tun«, forderte sie Stein heraus. »Vielleicht gehört die Entführung durch einen guten Freund auch dazu. Die Braut zu stehlen ist ja ein beliebter Brauch. Allerdings bekommt der Bräutigam sie dann normalerweise wieder zurück.«

25

DER LETZTE SCHRITT

Ruhelos ging er in dem Zimmer auf und ab. Wie gerne hätte er behauptet, dass der Verlust, den er verschmerzen musste, gering war. Doch dem war nicht so. Der Karton mit den Briefen war verschwunden. Die Polizei hatte seine Wohnung durchsucht und ihn gefunden. Scheiß Kieberer! Sie zwangen ihn, in dieser billigen Absteige, die er sich gerade so leisten konnte, auszuharren, bis … ja, wie lange noch? Sollte er Österreich sofort verlassen? Den Reisepass hatte er in seiner Jacke stecken. Er griff danach und tastete auch nach den beiden Kuverts.

Zwei Briefe hatte er retten können.

Lieber Felix,
ich sitze schon so lange in meinem Gefängnis. Ich habe längst aufgehört, Tage, Monate und Jahre zu zählen. Wenigstens weiß ich durch die Zeitungen, die mir gelegentlich unter der Tür hergeschoben werden, welches Datum wir haben.

Manchmal dringen Geräusche durch das geschlossene Fenster herein. Wenn ich genau hinhöre, kann ich sogar Vögel singen hören.
In den Fernsehnachrichten komme ich schon länger nicht mehr vor. In einer der Tageszeitungen stand irgendwann: »Großangelegte Suche nach dem

international erfolgreichen österreichischen Model eingestellt: Daniela Meier bleibt wie vom Erdboden verschluckt.«

Für viele da draußen mochte es sich nur um eine Randnotiz handeln, aber für mich ist diese Nachricht einem Todesstoß gleichgekommen. Man hat mich also aufgegeben.

Die Frage danach, warum ich hier bin, stelle ich mir schon lange nicht mehr. Anfangs klammerte ich mich an die Hoffnung, dass du zusammen mit meinen Eltern so lange nach mir suchst, bis du mich findest. Aber heute habe ich gelesen, dass es eine neue Frau an deiner Seite gibt. Valentina. Was soll ich sagen? Dass das über kurz oder lang passieren würde, war ja klar. Sie ist hübsch, und sie sieht mir ein bisschen ähnlich, findest du nicht? Das macht den Schmerz jedoch um keinen Deut erträglicher. Ich werde jetzt Schluss machen, denn ich merke, dass mir die Tränen kommen. Eigentlich habe ich mich schon lange nicht mehr in den Schlaf geweint. Aber heute werde ich eine Ausnahme machen.

Ich liebe dich,
Daniela

Bevor er für immer fortgehen würde, musste er noch etwas erledigen. Er ging aus dem Zimmer, verließ das Haus und sah sich auf der Straße nach einer öffentlichen Telefonzelle um. Diese Dinger gab es heute ja kaum noch. Sein Handy wollte er nicht benutzen, denn er befürchtete, dass es geortet wurde. Er hatte es in seiner Wohnung vergessen an dem Tag, als die Polizei sie durchsucht hatte. Sicher hatten sie seine Anruflisten gecheckt und wussten nun, dass er mit Valentina telefoniert hatte.

Er suchte lange, sehr lange. Auf der Mariahilfer Straße hatte er schließlich doch Glück, noch dazu war es ein Apparat, der funktionierte. Die Telefonnummer konnte er inzwischen auswendig.

26

ZERREISSPROBEN

Es gelang ihr nur sehr langsam, sich wieder zu beruhigen. Noch in der leeren Wohnung hatte Valentina verzweifelt überlegt, wo sie sich verstecken sollte, als plötzlich ihr Chauffeur vor ihr stand. Sie hatte vor lauter Erleichterung laut aufgeschrien. Der Chauffeur hatte sich entschuldigt. Er stand jedoch unter Zeitdruck, weil er eine halbe Stunde später vom Hotel aus zum Flughafen fahren musste.

Valentina hatte nur stumm genickt und war hinter ihm her hinaus aus ihrer Wohnung gegangen. Trotz des Schrecks war sie froh, noch einmal hier gewesen zu sein.

Jetzt sah sie durch das verdunkelte Fenster der Limousine. Die Stadt zog an ihnen vorbei, als wäre nichts geschehen.

Schließlich hielten sie vor dem Hotel an. Der Portier erwartete sie schon und hielt ihr zuvorkommend die Tür auf. Valentina bedankte sich bei dem Fahrer, stieg aus und betrat das Foyer. An der Rezeption hinterlegte sie den Schlüssel für den Anwalt und machte sich direkt auf den Weg zum Hinterausgang. Dort gab es fast nebenan einen Drogeriemarkt. Sie kaufte Shampoo, Duschgel und einen Schwangerschaftstest.

Im Penthouse angekommen ging sie sofort ins Bad und sperrte die Tür hinter sich zu. Sie wollte ganz für sich sein und brauchte dazu jetzt absolute Ruhe. Dann setzte sie sich auf den Badewannenrand und starrte eine Weile auf die Packung, die sie in der Hand hielt. Was, wenn es stimmte und sie tatsächlich schwanger war? Würde sie sich darüber freuen? Und Felix? War gerade das jetzt der richtige Moment dafür? Aber gab es den eigentlich, den richtigen Moment?

Schließlich gab sie sich einen Ruck. Sie packte den Test aus, klappte die Klobrille hoch, setzte sich und pinkelte auf den Streifen. Dann erhob sie sich und ließ sich wieder auf dem Wannenrand nieder. Der Text auf der Packung versprach »Sicherheit in nur einer Minute«. Valentina ließ vier Minuten verstreichen, bis sie sich den Streifen ansah. Daher also der nervöse Magen? Der Test zeigte ein deutliches »+« an. »Ich bekomme ein Baby«, murmelte sie, und dann noch einmal und wieder und wieder. Bis sie die Bedeutung dieses Satzes begriff. Und ihr auf einmal ganz warm ums Herz wurde. Sie lächelte und strich sanft über ihren Bauch. »Na, du?« Momentelang dachte sie an nichts mehr, außer an dieses Wesen in ihrem Bauch.

Doch dann holten die Zweifel sie wieder ein. Würde ein Kind ihr und Felix' Leben nicht arg verkomplizieren? Heiraten würden sie sowieso nicht, solange der Mord an Daniela nicht aufgeklärt war. Wobei man heutzutage zum Glück nicht mehr heiraten musste, sobald ein Kind unterwegs war. Doch was würde Felix von der ganzen Sache halten? Würde das seine geordnete Welt nicht in ein heilloses Chaos stürzen? Aber war es nicht gerade richtig, diese Ordnung ein bisschen aufzuwirbeln? Warum eigentlich nicht? Sich endlich einmal dem Leben überlassen …

Das Haustelefon surrte. Valentina beschloss zuerst, es einfach weitersurren zu lassen. Doch dann fiel ihr ein, dass der Rezeptionist ja wusste, dass sie sich im Penthouse aufhielt. Er würde es so lange läuten lassen, bis sie abhob, oder es kurze Zeit später wieder versuchen. Also stand sie seufzend auf, ging aus dem Bad hinaus in den Vorraum und hob ab.

»Ein Herr von der Polizei möchte Sie und Herrn Beermann sprechen«, vermeldete der Rezeptionist.

»Jetzt noch?« Valentina sah auf ihre Armbanduhr. Es war bereits halb acht. »Hat das denn nicht Zeit bis morgen?«

»Der Herr sagt, er wolle sie nicht lange stören.«

»Hat er Ihnen seinen Ausweis gezeigt?«

»Ja. Wollen Sie herunterkommen, oder soll ich ihn hinaufschicken?«

»Wissen Sie, wie er heißt?«

»Martin Stein.«

Wer sonst? Valentina seufzte wieder.

»Also gut. Er soll raufkommen.«

Sie legte auf. Wo blieb Felix eigentlich? Er wollte doch um sieben zuhause sein. Sie rief übers Haustelefon in seinem Büro an, doch da hob niemand mehr ab. Sie versuchte es am Handy, landete jedoch augenblicklich auf der Mailbox. Dann hörte sie auch schon den Lift ankommen und öffnete widerstrebend die Wohnungstür.

»Tut mir leid, dass ich Sie so spät noch störe«, begann der Chefinspektor.

Warum tun Sie's dann?, lag es Valentina auf der Zunge.

»Ich habe auch nur eine Frage.«

»Hätten Sie mich nicht anrufen können?«

»Hätten Sie denn abgehoben?«

Valentina presse die Lippen zusammen und sagte: »Mein Verlobter ist noch nicht daheim.«

»Das macht nichts. Die Frage können sicher auch Sie mir beantworten.«

Valentina trat zur Seite, um Stein hereinzulassen, und führte ihn gleich weiter ins Wohnzimmer.

»Schön haben Sie's hier«, sagte der Polizist anerkennend.

»Danke«, sagte Valentina. Sie blieb stehen und bot ihm nicht an, Platz zu nehmen. »Also, welche Frage wollten Sie mir stellen?«

»Sagen Sie, warum haben Sie eigentlich Ihre Hochzeit exakt so geplant wie es die zwischen Ihrem Verlobten und Daniela Meier damals war? Dieselben Orte, dasselbe Team, dasselbe Motto – warum?«

»Der Fotograf ist nicht derselbe«, sagte Valentina. Was zum Teufel sollte diese Frage jetzt?

»Und wer hätte damals fotografieren sollen?«, fragte Stein.

Valentina hielt kurz die Luft an und wich seinem Blick aus. Dann fragte sie: »Und was hat das jetzt mit dem Mord zu tun?«

»Sagen Sie's mir.«

»Nichts. Es hat nichts damit zu tun. Oder heißt das etwa, mein Verlobter und ich stehen unter Verdacht, weil wir den Hochzeitsplan von vor fünf Jahren übernehmen wollen?«

»Wenn ich einen solchen Verdacht hätte, dann würde ich Ihnen das sagen. Da können Sie ganz beruhigt sein. Aber wer war denn nun als Fotograf auserkoren?«

»Anton Neuberg«, antwortete Valentina schnell. »Fotografieren war zwar nur ein Hobby von ihm, aber er machte wirklich gute Bilder. Für die Planung gab es keinen besonderen Grund. Sie gefiel uns einfach, deshalb wollten wir sie für unsere Hochzeit halt übernehmen.«

Sie hatte mit Ruth mehrere Mottos besprochen. »Platin und Rosen« blieb einfach an erster Stelle. Außerdem hatte Ruth von einem Collier der Familie Beermann geschwärmt, das perfekt zu dem Motto passte. Ruth war überzeugt davon gewesen, dass Felix es Valentina schenken würde.

»Finden Sie das nicht selber ein wenig, nun ja, zumindest sonderbar?«

Valentina versuchte, entspannt zu wirken, und setzte ein Lächeln auf.

»Sind wir denn nicht alle ein wenig ungewöhnlich? Wissen Sie, Ruth Neuberg und ich sind Hochzeitsplanerinnen. Es kommt einfach vor, dass Themen oder Locations oder sonstige Einfälle hier und da wieder aufgegriffen werden.«

Aber ausgerechnet bei Ihnen?, schien sein Blick zu fragen.

»Und außerdem kann ich Sie beruhigen. Mein Kleid ist völlig anders als Danielas, genauso wie die Torte und das Menü. Unser Hochzeitstermin war im Mai, aber die Hochzeit damals hätte im Sommer stattgefunden. Und da wir im Team alle befreundet sind, ist doch auch klar, dass es dasselbe Motto geblieben ist, oder nicht? Im Übrigen hieß es bei Daniela und Felix' zuerst Schneewittchen, danach haben sie es noch mal geändert. Aber das habe ich Ihnen doch schon alles bei unserem ersten Gespräch im Präsidium erzählt.«

Seine Fragen stressten sie, und zugleich ärgerte sie sich über diesen Quälgeist. Ihr Gesicht spürte sich schon ganz heiß an, und sie hoffte inständig, dass er sich nun endlich verabschieden würde.

In diesem Augenblick hörte sie den Schlüssel im Schloss, und Felix kam heim. Endlich!

Er war offensichtlich nicht überrascht, den Polizisten anzutreffen. Wahrscheinlich hatten sie ihn an der Rezeption schon darüber unterrichtet.

»Hat meine Verlobte Ihnen denn noch nichts angeboten?«, gab Felix den charmanten Gastgeber. »Was möchten Sie trinken?«

»Nichts, vielen Dank. Ich halte Sie nicht länger auf.« Dann nannte er noch einmal den Grund seines Besuches.

»Ich habe doch gar keine Zeit, mich um solche Dinge zu kümmern«, meinte Felix. Es klang ziemlich überheblich. »Ich habe den Damen da vollkommen freie Hand gelassen. Meines Erachtens wäre auch dieser ganze Aufwand gar nicht notwendig, aber bitte. Und in der Peterskirche wurden schon meine Eltern getraut. Aber Sie sind doch nicht allen Ernstes gekommen, um uns das zu fragen, oder?«

Er ging an die Bar und schenkte sich ein Glas Rotwein ein. »Möchten Sie wirklich nichts?«

Martin Stein schüttelte den Kopf und schwieg.

»Du, Liebling?«

Valentina lehnte dankend ab.

Felix trank einen Schluck Wein und sagte dann: »Unsere Hochzeit wird einzigartig sein, auch wenn die Planung Parallelen zu damals aufweist. Vielleicht kommen Sie darauf ja nur deshalb, weil meine jetzige Verlobte meiner früheren ein wenig ähnlich sieht? Wir müssen uns jedenfalls bestimmt nicht dafür rechtfertigen, wie wir heiraten wollen. Ich denke, damit ist Ihre Frage beantwortet.«

Stein begriff das als mehr oder weniger höflichen Hinauswurf und sagte: »Ja. Natürlich.«

»Sie haben noch immer nicht gesagt, warum diese Nebensächlichkeiten so wichtig für Sie sind«, sagte Valentina.

»Wir müssen allen Fragen, die sich im Laufe der Ermittlungen stellen, nachgehen und Antworten darauf bekommen. Nur so ergibt sich ein Gesamtbild, wie bei einem Puzzle.«

Stein nickte und wandte sich zum Gehen. »Ich wünsche Ihnen noch einen schönen Abend.«

Felix schickte sich an, ihn hinauszubegleiten.

Da blieb Stein noch einmal stehen.

»Sagen Sie, Herr Beermann, hat Frau Meier Sie jemals betrogen?«

Felix stand wie vom Donner gerührt da und starrte den Polizisten an.

»Natürlich nicht!«, rief er dann aus. »Wie kommen Sie dazu, ihr so etwas zu unterstellen?«

Valentina hielt die Luft an. Hoffentlich sah man ihr den Schreck nicht an, der ihr soeben in die Knochen gefahren war. Warum stellte er solche Fragen? Hatte es womöglich mit dem zu tun, was sie Stein und seiner Kollegin heute über Toni erzählt hatte? Hätte sie doch bloß den Mund gehalten.

»Routinefrage«, antwortete der Ermittler knapp und verabschiedete sich nun endgültig. Felix ging mit ihm zur Tür.

Valentina atmete aus und ließ sich erschöpft auf die Couch fallen.

Ob ein Schluck Rotwein dem Baby schaden konnte? Sie beschloss, dass es sowohl für das Baby als auch für sie jetzt genau das Richtige war.

Als Felix zurück ins Wohnzimmer kam, stand sie mit einem Glas in der Hand vor der geschlossenen Terrassentür und sah hinaus ins Dunkle.

»Was für eine unverschämte Unterstellung«, empörte Felix sich, »ich werde mich morgen über ihn beschweren, er wird schon sehen, was …«

»Warum hast du nichts gesagt?«, unterbrach Valentina ihn scharf.

»Was gesagt?«

»Dass wir genauso gut ein anderes Motto wählen könnten.«

»Aber was hat das jetzt damit zu tun?«

»Mir ist es scheißegal, ob Daniela dich damals betrogen hat oder nicht. Es geht doch jetzt um uns, nicht um sie!«

Felix starrte sie mit offenem Mund an.

»Aber du wolltest das Motto doch unbedingt«, sagte er dann. »Das hat Ruth klipp und klar kundgetan.«

»Du heiratest aber nicht Ruth, sondern mich. Mich hättest du fragen müssen!«

»Moment, Moment. Du hast mit Ruth die Hochzeit komplett durchgeplant, ohne mich auch nur im Ansatz in deine Überlegungen einzubeziehen. Dafür kommen sämtliche Rechnungen an meine Adresse, und ich zahle sie, mein Herz.« Er trank einen Schluck Wein. »Dass Daniela und ich damals auch in Schönbrunn feiern wollten, wusstest du die ganze Zeit.«

»Du wirst mir jetzt aber nicht vorwerfen, dass du zahlen musst, oder? Schließlich mache ich die ganze Arbeit. Oder geht's dir jetzt auf einmal ums Geld? Koste ich dir etwa zu viel?«

»Das hab ich nicht gesagt.«

»Oh doch, genau das hast du gesagt!«

»Du drehst mir gerade das Wort im Mund um.« Felix schüttelte den Kopf. »Worüber streiten wir eigentlich? Geht es immer noch um das verfluchte Hochzeitsthema oder um etwas anderes?«

»Aha, jetzt ist es also auch noch verflucht?«

»Valentina!«

»Warum hast du mich denn nie gefragt, warum ich dasselbe Thema gewählt habe? Warum hast du dich nicht dagegen ausgesprochen?«

»Aber warum hätte ich das tun sollen?«

»Weil ich dann ein anderes genommen hätte!«

»Merkst du auch, dass wir uns im Kreis drehen? Noch einmal. Was findest du so schlimm daran? Ich dachte, es ist ein wunderbares Thema.«

»Es war euer Thema!«, rief Valentina verzweifelt aus. »Verstehst du das nicht, Felix? Du und Daniela, ihr wart Platin und Rosen. Aber ich bin nicht sie. Ich bin ich! Und ich will etwas Eigenes mit dir.«

»Warum hast du dich dann verflucht noch mal für kein anderes entschieden?«, brüllte Felix zurück. »Mir ist das alles nämlich vollkommen wurscht! Ich dachte, du wolltest unbedingt Platin und Rosen!«

Er holte tief Luft.

Valentina starrte ihn an.

»Also gut.« Felix bemühte sich, wieder mit normaler Lautstärke zu sprechen. »Wir haben dasselbe Hochzeitsthema. Dieselbe Location. Du hast dieselbe Brautjungfer und übrigens auch denselben Mann wie

Daniela. Willst du das jetzt alles austauschen?«, fragte er.

In dem Moment brach Valentina in Tränen aus. Felix ging sofort zu ihr und nahm sie in den Arm. »Hey, was ist denn los mit dir?«

Auf seine Fürsorglichkeit konnte Valentina sich verlassen. Wann immer sie weinte, löste das bei Felix augenblicklich den Beschützerinstinkt aus. Dieser Mann, ihr Job und nun auch das ungeborene Kind waren die Grundpfeiler ihrer Existenz. Die würde sie sich durch nichts und niemanden wegnehmen lassen.

»Ich will, dass die Boxen wegkommen«, sagte sie unter Schluchzern und hob den Kopf.

»Welche Boxen?«, fragte Felix verständnislos.

Sie wischte sich mit dem Handrücken übers Gesicht und sah ihn an. Dann löste sie sich aus seiner Umarmung und ging hinaus, um gleich darauf mit einer der Boxen aus dem Abstellraum zurückzukommen. »Diese hier. Da sind ihre Sachen drin.«

»Du hast in meiner Kammer herumgeschnüffelt, Valentina?«

»Nicht geschnüffelt. Ich habe meine leeren Koffer dort verstaut und dabei zufällig die Boxen entdeckt.«

»Die du öffnen musstest, um zufällig zu entdecken, was drinnen ist.«

»Ich wusste nicht, dass das verboten ist.«

»Ist es auch nicht. Aber du hättest mich vorher fragen können. Ich würde auch nicht einfach in deinen Sachen herumwühlen, und ich möchte dich herzlich bitten, meine Privatsphäre zu wahren.«

»Deine Privatsphäre wahren?«, wiederholte Valentina tonlos.

»Ja, ganz genau.«

»Es sind aber Danielas Sachen.«

Er nahm einen Schluck Wein, bevor er antwortete: »Die in meinem Abstellraum stehen, bis sie abgeholt werden.«

»Aber Daniela wird nicht mehr kommen, um sie abzuholen. Begreifst du das nicht?«

»Es sind Erinnerungsstücke.«

»Erinnerungsstücke?«, fragte sie aufgebracht. »Kleider und Schuhe von Prada und Gucci sind Luxusartikel, aber doch keine Erinnerungsstücke!«

»Wenn du etwas davon haben möchtest, sag's mir, und wir reden drüber.«

»Behandle mich gefälligst nicht wie ein kleines Kind, das um ein Spielzeug bettelt«, fuhr Valentina ihn empört an.

»Ihre Kleider stehen dir sicher gut«, sagte Felix unbeeindruckt. »Ihr müsstet so ziemlich dieselbe Konfektionsgröße haben.«

Jetzt war für Valentina das Maß voll.

»Sie haben im Hotel sicher noch ein Zimmer für dich frei«, sagte sie eisig.

Damit verließ sie den Raum, ging ins Schlafzimmer und schlug die Tür krachend hinter sich zu.

27

ZEICHEN UND SYMBOLE

Nachdem Stein sich verabschiedet hatte, beschlossen Gabi und Conny, noch auf einen Drink zu Chris ins *Panorama* zu schauen.

David machte keinerlei Anstalten mitzugehen, was Sarah nicht ganz unrecht war – wollte sie doch den Streit mit ihm so schnell wie möglich bereinigen.

Sie konzentrierte sich vorgeblich auf die Artikel an der Wand und überlegte, wie sie die Sache am besten ansprechen sollte, ohne einen weiteren Streit zu provozieren. Eine Weile war es sehr still in ihrem Büro.

»Ich glaube, du hast das Pentagramm aus den Augen verloren«, sagte David auf einmal.

Sie wandte sich überrascht zu ihm um. »Ich habe was?«

»Du hast gerade über eine Stunde die Artikel analysiert, und nicht ein Mal ist die Sprache auf das Pentagramm gekommen.«

»Stimmt. Weil mein Artikel darüber hier gar nicht vorkam«, sagte Sarah.

»Aber warst du nicht davon überzeugt, dass damit alles zu tun hat?«, fragte David.

Er hatte recht. Sie war sich tatsächlich sicher gewesen, doch inzwischen zweifelte sie an ihrer eigenen These.

»Willst du jetzt allen Ernstes mit mir über das Pentagramm sprechen?«, fragte sie, um endlich auf das zu kommen, was ihr auf dem Herzen lag.

»Worüber sollten wir denn sonst sprechen?« Er prostete ihr mit seinem Cognacschwenker zu. »Über das Leben?«

»Machst du dich lustig über mich?«

»Keineswegs.«

»Du bist mir noch böse.«

»Ich bin dir nicht böse.«

»Bist du doch.«

»Nein.«

»Doch.«

»Wir hören uns ja an wie ein altes Ehepaar. Bist du. Bist du nicht. Ich bin dir nicht böse, Sarah, sondern ich habe Angst um dich. Das ist ein himmelweiter Unterschied.«

»Dann hast du aber eine komische Art, mir deine Angst um mich zu zeigen. Stürmst aus meinem Büro, redest nicht mehr mit mir und beantwortest nicht mal meine SMS. Das ist ehrlich gesagt kindisch, David.«

David sah zu Boden und fuhr sich mit den Fingern durch seine dunklen Haare. Das Grau an den Schläfen war mehr geworden, fiel Sarah in diesem Moment auf. Sie sah ihn an. »Oder war's der Rosenstrauß, der dich genervt hat?«

Er antwortete nicht, sondern schwenkte den Cognac im Glas leicht hin und her. Sie ging auf ihn zu, nahm ihm das Glas aus der Hand, drückte ihn gegen die Stuhllehne und setzte sich auf seinen Schoß. »Meine Intuition sagt mir, dass ich dich ein bisschen aus den Augen verloren habe.«

David umfasste ihre Hüften. »Wie meinst du das?«

»Nettes Geplauder in der Küche, lange Unterredungen im Büro …«

David sah sie verständnislos an.

»Patricia Franz?«

»Ach so, daher weht also der Wind.« Er grinste. »Eifersüchtig?«

»Ein bisschen schon.«

»Deshalb die Anmerkung über die doch nicht ganz so monogamen Tauben?«

Sarah nickte.

Er schob seine Hand unter ihr Kinn, zog sie sanft zu sich heran und küsste sie auf den Mund. »Genügt das als Antwort?«

»Ich habe dir keine Frage gestellt.«

»Sie stand auf deiner Stirn geschrieben.«

Sarah wich seinem Blick aus. Es machte sie verlegen, wenn er ihr so tief in die Augen sah. »Müssen wir noch mal drüber reden, oder können wir uns darauf einigen, dass wir beide Unrecht hatten? Ich hab nämlich überhaupt keine Lust mehr, mich mit dir zu streiten.«

Er umfasste ihren Kopf mit den Händen, so dass sie ihn ansehen musste. Diesmal hielt sie seinem Blick stand.

»Ich will doch auch nicht streiten. Aber manchmal treibst du mich mit deiner Sturheit in den Wahnsinn. Du lächelst einen an, sagst ja, ja und ignorierst anschließend alles, was man vorher lang und breit besprochen hat.«

Sarah wollte widersprechen, doch etwas hielt sie davon ab. War sie wirklich so stur?

Sie erwog einen Moment lang, ihn auf Hilde Jahn anzusprechen, ließ es dann jedoch lieber bleiben. Im Augenblick ging es einfach nur um sie beide, und das fühlte sich für sie auch genau richtig an.

»Und jetzt?«, fragte sie daher nur.

»Jetzt fahren wir nach Hause.«

»Warte kurz.« Ihr war noch etwas eingefallen. Sie sprang auf, ging an ihren Schreibtisch und suchte die Telefonnummer der Meiers heraus. Dann griff sie zum Telefon und warf David einen hastigen Blick zu. Sein verschmitztes Lächeln verriet, was er dachte: Du kannst es einfach nicht lassen …

»Entschuldigen Sie die späte Störung, Herr Meier. Sarah Pauli vom *Wiener Boten* spricht. Ich habe nur eine kurze Frage. Hatte Ihre Tochter einen Spitznamen?«

Herr Meier schien zu überlegen. »Nein, nicht dass ich wüsste. Wir haben sie immer Daniela genannt, ihre Freundinnen auch, soweit ich weiß. Niemals Dani oder so.«

»Hatte sie als Kind vielleicht ein Lieblingsbuch, ein Märchen zum Beispiel? Oder ein Lieblingsspiel?«

»Warten Sie, da muss ich jetzt doch meine Frau fragen.«

Sarah hörte, wie der Hörer zur Seite gelegt wurde, sich entfernende Schritte, dann Stimmen im Hintergrund. Dann kam er zurück an den Apparat.

»Hören Sie? Unsere Tochter liebte Märchen, und ganz besonders liebte sie Schneewittchen. So verkleidete sie sich auch gern zu Fasching, meine Frau hat das Kostüm von damals aufgehoben …«

»Schneewittchen«, wiederholte Sarah, wobei sie David ansah und ihren Daumen in die Höhe streckte.

»Schneewittchen sollte zuerst auch das Motto ihrer Hochzeit sein«, fuhr er fort, »aber das war ihr dann doch zu kitschig. Warum interessiert Sie das alles?«

»Ich wünschte, ich könnte Ihnen das beantworten«,

antwortete Sarah. »Ich sitze über einer Art Puzzle, wenn Sie so wollen, und versuche, die einzelnen Stücke so zusammenzufügen, dass es einen Sinn ergibt.«

»Es hat mit dem Mörder unserer Tochter zu tun, nicht wahr?«

»Ja. Und ich verspreche Ihnen, dass ich Sie's wissen lasse, wenn ich etwas herausfinden sollte.«

»Die Polizei vermutet, dass Anton Neuberg etwas damit zu tun hat«, sagte er.

»Kennen Sie ihn?«

»Natürlich. Er war ja Ruths Mann, und sie waren auch hin und wieder bei uns. Schien mir ein netter Kerl zu sein.« Sarah hörte ihn seufzen. »Aber letzten Endes kann man in keinen Menschen hineinschauen.«

»Ich melde mich, sobald ich mehr weiß«, versprach Sarah ihm noch einmal und beendete das Gespräch.

»So, das war's. Jetzt können wir fahren. Zu mir? Marie hat sicher schon Hunger.«

David nickte.

Die Halbangora stand schon laut maunzend im Vorraum, als sie in Sarahs Wohnung ankamen. Sie hängten ihre Jacken an die Garderobe und gingen in die Küche.

»Wenn ich ehrlich bin, ich habe auch Hunger«, sagte David, während Sarah Maries Futterschüssel füllte.

»Thunfisch oder Rind?«

»Wie bitte?«

»Na, welche Dose soll ich dir öffnen? Thunfisch oder Rind. Marie mag beides, also darfst du auswählen.«

David rümpfte die Nase und gab Sarah einen leichten Klaps auf den Po. »Du bist echt frech, weißt du das?«

Sarah lachte. »Wenn du willst, mach ich uns schnell was zu essen. Ich gehe nur kurz unter die Dusche.« Sie ging hinaus auf den Flur, machte jedoch auf halbem Weg zum Bad wieder kehrt und fragte ihn: »Wollen wir beide duschen? Gleichzeitig, meine ich?«

David ließ sich kein zweites Mal bitten.

Später saßen sie in Jogginghosen und bequemen T-Shirts im Wohnzimmer und aßen Spaghetti in Salbeibutter. Sie tranken abwechselnd Wasser und Weißwein und sahen sich dazu die Spätnachrichten im Fernsehen an. Der polizeiliche Fahndungsaufruf nach Anton Neuberg kam zu Beginn der Kurzmeldungen.

»Wann bringen wir sein Foto?«, fragte Sarah.

»Morgen«, antwortete David rasch und konzentrierte sich wieder auf die Nachrichten.

Sarah sah ihn an, während sie sich eine Gabel voller Nudeln in den Mund schob.

»Du beobachtest mich«, sagte er, ohne den Blick vom Bildschirm abzuwenden.

Sie lächelte nur und sagte nichts weiter.

Später im Bett konnte Sarah lange nicht einschlafen, obwohl sie eigentlich todmüde war. Immer wieder kreisten ihre Gedanken um die Fragmente aus einem Rätsel, das sie nicht zu durchschauen vermochte. Sie dankte dem Himmel, dass David nicht schnarchte. Irgendwann siegte schließlich die Müdigkeit, und sie fiel in einen unruhigen Schlaf.

Mitten in der Nacht erwachte sie aus einem diffusen Traum, und plötzlich hatte sie eine Eingebung. Ihre Artikel selber waren gar keine Hinweise. Sie waren nicht das Rätsel, sondern dienten lediglich als Mittel zum Zweck.

David schlief tief und fest, und es war stockdunkel im Zimmer. Sie hatten die Rollos absichtlich ganz heruntergelassen. Doch um ihn nicht zu wecken, machte sie kein Licht. So leise wie möglich stand sie auf und stahl sich aus dem Schlafzimmer in der Hoffnung, nicht über irgendetwas zu stolpern.

Im Vorraum schmiegte sich die Katze um ihre Beine und lief ihr dann voraus in die Küche. Sarah machte das Flurlicht an und entdeckte Chris' Schuhe vor der Garderobe. Ob nichts los gewesen war im *Panorama*? Oder war etwa schon früher Morgen? Auch in der Küche schaltete sie das Licht an und sah auf die Wanduhr. Halb zwei. Marie saß erwartungsvoll vor ihrem Futternapf.

»Keine Chance, Marie, jetzt gibt's nichts, sonst wirst du noch so dick wie Garfield.«

Sarah nahm Papier und Stifte aus einer der Schubläden und brühte sich dann einen Tee auf. Dann versuchte sie, ihre Gedanken zu ordnen, indem sie sich die Stichpunkte noch einmal aufschrieb.

Pentagramm –	*Fünfeck, Schutzzeichen, Mitte*
Spiegel –	*Eitelkeit, Selbstkritik*
Wald –	*Waldgeister, Belohnung, Strafe*
Taube –	*Leben, Frieden, Monogamie*
Zwölf Apostelkeller –	*Keller, Versteck*
Drei –	*Dreifaltigkeit, Vollkommenheit*
Rosen –	*Liebe, rot, Blut, Tod, Königin*

Sie lehnte sich zurück und dachte nach. Im Büro war sie mit dieser Methode heute nicht viel weitergekommen.

Weder hatte sich etwas erhellt noch waren verborgene Informationen zutage gekommen.

Marie, die bis jetzt hartnäckig vor ihrem Napf sitzen geblieben war, gab auf, sprang auf einen Stuhl und rollte sich zusammen.

Sarah hörte Schritte auf dem Flur, und David kam in die Küche. Er nahm sich ein Glas Wasser und trank es in einem Zug leer.

»Die Sache lässt dir keine Ruhe, was?«

»Das Pentagramm«, sagte Sarah. »Du hattest recht. Ich hatte es aus dem Blick verloren. Der einzige Artikel, den er nicht an die Wand gepinnt hat. Dennoch ist er wichtig für das große Ganze.«

Sie spürte Davids Hände auf ihrer Schulter, er begann sanft, ihren Nacken zu massieren.

»Und bist du auf etwas Neues gekommen?«, fragte er

»Der Täter hat Daniela gemocht«, antwortete Sarah.

»Schon eine komische Art, das zu zeigen, findest du nicht auch?«

Er nahm seine Hände weg und setzte sich neben Sarah.

»Er hat sich immerhin fünf Jahre um sie gekümmert.«

»Und sie dann verdursten und verhungern lassen.«

»Aber er hat sie liebevoll aufgebahrt, und zwar in der Mitte eines Schutzzeichens, des Fünfecks. Auch das Brautkleid zierte ein Fünfeck, das Bucher-Logo. Vielleicht hat er sie ja all die Jahre in oder hinter oder unter einem Pentagramm versteckt. Eines, das man nicht sieht, wenn man nichts davon weiß, wie das in Schönbrunn.«

»Wer ist darüber im Bilde, was es mit diesem Symbol auf sich hat?«

»Eigentlich alle aus dem Umfeld, auch wenn nur die Bucher es als Firmenlogo verwendet.« Sarah sah David nachdenklich an. »Weißt du, was mir gerade einfällt? Die Peterskirche befindet sich ebenfalls im Zentrum eines unsichtbaren Pentagramms.«

»Noch eines?«, fragte David ungläubig. »Mir scheint allmählich, dass Wien ein einziges Pentagramm ist.«

»Damit hast du nicht mal so ganz unrecht«, meinte Sarah. »Für das Pentagramm am Ring zeichnet Kaiser Franz Joseph verantwortlich. Nachdem sie zur Erweiterung der Inneren Stadt die Stadtmauern abgetragen hatten, sollte der Ring zuerst in Form eines Hufeisens angelegt werden. Da das dem Kaiser dann doch nicht mehr gefiel, wurde es letztendlich das Fünfeck.«

David war sichtlich beeindruckt von Sarahs Wissen, auch wenn er es nicht laut sagte.

»Der Franz-Josefs-Kai ist praktisch die Basis«, fuhr sie fort, »und das Maria-Theresien-Denkmal zwischen Kunsthistorischem und Naturhistorischem Museum bildet die Spitze der fünf Eckpunkte. Die anderen sind der Donaukanal, die Hauptuni am jetzigen Universitätsring, und dann das heutige Bundesministerium für Wissenschaft, Forschung und Wirtschaft am Stubenring, was damals Kriegsministerium war. Der fünfte Eckpunkt ist bei der Hochquellwasserleitung am Schubertring.«

Sarah stand auf und ging in der Küche auf und ab. Sie spürte, dass sie ziemlich nah dran war. Das könnte eine richtig gute Story werden!

»Höfe hatten früher oft Pentagramme als Inschrift. Vielleicht wurde die Meier auf einem alten Hof versteckt«, sagte sie laut denkend.

»Kann ja nicht so schwer sein, ein altes Gehöft mit einem Pentagramm darauf zu finden«, spottete David.

Sarah schnitt ihm eine Grimasse.

Dann fiel ihr noch etwas ein. »Es wäre nicht auszuschließen, dass der Täter sein nächstes Opfer in der Peterskirche aufbahrt.«

»Dann sollte die Polizei den Fall aber bitte so schnell wie möglich aufklären, bevor das wirklich passiert.«

Sarah nickte, doch sie war in Gedanken schon wieder woanders.

»Ist dir aufgefallen, dass es in fast allen Artikeln um Märchenmotive ging?«

David schüttelte den Kopf. Er hatte längst aufgehört, sich über Sarahs Gedankensprünge zu wundern. Meistens konnte er sie erst später nachvollziehen, und daran hatte er sich mittlerweile weitgehend gewöhnt.

»Abgesehen vom Zwölf Apostelkeller und vom Pentagramm natürlich, das war ja eh nicht dabei. Aber der Spiegel. Er ist ein zentrales Motiv in ›Schneewittchen‹. Zu Rosen fallen mir sofort mehrere ein, ›Dornröschen‹ natürlich, oder ›Schneeweißchen und Rosenrot‹ oder der ›Rosenelf‹ aus Andersens Märchen.«

»Was ist mit dem Heiratsantrag?«, fragte David grinsend. »Oder hatte Schneewittchens Prinz etwa keine 108 Rosen dabei?«

»Die Zahl Drei spielt in vielen Märchen eine Rolle. ›Die drei Brüder‹ sind wahrscheinlich am bekanntesten. Bei der Taube denke ich an ›Die weiße Taube‹, auch Grimms«, fuhr Sarah unbeirrt fort. »Wälder gehören ganz oft zur Kulisse in Märchen, allen voran in ›Hänsel und Gretel‹ oder ›Rotkäppchen‹. In beiden müssen die Kinder einen Wald durchqueren, um ans

Ziel zu gelangen. Unterwegs müssen sie sich bewähren, gefährliche Situationen meistern und so weiter. Also, der Wald steht eigentlich für Wandel oder Bewegung oder Veränderung.«

»Wow, Sarah! Also suchen wir nach einem alten Hof mit einem Pentagramm als Inschrift, der irgendwo mitten im Wald liegt und von einem Rosengarten umgeben ist. Ist das nicht schon ein wenig überinterpretiert?«

Sarah grinste ihn an. »Dann sag ich's mal so: sieben.«

»Sieben? Wieso jetzt sieben?« David stöhnte auf.

»Zählt man das Pentagramm und den Apostelkeller hinzu, gibt es sieben symbolische Motive. Aber inhaltlich geht es gar nicht darum, so wie ich es zuerst angenommen hatte. Und wir haben es auch nicht mit einer Rätselrallye zu tun.«

»Und was heißt das jetzt?«

Sarah hob die Hände hilflos in die Höhe und ließ sie dann wieder auf den Tisch sinken. »Eben, das weiß ich nicht. Ich komme mir vor wie in einem Spiel, dessen Regeln ich nicht verstehe.«

»Ich sehe es dir doch an, dass du noch über etwas nachdenkst«, sagte David, und diesmal war es ihm ernst. »Da ist noch was, hab ich recht?«

»Stimmt.« Sie setzte vor jeden Top auf ihrer Liste einen dicken Punkt. »Ich kann es nur noch nicht fassen.«

»Was hat es mit der Sieben auf sich, Sarah? Was bedeutet sie? Überleg noch mal. Jetzt sind wir ja eh schon wach, also von mir aus können wir uns auch gerne über die Symbolik von Zahlen unterhalten.«

Sie hörten ein Geräusch im Flur, und gleich darauf erschien Chris in der Küche. »Guten Morgen zusammen! Was ist denn hier los?«

»Es geht um ein Rätsel«, meinte David.

»Was für ein Rätsel?«, fragte Chris neugierig.

»Ja, wenn ich das wüsste!« David gähnte hinter vorgehaltener Hand.

»Ist Gabi gar nicht mitgekommen?«, erkundigte Sarah sich.

Chris schüttelte den Kopf. »Sie schläft zuhause, muss früh raus, wie ihr beide auch. Also was ist jetzt mit dem Rätsel?«

Dann wurde Chris in Sarahs Welt der Symbolik und der möglichen Querverweise in Bezug auf den aktuellen Mordfall in Schönbrunn eingeweiht. Sarah sah ihren Bruder an, und plötzlich begannen ihre Augen zu leuchten.

»Aber klar doch!«, rief sie unvermittelt aus, sprang auf, rannte ins Schlafzimmer und kam mit ihrem Laptop zurück in die Küche. »Zum Glück habe ich mir die Fotos von Schönbrunn, die mir Patricia geschickt hat, auf den Stick geladen.« Sie schob ihren Stick ein und klickte eine bestimmte Bilddatei an. Auf dem Bildschirm erschien die Aufnahme der Leiche am Großen Parterre. Um sie herum standen brennende Grablichter.

Die beiden Männer sahen einander kopfschüttelnd an.

»Okay. Ich mach uns jetzt mal einen Kaffee«, meinte Chris.

»Die Zahl Sieben spielt ähnlich wie die Drei in Märchen eine große Rolle. Ihr erinnert euch doch an die sieben Berge und die sieben Zwerge bei Schneewittchen, oder?« Sarah tippte mehrmals mit einem Stift auf ihre Liste. »Wir haben hier sieben Hinweise, oder besser gesagt Motive. Und da«, sie zeigte mit dem Stift zu dem Foto auf dem Bildschirm, »sind genau sieben Grabkerzen zu sehen.«

»Und die stehen für die sieben Zwerge?«, fragte David nicht ohne leisen Spott.

Er bekam aber keine Antwort, stattdessen murmelte Sarah unentwegt »Sieben. Sieben. Sieben« vor sich hin.

»Sollen wir einen Arzt rufen?«, witzelte Chris.

Sarah überging die Bemerkung. Sie sah David an. »Was will er uns damit sagen? Welchen Tag haben wir heute?«

»Dienstag … Oder nein, falsch, es ist ja schon Mittwoch.«

»Also wurde Daniela Meier vor sieben Tagen gefunden.« Sie sah die anderen bestürzt an. »Irgendetwas wird heute passieren!«

Chris stellte drei Kaffeetassen auf den Tisch. »Irgendetwas passiert doch immer, Schwesterherz!«

Mittwoch, 22. April

28

PLATIN UND ROSEN

Valentina wurde schon um halb acht von dem Chauffeur in der Limousine zur Agentur gebracht.

Sie hatte nicht gut geschlafen und fühlte sich entsprechend gerädert.

Felix hatte dann aber doch nicht in einem seiner Hotelzimmer übernachtet, sondern war zu ihr ins Zimmer gekommen, um sich bei ihr zu entschuldigen. Dann hatte er versucht zu erklären, warum er sich von Danielas Kleidungsstücken und ihren Habseligkeiten noch nicht hatte trennen können. Diese Endgültigkeit, die durch ihren Tod besiegelt worden war. Der Abschied für immer. Auch ein Teil seines Lebens war damit unwiderruflich vorbei. Wie ausgelöscht ... Schließlich hatte er ihr versichert, dass er mit dem Ausräumen und Abgeben der Boxen und ihrer Inhalte beginnen würde.

Nachdem Felix eingeschlafen war, hatte Valentina noch lange wachgelegen. Sie hatte sich gefragt, ob sie überhaupt das Recht hatte, so etwas von ihm zu verlangen. Ob das nicht vollkommen hartherzig von ihr war. Sie hatte sich auch gefragt, warum sie sich auf einmal nur noch bedroht von Daniela zu fühlen schien, obwohl diese doch tot war. Im Grunde ihres Herzens wusste sie jedoch warum. Felix hatte mit der Beziehung noch nicht abgeschlossen. Dass Daniela tot war, bereitete ihm ein noch schlechteres Gewissen als je zuvor.

Denn Daniela hatte jahrelang gelitten und war um ihr Leben gebracht worden, Felix aber lebte und war obendrein glücklich.

Dass sie ein Kind erwartete, hatte Valentina mit keiner Silbe erwähnt. Es wäre in keinem Moment passend gewesen.

Im Büro las sie zuerst die Zeitungsmeldungen über die Pressekonferenz. Alle berichteten von dem Wachdienst, der Valentina angeblich rund um die Uhr begleitete. Vielleicht wirkte diese Behauptung ja tatsächlich abschreckend. Valentina legte die Zeitungen zur Seite.

Sie ging in die Küche, setzte einen Kaffee auf und nahm ihn mit in ihr Büro. Dann schaltete sie das Radio ein, um die Stille zu vertreiben, die sie umgab. »All Summer Long« sang Kid Rock. Sie mochte den Song, bewegte sich ein bisschen im Takt und sang den Refrain leise mit. Langsam wurde ihre Laune besser, obwohl für heute Buchhaltung auf dem Programm stand, was mindestens drei Stunden unbezahlte Arbeit fürs Finanzamt bedeutete.

»Wir haben eine Hochzeit mit 240 Personen unter Dach und Fach!« Ruth strahlte, als sie gegen neun Valentinas Büro stürmte. »Der Bräutigam hat gestern Abend noch bestätigt!«

Valentina holte tief Luft. Es ging nicht anders, sie mussten reden. Sie bat Ruth, sich zu setzen.

»Was ist los?«, fragte Ruth alarmiert. »Ist was mit Felix?«

»Setz dich bitte«, wiederholte Valentina so ruhig wie möglich.

Ruth nahm endlich Platz. »Du hörst dich ja an wie eine Oberlehrerin, die ihrer Schülerin gleich gehörig das Gestell putzen wird. Aber ich sag's gleich, ich bin mir keiner Schuld bewusst.«

Valentina nahm einen Stift in die Hand, um sich daran festhalten zu können. »Platin und Rosen«, begann sie.

Ruth schüttelte unmerklich den Kopf. »Was ist mit Platin und Rosen?«

»Das wäre mein Hochzeitsthema gewesen.«

»Ich weiß.« In dem Moment erschrak Ruth. »Wäre?« Sie schnappte nach Luft. »Habt ihr euch etwa ... getrennt?«

»Nein.«

»Warum sagst du dann wäre?«

»Weil wir ein neues Thema nehmen müssen.«

»Warum willst du ein neues Thema? Verstehe ich nicht! Es ist doch schön. Außerdem haben wir schon alles darauf abgestimmt, das Kleid, die Deko ... Ich meine, wir verschieben zwar, aber ...«

»Wir verschieben?«

»Ihr verschiebt«, korrigierte Ruth sich rasch. »Ich meine, es ist alles schon vorbereitet, also ich würde ...«

»Weil das Thema bereits vergeben war«, unterbrach Valentina sie.

»Wie bitte?« Doch im selben Moment begriff Ruth, was Valentina meinte.

Valentina erzählte von dem Besuch des Ermittlers und wie ungewöhnlich dem die vielen Parallelen in den beiden Hochzeitsplanungen vorgekommen waren.

»Es kommt mir so vor, als wäre ich Danielas Klon«, sagte sie und drehte nervös an dem Stift in ihrer Hand herum.

»Geh, das ist doch ein Schmarrn«, sagte Ruth, »da hat dir der Polizist einen echten Floh ins Ohr gesetzt. Lass dir bloß nichts von dem einreden. Du hast doch über alles genau Bescheid gewusst, Valentina.«

»Ich habe das Gefühl, dass das alles nicht mehr zusammenpasst.«

»Aber deshalb musst du dich nicht bemitleiden«, erwiderte Ruth.

»Ich bemitleide mich doch nicht. Ich versuche nur, dir zu sagen, wie ich mich fühle.«

»Und was glaubst du, wie wir anderen uns fühlen? Daniela war eine Freundin. Für uns könnte es auch so sein, dass alles nicht mehr zusammenpasst. Du heiratest den Mann, den sie geliebt hat. Du wirst deine Hochzeit dort feiern, wo sie ihre Hochzeit feiern wollte. Du hast das Motto übernommen, das sie sich ausgesucht hatte … Hast du dir das auch schon mal überlegt?«

Valentina sah Ruth erschrocken an. So hatte sie das tatsächlich noch nie betrachtet.

»Aber auch wenn das so ist, gönnen wir dir dein Glück trotzdem, weil du auch eine Freundin bist, Valentina. In Gottes Namen ist es halt dasselbe Thema, was ist denn schon dabei? Darauf hat doch niemand ein Monopol. Hunderte hatten es vor euch, und Hunderte werden es nach euch haben.«

»Was dabei ist?« Valentina spürte den Groll in sich wieder aufsteigen. Sie ließ den Stift fallen, zerrte nervös ein Gummiband aus ihrer Hosentasche und band ihr Haar zu einem Zopf zusammen. »Ich bin eigentlich nur die Kopie des Originals, weil das Original erst gestohlen und dann zerstört wurde.« Hätte sie doch nur sofort ein neues Thema für ihre Hochzeit vorgeschlagen, statt diese Diskussion anzuzetteln! »Nimm nur das Collier als Beispiel. Es hätte Daniela gehört. Und nur weil sie tot ist, hängt Felix es jetzt mir um den Hals.«

»Jetzt übertreibst du aber«, sagte Ruth. »Du warst doch ganz wild darauf, das Collier zu bekommen, nachdem du es gesehen hattest. Wieso machst du jetzt so einen Aufstand? Außerdem warst du total begeistert von dem Thema!«

»Ich habe mich von deiner Begeisterung anstecken lassen, und außerdem war ich betrunken, als wir es dann entschieden haben.«

»Warst du etwa die ganzen letzten Monate betrunken?«, fragte Ruth.

»Nein. Nein, natürlich nicht, ich habe einfach nicht mehr darüber nachgedacht.«

»Das kannst du mir jetzt aber nicht vorwerfen, nach allem, was ich für dich getan habe!«

»Ich werfe es dir ja nicht vor, Ruth. Entschuldige, aber ich weiß selber nicht, warum ich's nicht längst geändert habe. Vielleicht weil ich dachte, Felix damit einen Gefallen zu tun. Vielleicht auch nur, weil's mir die ganze Zeit nicht weiter wichtig vorkam. Aber seit sie tot ist, ist alles anders.«

Plötzlich fühlte Valentina sich ganz verloren. Ruth kam ihr fremd vor, unwirsch und abweisend, nicht wie eine, die sie schon jahrelang kannte. Dabei hätte Valentina sie jetzt als Freundin gebraucht. Sie hätte ihr so gerne erzählt, dass sie schwanger war, mit ihr darüber spekuliert, ob es ein Mädchen oder ein Bub werden würde, gemeinsam Namen ausgedacht …

»Der Stein hat den Felix gestern noch gefragt, ob Daniela ihn betrogen hätte«, sagte sie nach einer Schweigepause. »Der Felix war natürlich außer sich, kannst dir vorstellen.«

Ruth sah erschrocken auf. »Hast du von Daniela und Toni …?«

»Nein, natürlich nicht, was denkst du denn? Obwohl ich ehrlich gesagt am liebsten gar nichts davon wüsste. So kommt's mir vor, als würde ich ihn anlügen.«

Ruth nickte stumm.

»Danielas Thema damals war zuerst Schneewittchen, erinnerst du dich? Ich sollte den Entwurf für die Einladungen dazu machen.«

»Natürlich weiß ich das noch, und ich weiß auch, worauf du hinauswillst. Sie hat es sich dann halt anders überlegt.«

»War Platin und Rosen dein Vorschlag?«

»Habe ich ihr vorgeschlagen, Felix zu heiraten?«

»Du warst ihre Hochzeitsplanerin, und du wärst ihre Brautjungfer gewesen.«

»Selbst wenn. Es war Danielas Idee, und zwar nachdem die Mutter von Felix ihr das Collier gezeigt hatte.«

Das zu hören versetzte Valentina einen weiteren Stich ins Herz. Felix' Mutter hatte Daniela sehr gemocht. Sie war die Tochter, die sie nie bekommen hatte. Valentina gegenüber verhielt sie sich freundlich, aber distanziert, und Valentina wurde den Eindruck nicht los, für sie nur die zweite Wahl zu sein. Das Collier jedenfalls hätte sie ihr niemals gezeigt. Das hatte Felix übernommen.

Ruth sah sie an. »Wollen wir das jetzt nicht einfach mal ruhen lassen?« Es klang versöhnlich. »Es wird eh dauern, bis ihr den neuen Termin habt. Und bis dahin können wir das Thema noch immer ändern. Wir können sogar alles ändern, bis auf den Bräutigam, was meinst?«

Sie reichte Valentina einen Ausdruck und fuhr fort: »Schau, die Location will ich heute besuchen. Magst mitkommen? Gerhard hat mich drauf aufmerksam gemacht, er kennt die Besitzer. Die hätten offenbar Interesse an einer Zusammenarbeit mit uns, sagt er. Es ist zwar ziemlich abgelegen, soll aber sehr romantisch sein. Und sie haben eine hervorragende Küche.«

Für Valentina war Ruths Vorschlag, sie zu begleiten, ein Friedensangebot. Sie warf einen Blick auf den Ausdruck. Es zeigte ein von rosafarbenen und weißen Kletterrosen umranktes altes Haus mit einer riesigen Holzveranda. Die Gaststube war geschmackvoll und hell eingerichtet und ebenfalls sehr geräumig.

»In der Gegend dort haben wir eh noch nichts, was wir anbieten können. Also was sagst, kommst mit? Jetzt gleich? Na komm. Außerdem bist du einfach die bessere Verhandlerin, falls wir mit den Wirtsleuten ins Gespräch kommen.«

Was stimmte. Ruth überschlug sich gern vor Begeisterung, während Valentina einen kühlen Kopf bewahrte und sich auf die Fakten konzentrierte.

»Wo liegt das genau?«

»Irgendwo hinter Wiener Neudorf. Die Adresse steht auf einem Zettel im Auto. Das Haus ist an die 200 Jahre alt. Und wenn es dir gefällt, vergessen wir Schönbrunn, und ihr heiratet dort«, schlug Ruth vor.

»Mal schauen«, sagte Valentina. Noch hatte sie mit Schönbrunn und seinem Prunk und Pomp nicht abgeschlossen und war nicht sicher, ob sie sich mit einem uralten Gasthaus irgendwo in der Pampa anfreunden könnte.

»Fahren wir mit der Limousine? Der Wachdienst, du weißt schon, Felix will nicht, dass ich etwas unternehme ohne ...«

»Du bist nicht allein, ich bin ja bei dir«, unterbrach Ruth sie. »Und es ist besser, wenn wir meinen Wagen nehmen. Gerhard sagt, dass zuletzt nur noch Forst- und Waldwege zum Gasthaus führen, also nicht gut für die Limousine. Du sagst Felix am besten gar nichts, es dauert ja alles nicht lange. Wir fahren die 15, 16 Kilometer raus, besichtigen den Laden, essen eine Kleinigkeit, um die Küche schon mal zu testen, und fahren wieder heim. Das wird nicht länger als drei Stunden dauern, schätze ich.«

»Ist gut, ich überleg's mir. Gib mir zehn Minuten.«

Ruth ging zu ihr hin und umarmte sie.

»Bald ist das alles vorbei«, sagte sie tröstend. »Sie werden den Toni stellen, ganz sicher.«

Damit verließ sie Valentinas Büro.

Im selben Moment verkündete die Nachrichtensprecherin im Radio, dass am Morgen eine weitere Leiche in Schönbrunn gefunden worden war.

29

DER OBELISKBRUNNEN

Sarah, David und Chris hatten noch bis halb vier in der Küche gesessen, waren dann alle noch einmal schlafen gegangen und erst um neun wieder aufgestanden.

»Ich muss nachher noch kurz bei mir vorbei, ich brauche ein frisches Hemd«, war Davids einziger Kommentar, nachdem er einen Blick in Sarahs Schrank geworfen hatte. Ein paar seiner Kleidungsstücke hatte er bei ihr deponiert, so wie sie einiges bei ihm.

Sarah stopfte rasch eine Waschmaschine voll, schrieb Chris eine Nachricht, er möge die Wäsche bitte ausräumen und aufhängen, bevor er gegen Mittag gehen würde, und legte den Zettel neben die Kaffeemaschine.

Während David Tee und Kaffee aufbrühte, fütterte Sarah Marie, säuberte das Katzenklo und brachte schnell den Müll hinunter. Dann leerte sie ihre Tasse Tee in einem Zug und machte sich fürs Büro fertig.

Trotz ihrer Unausgeschlafenheit bemühte sie sich um gute Laune, schließlich lag es an ihr, dass die Nacht so kurz gewesen war. Auf der Ottakringer Straße geriet der Verkehr ins Stocken.

Ein Lieferwagen war in zweiter Spur einfach stehengeblieben und behinderte die Straßenbahn an der Weiterfahrt. Dahinter bildete sich bereits eine meterlange Kolonne. Autofahrer hupten und schimpften unhörbar hinter den Windschutzscheiben. Als der Fahrer des Kleinlasters endlich wieder zurückkam, ließ Sarah das Beifahrerfenster herunter. Sie wussten beide, was jetzt kommen würde, und amüsierten sich jedes Mal köstlich, wenn zumindest ein »Goldenes Wiener Herz« seinem Ärger lautstark Luft machte. Darauf konnte man sich in dieser Stadt wenigstens verlassen: »Wappler. Gfrastsackl. Schwindlicha, und jetzt schau dass d' weiterkommst.« Der Fahrer stieg in seinen Lieferwagen, ohne mit der Wimper zu zucken.

Sarah schloss das Fenster lachend, und sie fuhren weiter.

Als sie in die Gentzgasse einbogen, fiel ihr Blick auf einen Blumenladen, aus dem jemand herauskam. Er hielt einen großen Strauß rote Rosen in der Hand, der Sarahs Aufmerksamkeit erregte. Erst auf den zweiten Blick erkannte sie, wer das war, und erschrak.

»Schau mal David, schnell! Da rechts, der Blumenladen!«

David drosselte die Geschwindigkeit und blickte nach rechts.

»Ich sehe keinen Blumenladen.«

»Zu spät, wir sind schon vorbei. Aber da ist gerade der Dorfinger mit einem Strauß Rosen rausgekommen!«

Sie zeigte über ihre Schulter hinweg in die Richtung.

David warf einen Blick in den Rückspiegel. »Wer?«

»Dieser Fotograf von der Agentur, Gerhard Dorfinger«.

»Und jetzt denkst du, er könnte dein Rosenkavalier sein?«

»Wäre doch möglich?«

»Soll ich wenden?«, fragte David.

»Nein, auf keinen Fall. Er muss nicht wissen, dass ich ihn gesehen habe.« Sarah drehte sich noch einmal um, doch Dorfinger war nirgends mehr zu sehen.

Was, wenn der hinter der ganzen Sache steckte? Aber konnte das wirklich sein, oder ging ihre Fantasie jetzt mit ihr durch? Am liebsten wäre sie ausgestiegen und direkt zu Dorfinger hingegangen, um ihn zur Rede zu stellen. Er hatte behauptet, die Meier nicht gekannt zu haben. Was wenn doch? Vielleicht war er vor fünf Jahren auch auf dem Fest ... Seit etwa zwei Monaten arbeitete er für die Agentur, wenn sie sich richtig erinnerte. Ob er das nur tat, um sein nächstes Opfer, nämlich Valentina Macek, besser fokussieren zu können? Aber aus welchem Grund?

Sarah kramte das Handy aus ihrer Umhängetasche.

»Was hast du vor?«

»Ich schicke Stein eine SMS.«

David grinste. »Na, der wird sich freuen, gleich so oft hintereinander von dir zu hören.«

Sarah knuffte ihm mit der Faust leicht in die Seite. »Und ob sich der freut!«

Sarah hatte ihm noch in der Nacht ihre neuesten Erkenntnisse gemailt mit der abschließenden Warnung, dass heute möglicherweise etwas passieren würde. Daraufhin waren David und Chris zugleich in schallendes Gelächter ausgebrochen und hatten geunkt, dass Stein vermutlich sofort Notarzt und Krankenwagen bereitstellen ließ, um Sarah am Morgen auf direktem Wege in die Psychiatrie einzuweisen.

Doch Stein hatte am Morgen lediglich geantwortet: »Danke, melde mich später. M. S.«

Die Empfangsdame im Foyer der Redaktion hatte sie schon erwartet. Sie hielt den Telefonhörer in der Hand und winkte ihnen zu. In dem Moment öffnete sich die Tür des Aufzugs, und eine Kollegin aus der Kulturabteilung kam heraus.

»Bis später«, sagte David, »sorry, aber ich muss dringend nach oben, bin eh schon spät dran.« Er beeilte sich, den Aufzug noch zu erwischen, bevor die Tür sich wieder schloss.

Sarah ging an die Empfangstheke.

»Ich wollte gerade nachschauen, ob Sie schon im Haus sind«, erklärte die Dame ihr und legte den Hörer wieder auf. »Es ist noch einmal ein Strauß für Sie geliefert worden.« Mit diesen Worten hievte sie die Blumen über die Theke, und Sarah nahm sie entgegen. Sie wusste sofort, dass es wie gehabt 108 waren. Diesmal fiel ihr auf, dass die Rottöne der Blüten zwar minimale, aber dennoch feine Unterschiede aufwiesen. Stein hatte also recht gehabt: Der Kerl kaufte in verschiedenen Geschäften ein, um nirgends aufzufallen.

»Kamen die wieder mit dem Fahrradkurier?«, fragte Sarah.

»Nein. Diesmal mit einem Taxi.«

Aha, jetzt wechselte er also auch den Botendienst.

»Taxi?«, wiederholte sie erfreut. »Welches Unternehmen?«

Die Empfangsdame schrieb Sarah die Nummer auf einen Zettel und steckte diesen zwischen die Rosen.

»Danke!« Sarah wandte sich um und ging Richtung Treppenaufgang.

Auf dem Weg zu ihrem Büro kam Patricia Franz ihr entgegen. Sie schien es zwar eilig zu haben, schenkte

Sarah aber trotzdem ein breites Lächeln mit einem Seitenblick auf die Rosen. »Schon die neuesten Pressemeldungen gelesen?«

»Nein, wieso?«

»Anton Neuberg ist tot«, rief sie noch, während sie schon den nächsten Treppenabsatz stürmte.

Sarah war wie vom Donner gerührt. Sie fuhr herum und beugte sich über das Geländer. »Was ist passiert?«, brüllte sie ihrer Kollegin nach, doch die war schon weg.

Sarah eilte in ihr Büro. Während sie die Blumen auf ihrem Schreibtisch ablegte, hörte sie das Handysignal, das eine SMS ankündigte. Sie war von Gabi und lautete: »Anton Neuberg ist tot.«

Sarah las die Karte, die zwischen den Rosen befestigt war: »Ihre größte Herausforderung, Jacob.«

»Das hast du wohl recht«, murmelte sie. »Aber ich komm dir auf die Schliche, verlass dich drauf.«

Den Zettel mit der Rufnummer des Taxiunternehmens ließ sie noch im Strauß stecken. Sie wollte zuallererst einmal die Pressemeldung der Polizei lesen.

Als sie ihren Computer hochfuhr, wurde die Bürotür aufgerissen, und Conny kam hereinspaziert. Sie trug einen Sommerhosenanzug, der gut zu einer Blumenwiese gepasst hätte. Sissi japste hinterdrein.

»Hast du's schon gehört?«

»Ja. Ich wollte gerade die Meldung lesen.«

Conny legte ihr einen Ausdruck auf den Tisch. »Ist vor einer halben Stunde gekommen.«

»Heute Morgen um acht Uhr wurde in Schönbrunn die Leiche des 34-jährigen Anton N. aus Wien Erdberg von einer Spaziergängerin gefunden.« Unaufgeregt und äußerst knapp.

»Soweit wir inzwischen wissen, saß er auf der Parkbank beim Obeliskbrunnen mit einem Messer im Rücken«, berichtete Conny.

Einer der Eckpunkte des Pentagramms und das Sujet meiner nächsten Kolumne!, schoss es Sarah durch den Kopf. Sie stockte. Von dieser Kolumne hatte sie Gerhard Dorfinger beim Kaffee in Schönbrunn erzählt. Ein merkwürdiger Zufall?

Conny angelte nach der Grußkarte im Blumenstrauß. »Schon der dritte. Der Typ ist offensichtlich ernsthaft an dir interessiert, und hartnäckig ist er auch. Scheinst ihn beeindruckt zu haben.« Das Quäntchen Anerkennung in ihrer Stimme war unüberhörbar.

»Der dritte«, wiederholte Sarah nachdenklich, weil ihr das nicht bewusst gewesen war. »Okay, ich denke, das war der letzte Strauß.«

»Warum denn das?«

»Weil es der dritte war.« Sarah tippte mit dem Zeigefinger auf ihren Artikel über die Pestsäule am Graben, der noch an der Wand befestigt war. »Die Drei. Es ist vollkommen.«

»Na schön«, sagte Conny wenig überzeugt. »Lass uns noch einmal drüber reden, nachdem der vierte Strauß geliefert wurde.«

»Wetten dass?«

»Wetten was?«

»Wetten, dass dies der letzte war?«, sagte Sarah und streckte Conny die Hand entgegen. »Um eine Flasche Sekt im *Panorama*.«

»Da schau her, unsere Sarah, eine Zockerin!«

»Aber nur wenn ich weiß, dass ich hundertprozentig gewinne.«

Conny schlug ein. »Darfst eh mittrinken«, sagte sie und zog auch den Zettel mit der Taxinummer aus dem Bukett. »Der Bote?«

»Genau.« Sarah nahm ihr das Stück Papier aus der Hand, griff zum Telefon und rief die Zentrale an. Sie erfuhr, dass die Blumen diesmal von einer Frau am Taxistand Westbahnhof aufgegeben worden waren. Ob der Fahrer sich an das Aussehen der Frau erinnern könnte? Ja, lange dunkle Haare und mittelgroß, und nein, eine Rechnung hatte sie nicht gewünscht.

»Der Kerl ist einfach schlau«, sagte Sarah, nachdem sie aufgelegt hatte. »Was denkst du, warum wurde der Neuberg umgebracht?«

»Stein wird's rauskriegen und es uns wissen lassen.« Connys Ton ließ keinen Zweifel daran, dass sie sich zu keiner Spekulation über das Mordmotiv hinreißen lassen würde.

Sarah suchte nach Anton Neubergs Adresse im elektronischen Telefonbuch und schrieb sie auf ihren Block. Dann nahm sie einen Fotoapparat aus der Schublade und steckte ihn und den Block in ihre Umhängetasche.

»Was hast du jetzt vor?«

»Ich fahre nach Erdberg und höre mich bei Toni Neubergs Nachbarn ein wenig um.«

»Du sollst doch nicht allein ...«

»Unser Hauptverdächtiger sitzt mit einem Messer im Rücken in Schönbrunn«, fuhr Sarah dazwischen. »Aber wenn du willst, komm doch mit und pass auf mich auf.«

»Keine Zeit. Ich hab in ein paar Minuten einen Interviewtermin.«

»Gut, dann frage ich Gabi. Davids Kalender ist nämlich voller Hemd- und Krawattentermine, soweit ich weiß.«

Gabi war sofort Feuer und Flamme, Sarah zu begleiten. David zeigte sich zwar nicht besonders begeistert, konnte aber auch keine stichhaltigen Argumente dagegen vorbringen, weil Sarah zu Recht betonte, der Hauptverdächtige sei schließlich tot.

»Aber bitte sag Stepan vorher Bescheid, dass du in der Sache recherchierst«, gab er ihr mit auf den Weg.

Sie und Gabi gingen also hinunter in die Chronik-Redaktion.

»Wenn du brauchbare Aussagen von den Leuten bekommst, soll Patricia die gleich als Zitate in ihren Bericht einbauen«, ordnete er an.

Sarah missfiel es, ausgerechnet Patricia Franz zuzuarbeiten, dennoch nickte sie.

»Ausgenommen natürlich, du findest etwas, was eine eigene Geschichte wert ist«, ergänzte er.

Das gefiel ihr schon besser.

Anton Neubergs Wohnung befand sich in einem langgezogenen Gebäude mit drei Eingängen, einem dezent rosafarbenen Außenanstrich und weißen Fenstern. Dummerweise hatte sich Sarah nur die Hausnummer notiert, keine Stiegen- oder Türnummer. Deswegen mussten sie sämtliche Namen auf den Klingelschildern durchgehen.

»Kann ich helfen?«, hörten sie jemanden fragen. Hinter ihnen stand ein Mann mittleren Alters, der sie ein wenig misstrauisch musterte.

»Ja, das wäre nett. Wir suchen den Herrn Neuberg.

Anton Neuberg«, sagte Sarah in der Hoffnung, dass sich die Nachricht von seinem Tod hier noch nicht herumgesprochen hatte.

»Neuberg?«, wiederholte der Mann.

Sarah beschrieb sein Aussehen, so weit sie das aufgrund der paar Fotos, die sie gesehen hatte, konnte.

»Das muss dann der Künstler sein.«

»Künstler? Also, er arbeitet in der Werbebranche, falls Sie das mit Künstler meinen.«

»Keine Ahnung, was der arbeitet. Jedenfalls lungert er tagsüber oft hier in der Gegend herum. Und wer einer ordentlichen Arbeit nachgeht, hat dazu keine Zeit. Vielleicht ist er auch arbeitslos. Was wollen S' denn von dem?«

»Meine Kollegin und ich haben einen Termin mit ihm«, log Sarah, und Gabi nickte bestätigend. »Ich habe blöderweise vergessen mir aufzuschreiben, auf welcher Stiege er wohnt.«

»Der, den ich meine, wohnt auf der Zweierstiege«, antwortete der Mann, schloss die Tür auf und verschwand im Haus.

Sarah und Gabi gingen zum mittleren Eingang des Gebäudekomplexes.

»Wie kommen wir eigentlich ins Haus?«, fragte Gabi. »Beim Neuberg zu läuten wird nicht viel bringen.«

»Drauf hoffen, dass jemand kommt und aufsperrt, so wie jetzt gerade«, meinte Sarah schulterzuckend.

»Schön. Und was machen wir, wenn wir drinnen sind?«

Sarah bedachte ihre Freundin mit einem langen Blick. Zugegeben, der Plan wies Lücken auf. »Gib dem Zufall eine Chance.«

Und prompt wurde die Tür von innen geöffnet. Eine jüngere Frau mit kurzem blondem Haar kam heraus. Sie musterte Gabi und Sarah ebenso misstrauisch wie schon zuvor der Mann.

»Zu wem wollen S' denn?«

»Zu Herrn Anton Neuberg«, antwortete Sarah.

»Was wollen S' denn von dem?«

Bingo. Die Frau hatte keine Sekunde überlegen müssen, wer Anton Neuberg war. Also kannte sie ihn.

Sarah fragte sich, ob sie gleich mit der Wahrheit herausrücken sollte. Dass Neuberg tot war, hatte sich hier eindeutig noch nicht herumgesprochen. Aber die Journaille würde nicht lange auf sich warten lassen, deshalb entschied Sarah sich für die Wahrheit. Sie durften keine Zeit verlieren.

Sarah stellte sich und Gabi als Journalistinnen des *Wiener Boten* vor und fragte die Frau gleich im Anschluss, ob sie schon vom Tod Anton Neubergs gehört habe.

Die Frau starrte sie erschrocken an, dann wurde sie kreidebleich und hielt sich eine Hand vor den Mund. »Jessas, Maria und Josef!«, rief sie aus. »Der Toni ist tot?«

Sarah befürchtete schon, sie könnte umkippen, und auch Gabi machte eine spontane Bewegung, als wollte sie sie stützen. War wahrscheinlich doch nicht so geschickt, mit der Tür ins Haus zu fallen. Doch dann schien die Frau sich wieder zu fangen. Tränen standen in ihren Augen.

»Ich hab schon a ungutes Gefühl gehabt, als auf einmal die Polizei da war und in seine Wohnung ist. Zu mir haben's gesagt, es wäre alles in Ordnung, und ich soll mich net aufregen. A Blödsinn! Im Fernsehen haben's sogar a Suchmeldung bracht. Die glauben eh, wir san alle deppert.« Jetzt weinte sie. »Was ist denn dem Toni passiert?«

»Die Polizei ermittelt noch«, wich Sarah der Frage aus.

»Ist er umgebracht worden?«, vermutete die Nachbarin vollkommen richtig.

»Das könnte sein.«

»Wo haben's ihn denn gefunden?«

»In Schönbrunn.«

»Jessas na!« Wieder hielt sich die Frau entsetzt eine Hand vor den Mund. »Das ist ja arg. Erst die Leiche dieser Frau, und jetzt der Toni! Kannst dich ja heute nimmer auf die Straße trauen, bei dem ganzen Gsindel, das sich überall herumtreibt. Erst neulich ...«

»Hat Herr Neuberg Ihnen zufällig mal erzählt, dass er die Frau kannte, die man in Schönbrunn gefunden hat?«, fragte Sarah rasch dazwischen.

»Nichts hat er g'sagt. Gar nichts. Derweil war er so gut gelaunt, als ich ihn do no gesehen hab.« Sie wirkte ehrlich betroffen.

»Wann haben Sie ihn denn zuletzt gesehen?«, fragte Sarah.

»Na vor etwa fünf Tagen. Oder warten S'. Lassen S' mich kurz nachdenken. Welchen Tag haben wir heute?

»Mittwoch.«

»Donnerstag. Es war letzten Donnerstag. Zu Mittag. Eine Woche ist das schon wieder her, a Wahnsinn, wie die Zeit vergeht. Ich weiß es deswegen so genau, weil ich doch gerade das mit der Toten in Schönbrunn im Radio gehört habe, und kurz drauf hab ich den Toni getroffen. Der hatte natürlich auch schon davon gehört gehabt. Die soll wie's Schneewittchen dagelegen haben, haben's im Radio g'sagt.«

»Warum war er denn so gut gelaunt?«, versuchte Sarah, auf das Thema zurückzukommen.

»Ich hab das Rumpelstilzchen in Schönbrunn gesehen. Das hat er gesagt, und dann hat er gelacht.«

»Das verstehe ich nicht. Haben Sie es verstanden?«

»Na, ich hab mich eh gewundert, weil das ja gar nichts miteinander zu tun hat. Deshalb hab ich nachg'fragt, was er damit meint. Und er hat g'sagt, er hat gesehen, dass das Rumpelstilzchen einen Rollstuhl geschoben hat. Da hab ich mir dacht, er pflanzt mich, und ich hab nicht mehr weitergefragt.«

Neuberg hatte also denjenigen gesehen, der die Meier im Rollstuhl zum Fundort transportiert hatte, somit den mutmaßlichen Mörder. Er kannte ihn also. Ob er ihn damit erpressen wollte und das mit dem Leben bezahlt hatte?

»Was schauen S' denn so ernst?«, riss die Stimme der Frau Sarah aus ihren Gedanken. »Alles in Ordnung?«

»Ja, ja. Alles in Ordnung. Ich denke nur nach. Was hat Ihnen der Herr Neuberg denn noch so erzählt? Vielleicht auch mal etwas Privates?«

Die Nachbarin sah Sarah ein wenig irritiert an. »Na. Der hat von Haus aus nicht viel geredet«, antwortete sie dann, »und erzählt hat er schon gar nichts. Ich wusste nur, dass er was mit Werbung arbeitet. Aber er wohnt ja nicht mal a Jahr in unserem Haus.«

»Wissen Sie zufällig, wo er vorher gewohnt hat?«

Die Frau zuckte mit den Achseln.

»Hatte er öfter Besuch?«

»Manchmal. Aber …« Sie sah sich um, als wollte sie sichergehen, dass niemand zuhörte. »Zuerst haben wir ja schon gedacht, dass er, na Sie wissen schon, vom anderen Ufer ist, weil immer nur Männer kamen. Aber ich sag' Ihnen, der war ned schwul, glauben S' einer erfahrenen Frau.«

»Ich glaube Ihnen«, sagte Sarah. Sie hatte alle Mühe, ernst zu bleiben. Gabi sah zu Boden, offenbar musste auch sie einen Lachanfall unterdrücken.

»Manchmal haben nämlich auch Damen bei ihm übernachtet«, fuhr die Frau fort. »Aber die Männer waren alles Saufkumpanen, wenn S' mich fragen.«

»Stimmt es, dass Herr Neuberg ein Alkoholproblem hatte?«

Die Nachbarin seufzte. »Ob er ein Problem hatte, kann ich nicht sagen. Er kam halt oft betrunken heim. Ich hab ihn manchmal gehört und aufgesperrt, wenn er nimmer konnte. Sogar bis ins Bett hab ich ihn manchmal gebracht.« Ihre Miene dazu war irgendetwas zwischen frivol, sehnsüchtig und traurig, eine schräge Mischung jedenfalls. Dann schien ihr plötzlich wieder einzufallen, dass sie es hier mit Leuten von der Presse zu tun hatte. Sie verabschiedete sich, »Tut mir leid, ich muss leider weiter, bin eh schon viel zu spät dran«, und eilte von dannen.

»Was hältst du davon?«, fragte Gabi.

»So allmählich habe ich das Gefühl, mich in einem absurden Theaterstück zu befinden, bei dem die halbe Märchenwelt auf der Bühne steht. Schneewittchen, Rumpelstilzchen …«

»Das ist jetzt aber nicht die halbe Märchenwelt.

Die Gebrüder Grimm haben schon noch einiges mehr geschrieben«, widersprach Gabi.

Sarahs Miene hellte sich plötzlich auf. »Was hast du gerade gesagt?«

»Dass die Gebrüder Grimm noch einiges mehr geschrieben haben. Ich meinte Märchen«, wiederholte Gabi.

»Ja klar. Du hast recht!«

»Natürlich hab ich recht!«

»Jacob! Warum bin ich da nicht schon früher drauf gekommen?«

Gabi runzelte die Stirn. »Deine Gedankensprünge sind manchmal echt mühsam, weißt du das, eh? Wen oder was meinst du jetzt mit Jacob?«

»Der Rosenkavalier! Der unterschreibt doch immer mit Jacob.«

»So weit kann ich dir noch folgen.«

»Jacob Grimm. Verstehst du? Die Gebrüder Grimm hießen Jacob und Wilhelm mit Vornamen. Der Kerl benutzt den Namen des älteren Bruders. Langsam ergibt das alles einen Sinn.«

»Sorry, aber das sehe ich leider nicht so. Oder weißt du etwa, in welchem von Grimms Märchen eine Prinzessin 108 Rosen erhält?«

»Nein, weiß ich nicht«, sagte Sarah. »Ich glaube, das kommt in keinem vor.«

»Siehst du?«, triumphierte Gabi. »Gar nichts ergibt einen Sinn. Und was machen wir nun?«

»Jetzt fahren wir Blumen kaufen.«

30

DAS GASTHAUS

Valentina unterdrückte den Impuls, Felix sofort anzurufen. Sie wartete, bis sie Ruths Zimmertür ins Schloss fallen hörte.

Dann holte sie tief Luft und zwang sich, in Ruhe nachzudenken. Ruth nicht zu dem Gasthaus zu begleiten käme dem Bruch einer Tradition gleich. Sie begutachteten neue Locations immer gemeinsam. Aber sie wollte nicht mitfahren, ohne Felix darüber unterrichtet zu haben. Sie wollte weder lügen noch einen weiteren Streit provozieren, deshalb rief sie ihn an.

Felix war nicht sehr angetan von der Idee, doch schließlich gab er nach, nicht ohne ihr das Versprechen abgerungen zu haben, ihm halbstündlich eine SMS zu schicken oder anzurufen. Sie willigte ein.

»Ich bin ja nicht allein unterwegs«, sagte sie noch einmal, »ich bin mit Ruth zusammen.«

»Das ist auch der einzige Grund, warum ich dich fahren lasse.«

Vorsicht gut und schön, hätte Valentina am liebsten gesagt, aber meinen Job musst du mich schon machen lassen.

»Habt ihr inzwischen darüber gesprochen, mit der Agentur ins Hotel zu übersiedeln?«

Himmel, das hatte sie völlig vergessen. »Nein, noch nicht, es hat sich noch nicht ergeben.«

Augenblicklich bekam sie ein schlechtes Gewissen. Felix machte sich Sorgen um sie und hatte einen konstruktiven Vorschlag – und sie brachte nicht den Mut auf, ihm zu sagen, dass sie dort bleiben wollte, wo sie waren. Sie brauchte und wollte dieses kleine Stück Freiheit. Die Agentur war ihre Welt.

»Aber ich habe mit ihr darüber gesprochen«, sagte er da.

»Wie bitte? Wann denn das?«

»Als ich das letzte Mal mit Ruth telefoniert habe.«

»Warum hast du mir das denn nicht erzählt?«

»Es ist schon beschlossen. Ich habe alles veranlasst, und ihr könnt sofort einziehen. Die Aussendung an eure Kundschaft geht dann parallel raus.«

Valentinas schlechtes Gewissen schlug in Wut um.

»Wie konntet ihr das alles einfach hinter meinem Rücken beschließen? Was fällt euch denn ein?«

»Ich habe es so entschieden, weil es das Beste ist, Valentina. Ruth wollte noch mit dir sprechen. Aber anscheinend redet ihr zurzeit nicht viel miteinander. Deshalb mein Vorschlag: Ihr fahrt jetzt zu dem Gasthof und kommt danach direkt ins Hotel. Dann reden wir zu dritt. Einverstanden?«

Valentina bebte innerlich vor Zorn. »Du scheinst zu glauben, meine Arbeit sei eine Art Hobby, das man nebenbei auch zu Hause ausüben kann.«

»Du willst das jetzt nicht am Telefon mit mir besprechen, oder?«

Sie schwieg.

»Einverstanden?«, wiederholte er.

Valentina gab sich einen Ruck. »Gut. Wir werden gegen eins da sein.«

Sie legte ohne ein weiteres Wort auf. Auf ihre Lebenszeichen im Halbstundentakt konnte er lange warten!

Auf dem Weg zum Parkplatz sprach Valentina Ruth auf die ganze Sache an. Sie teilte ihr mit, dass Felix sie diesbezüglich nachher beide im Hotel treffen wollte, und fragte Ruth, warum sie ihr nichts von dem Gespräch mit Felix erzählt hatte.

»Weil du nichts gesagt hast. Ich dachte, du willst dir die Sache erst in Ruhe überlegen, bevor du mit mir sprichst. Vielleicht hast du ja auch dieselben Bedenken wie ich.«

»Welche Bedenken hast du?«

»Ich fürchte, dass wir unsere nicht ganz so betuchten Kunden abschrecken, wenn unsere Agentur auf einmal in einem Fünfsternehotel residiert.«

»Das sehe ich genauso«, stimmte Valentina erleichtert zu. Auf diese Idee war sie zwar noch nicht gekommen, doch Ruths Befürchtung war berechtigt. Damit ließe sich jedenfalls gegen einen Umzug argumentieren.

Sie stiegen in Ruths Renault ein. Ruth nahm einen Zettel aus dem Handschuhfach. »Hinter Wiener Neudorf ist großzügig formuliert«, sagte sie, während sie die Adresse in ihr Navi eingab. »Das ist ja fast schon Baden. Aber gut, so viel weiter ist es auch wieder nicht.«

»Da sind wir aber schon länger unterwegs als geplant«, meinte Valentina.

Ruth legte ihre Hand auf Valentinas Unterarm. »Keine Sorge. Wir werden pünktlich bei Felix im Hotel sein.«

Sie fuhren los.

Eine Weile schwiegen sie und hingen beide ihren Gedanken nach.

Dann beschloss Valentina, Ruth ganz offen nach Gerhard zu fragen.

»Was läuft da eigentlich zwischen euch?«

»Was meinst du?«, fragte Ruth.

Valentina gestand, die beiden in Ruths Büro gesehen zu haben.

»Warum bist du denn nicht hereingekommen?«

»Einfach so reinplatzen wollte ich nicht, es hätte euch peinlich sein können«, sagte Valentina.

»Peinlich?« Ruth lachte. »Geh, was soll uns da peinlich sein? Ja, wir schlafen ab und zu miteinander, wenn's passt. Aber mehr ist da nicht.«

Valentina sah sie von der Seite an.

Ruth blinzelte. »Glaub mir, ich hab dazugelernt. Aber ein bisserl Spaß darf sein.«

»Kannst du Sex und Gefühle wirklich voneinander trennen? Also, ich könnte das nicht.«

»Oh ja, das kann ich inzwischen«, sagte Ruth.

Valentina fragte sich, ob sie ihr das abnehmen sollte.

Kurz vor Baden führte das Navi sie nach Pfaffstätten.

»Bist du sicher, dass wir hier richtig sind?«, fragte Valentina.

Laut Navi lagen noch drei Kilometer Fahrt vor ihnen. Schließlich bog Ruth in einen Forstweg ein, der sonst wahrscheinlich nur von den Weinbauern der Gegend benutzt wurde. Staub wirbelte auf.

Valentina sah hinaus. »Hast schon recht gehabt, gut, dass wir nicht mit der Limousine gefahren sind. Aber ich frage mich, wie nicht ortskundige Hochzeitsgäste hierherfinden sollen.«

»Es haben doch jetzt alle Navis«, meinte Ruth.

»Ich nicht«, erwiderte Valentina. Ihr Wagen stand seit Wochen in der Hotelgarage und wartete darauf, abgemeldet zu werden.

»Echt?«, fragte Ruth überrascht. »Wie kommst du denn ohne Navi zurecht?«

»Ich schau mir vorher die Strecke genau auf der Karte an.«

Ruth schüttelte erstaunt den Kopf.

Sie ließen die Weingärten hinter sich und bogen in den angrenzenden Wald ein.

»Es macht mich nervös, wenn mir eine Stimme den Weg ansagt«, meinte Valentina. »Ich kann mich dann nicht konzentrieren. Musik im Auto entspannt mich, aber wenn eine Stimme ansagt, man solle in 250 Metern links abbiegen, denke ich die ganze Zeit darüber nach, wann die 250 Meter um sind. Ich mag das nicht.«

»Also für Leute wie dich könnten wir ja einen Shuttleservice von Wien aus anbieten.«

»Das wird aber einiges kosten.«

»Das müssten wir mal durchrechnen. Wir könnten aber auch die Strecke durch die Pampa so schmücken, dass man den Weg ganz leicht findet, was hältst du denn davon? Wäre das nicht romantisch?«

Das war typisch für sie. Während Valentina die Organisation und damit verbundene Kosten im Blick hatte, dekorierte Ruth schon die Location.

»Brotsamen für Hänsel und Gretel streuen«, meinte Valentina, und da mussten sie beide herzhaft lachen.

In ihr Gelächter hinein verkündete das Navi: »Sie sind an Ihrem Ziel angekommen.«

Sie standen vor einer Mauer, die mit wildem Wein überwachsen war.

Im Schritttempo fuhren sie weiter durch die Einfahrt und auf den Hof zu. Er war noch schöner als auf dem Foto. Die Kletterrosen an den Außenfassaden bildeten bereits Knospen, in wenigen Wochen würden sie blühen. Die Veranda vor dem Haus erinnerte Valentina an die Villa Kunterbunt, nur dass hier anscheinend niemand daheim war. »Schaut aus, als hätten die heute Ruhetag«, sagte sie.

»Dass die einen Ruhetag haben könnten, auf die Idee bin ich gar nicht gekommen. Wir können es uns wenigstens anschauen, wenn wir schon mal da sind. Es schaut schon schön aus, finde ich«, sagte Ruth.

Sie parkte direkt vor dem Haus, dem einzigen Platz, der dafür geeignet zu sein schien.

»Vielleicht ist es sogar von Vorteil, wenn die Wirtsleute bei unserer Erstbesichtigung nicht dabei sind. Dann können wir sofort offen darüber reden, was uns nicht gefällt«, meinte Ruth und öffnete die Wagentür.

»Wenn du meinst«, sagte Valentina und stieg auch aus. »Die Veranda sehen wir aber auch von hier aus, und wir werden wohl kaum reingehen können.«

Doch Ruth hörte ihr gar nicht mehr zu, sie war schon fast an dem Gebäude angekommen. Valentina seufzte laut und lief ihr nach.

»Schau!«, rief Ruth auf einmal aus. »Die haben tatsächlich vergessen zuzusperren!«

Jetzt sah Valentina auch, dass die Haustür tatsächlich einen Spaltbreit offen stand. Ruth legte ihre Hand auf die Türklinke, doch Valentina zog sie erschrocken am Ärmel zurück.

»Wir können doch da jetzt nicht einfach so reingehen!«

»Warum denn nicht? Was soll schon passieren?«

»Das ist mindestens Hausfriedensbruch!«

»Aber geh! Und wenn schon. Wer sollte uns denn hier anzeigen?« Sie tat, als suchte sie die Umgebung nach anderen Menschen ab. »Jetzt komm halt! Lass dich doch mal auf ein Abenteuer ein, na los!«

Valentina rang noch mit sich, während Ruth einfach in das Haus hineinging. Valentina sah sich auf der Veranda um und stellte fest, dass die Tische und Bänke fehlten, die auf dem Foto zu sehen waren. Wahrscheinlich wurden sie an Ruhetagen weggeräumt. Sie stieß einen Seufzer aus, fasste sich ein Herz und folgte Ruth ins Haus.

Die stand mit ihrem Kennerblick bereits mitten im Raum.

Valentina sah sich verdattert um. Rein gar nichts ließ hier den Schluss zu, dass es sich um einen Gasthof handelte, ganz im Gegenteil. Das war ziemlich eindeutig ein Wohnhaus.

»Lass uns wieder gehen, Ruth. Wir sind hier falsch. Du kannst ja im Auto dann Gerhard noch mal anrufen.«

»Okay, du hast recht«, sagte Ruth. »Irgendetwas stimmt hier nicht. Lass uns abhauen.«

Valentina drehte sich auf dem Absatz um. Das Letzte, was sie sah, bevor ihr schwarz vor Augen wurde, war eine Lampe, deren Glühbirne längst ausgewechselt gehörte.

31

IM BLUMENLAND

Eine liebliche Gong-Melodie ertönte, als Sarah und Gabi die Tür zum Blumengeschäft öffneten. Sie wunderten sich beide, dass ihnen der Laden nie zuvor aufgefallen war, obwohl er in der Gumpendorferstraße beim Esterhazypark und somit nur einen Katzensprung von der Redaktion entfernt war.

Sie tauchten in ein Meer aus Grünpflanzen und Blumen in allen möglichen Farben ein. Es duftete betörend. Eva Weber kam sofort herbeigeeilt, und als sie Sarah wiedererkannte, strahlte sie übers ganze Gesicht.

»Das ist aber eine nette Überraschung!«

Sarah stellte Gabi und Eva Weber einander vor. Die beiden schüttelten sich die Hand. Sarah fiel auf, dass Evas weites hellgraues T-Shirt mit einem Pentagramm in Blumenmustern bedruckt war.

»Ich brauche ein schönes Bukett, und da dachte ich sofort an dich. Kurios, dass ich noch nie hier war, obwohl wir praktisch Nachbarinnen sind. Der *Wiener Bote* ist ja gleich hier ums Eck.«

»Aber sehr gerne! Es ist ja nie zu spät«, sagte Eva Weber, noch immer strahlend. »Was hast du dir denn ungefähr vorgestellt?«

»Hm, also auf jeden Fall von den schönen Frühlingsblühern welche. Und vielleicht auch mit ein paar Rosen dazwischen?«

»Kein Problem. Wie viel willst auslegen?«

»So um 30 Euro tät's passen.«

Eva Weber zog routiniert einzelne Blumen aus verschiedenen Vasen und stellte ein harmonisches Ensemble her, das sie zu einem losen Strauß band. Sarah sah ihr fasziniert zu, und es schien fast, als würde die Floristin mit ihren Blumen verschmelzen.

»Hast du's schon gehört?«, fragte sie da und senkte die Stimme, ohne ihre Tätigkeit zu unterbrechen. »Den Toni Neuberg haben s' heute Morgen tot in Schönbrunn gefunden. Du weißt schon, den Ex von der Ruth.« Sie hielt Sarah den Strauß entgegen. »Magst auch ein bissl Schleierkraut dazu?«

Sarah nickte. »Wir waren gerade in dem Haus, wo der Neuberg gewohnt hat, und haben uns dort ein bissl umgesehen.«

»Und?«, fragte Eva Weber.

»Na ja, die Nachbarin, mit der wir gesprochen haben, war ganz erschüttert, als wir ihr gesagt haben, dass er tot ist. Es hatte sich dort also bis vorhin noch nicht herumgesprochen.« Sie bewunderte den Strauß, der fast fertig war. Das Schleierkraut verlieh ihm eine festliche Note. »Sag, weißt du, wen der Neuberg mit Rumpelstilzchen meinen könnte? Seiner Nachbarin hat er nämlich erzählt, er hätte Rumpelstilzchen in Schönbrunn gesehen.«

Eva Weber kicherte. »Also weißt, das kann praktisch jeder sein. Der Toni hat das über jeden gesagt, der sich über irgendwas maßlos aufregte. Dann sagte er hinterher halt über den: ›Ich habe das Rumpelstilzchen gesehen.‹« Sie hielt den Strauß ein wenig von sich weg und begutachtete ihn. »Aber das ist schon arg, erst die

Daniela und jetzt der Toni. Also man soll zwar nichts Schlechtes über einen sagen, der tot ist, aber nachweinen tu ich dem nicht. Was der mit der Ruth aufgeführt hat, war schon garstig. Der hat sie ja damals nach Strich und Faden betrogen, und wir haben sie beschworen, den Scheißkerl rauszuwerfen. Hat halt gedauert, bis sie es endlich geschafft hat, von ihm loszukommen.« Sie warf einen letzten prüfenden Blick auf das Blumengebinde. »Aber so einen Tod hat keiner verdient, auch der Toni nicht. Gefällt er dir?« Sie hielt Sarah den Strauß hin.

»Er ist wunderschön. Oder nein, besser, er ist märchenhaft!«, antwortete Sarah und lächelte. Gabi steckte ihre Nase vorsichtig zwischen die Blüten und sog den Duft ein.

»Weißt du, ob der Toni etwas mit Märchen am Hut hatte?«

»Mit Märchen? Wegen dem Rumpelstilzchen meinst? Nein, das kann ich mir nicht vorstellen. Ich weiß noch, wie der sich lustig gemacht hat über Daniela und ihre Schneewittchen-Manie. Sie hatte das ja zuerst als Motto für ihre Hochzeit vorgesehen.«

»Zuerst? Warum hat sie es denn dann geändert?«, mischte sich Gabi in das Gespräch ein.

»Die hat ihre Meinung ja andauernd geändert, ich hab irgendwann gar nicht mehr nachgefragt, warum. Heute so und morgen so und übermorgen wieder anders, mir war's wurscht. Aber da hatte es irgendwas mit einem Collier der Schwiegermutter in spe zu tun, und zu dem hätte das Motto nicht gepasst, so etwas hat die Ruth damals erzählt. Aber wart einmal«, sie unterbrach sich und überlegte kurz, während Sarah und

Gabi gespannt aufhorchten. »Da fällt mir doch etwas ein. Die Ruth hatte vor Jahren für eine Hochzeit so ein Spiel vorbereitet. Die hat ja immer originelle Ideen und erfindet ganz tolle Partyspiele für die Hochzeitsgesellschaften. Weißt«, und sie sah Gabi an, »die Gäste müssen ja beschäftigt werden, sonst wird denen fad, aber nicht mit so abgedroschenem Schmarrn wie Regentanz oder …«

»Worum ging es denn in dem Spiel damals?«, fragte Sarah dazwischen.

»Na also da haben wir vorher die Namen von allen Gästen auf Zettel geschrieben, und die Zettel wurden in zwei Körbe verteilt, je nachdem ob sie zum Anhang der Braut oder des Bräutigams gehörten. Jedenfalls so weit das möglich war. Dann mussten die Leute der einen Partie Namenszettel der anderen ziehen und einander suchen oder herausfinden, wer zu dem Namen gehörte. Da sind sie dann alle miteinander ins Gespräch gekommen, obwohl sie sich ja überhaupt nicht kannten. Die einen waren aus Norddeutschland irgendwo und die anderen aus der Südsteiermark. Und der Toni, der damals die Hochzeitsfotos gemacht hat, nannte das Spiel Rumpelstilzchen, weil es ja ums Namenraten ging. Vielleicht hat er ja jetzt wen vom Festl damals in Schönbrunn wiedergetroffen.«

»Vielleicht«, wiederholte Sarah nachdenklich. Sie kramte nach ihrem Portemonnaie, um die Blumen zu bezahlen. »Dein T-Shirt gefällt mir«, sagte sie zu Eva, »aber als Logo hast du das nicht, oder?«

»Nein, nein. Das hat die Irene mir zum Geburtstag geschenkt, sie hat es selber entworfen. Sie glaubt ja auch an Symbole und Zeichen, wie Valentina und

Ruth. Drum hat der Toni ihr vor Jahren vorgeschlagen, das Pentakel als Firmenlogo zu nehmen, passend zum Thema.«

»Das war seine Idee?«

»Ja. Man kann über ihn sagen, was man will, aber Ideen hat er gute gehabt. Hat sich halt leider irgendwann komplett versoffen. Er war's ja auch, der Daniela entdeckt hat, und nicht die Ruth, wie's jetzt immer alle behaupten. Er hat Ruth erst auf sie aufmerksam gemacht. Das war dann der Anfang von Danielas Karriere …«

»So«, meinte Sarah, als sie wieder draußen waren, »jetzt gehen wir in die Redaktion zurück, und ich schreibe etwas über Schneewittchen und Rumpelstilzchen für die morgige Ausgabe.« Sie grinste und hielt Gabi den Strauß entgegen. »Hier, für dich!«

In ihrem Büro angekommen rief Sarah zuerst Stein an, der auch sofort abhob.

»Ich hätte Sie schon noch zurückgerufen. Es ist wegen dem Strauß und Ihrer Theorie dazu, oder?«, fragte er.

»Nein, deswegen ruf ich gar nicht an. Dass heute etwas passiert, hat sich mit dem Mord an Anton Neuberg ja eh schon bestätigt.«

»Sie werden noch auf dem Scheiterhaufen enden.«

Sarah musste lachen. »Der Rosenstrauß ist inzwischen auch schon bei mir angekommen.« Sie berichtete ihm kurz von dem Gespräch mit Neubergs Nachbarin. »Wenn Sie noch mal in seine Wohnung gehen, schauen Sie, ob Sie irgendetwas finden, das mit Märchen oder Märchenfiguren zu tun hat. Vielleicht finden Sie ja raus, wen er mit Rumpelstilzchen gemeint hat.

Irgendjemand der besonders klein ist und besonders cholerisch vielleicht.«

»Sie meinen also, wir sollen nach einem cholerischen Zwerg suchen, verstehe ich Sie richtig?«

Sarah ignorierte seinen spöttischen Unterton. »Vielleicht meinte er auch nicht die Körpergröße, sondern eher eine geistige Haltung oder nur einen aufbrausenden Charakter.«

»Na schön, ich werde also ein Auge auf Rumpelstilzchen haben.«

Nachdem sie aufgelegt hatte, meldete Sarah sich bei Stepan zurück, der sie bat, direkt in die Chronik-Redaktion zu kommen. »Patricia ist auch wieder zurück vom Tatort, dann können wir gleich die Beiträge durchsprechen.«

Es duftete nach Kaffee, als Sarah die Chronik-Redaktion betrat. Patricia bediente eine Kaffeemühle und brühte anschließend die frisch gemahlenen Bohnen in einem Kaffeezubereiter aus Glas auf.

»Der Weg zum Kaffeeautomaten ist uns zu weit. Außerdem schmeckt er so viel besser«, erklärte Stepan und gab ein Zeichen, ihm in sein Büro zu folgen. Patricia Franz stellte Tassen und Kaffee auf ein Tablett und ließ Sarah den Vortritt. Nachdem sic sich hingesetzt hatten, teilte Stepan ihnen mit, dass der Chef vom Dienst sich zu ihrem Meeting gesellen wollte.

In dem Moment kam Herbert Kunz auch schon herein und nahm Platz.

»Was macht Schönbrunn?«, richtete er unumwunden seine erste Frage an Patricia Franz. Die schenkte allen Kaffee ein und reichte die Tassen herum.

»Ja, also der Pressesprecher vom BK hat noch vor Ort bestätigt, dass Anton Neuberg das Opfer eines Messerattentats wurde. Ein Suizid kann definitiv ausgeschlossen werden, denn das Messer steckte ja in seinem Rücken. Kampfspuren gibt es nicht. Neuberg saß beim Obeliskbrunnen auf einer Parkbank. Möglich ist, dass sein Mörder sich über die Rustenallee durch den Wald zwischen Römischer Ruine und Brunnen von hinten an ihn herangepirscht und ihm dann das Messer in den Rücken gerammt hat. Danach konnte der Täter unbemerkt verschwinden, Augenzeugen gibt's bislang jedenfalls keine.«

»Die Polizei denkt ja hoffentlich nicht, dass der Neuberg ein Zufallsopfer ist, oder?«, fragte Sarah.

»Nein«, antwortete Patricia. »Sie gehen schon davon aus, dass es hier einen Zusammenhang mit dem Fall Meier gibt, aber bezüglich eines Motivs tappen sie völlig im Dunkeln. Jetzt wollen sie zum x-ten Mal das nähere Umfeld der beiden Opfer befragen. Aber wisst ihr, was echt grotesk ist? Der Neuberg hielt ein Strumpfband in der Hand.«

Sarah horchte auf. »Untersuchen sie das jetzt wenigstens sofort auf DNA-Spuren?«

Patricia Franz zuckte mit den Achseln. »Das weiß ich jetzt leider nicht genau, aber vermutlich ja. Sie lassen uns jedenfalls noch heute ein Foto von dem Strumpfband zukommen, damit wir's veröffentlichen. Vielleicht erkennt es ja jemand.«

Sarah griff nach ihrem Handy und sagte: »Ich schicke Stein sofort eine SMS, sie sollen der Bucher das Strumpfband zeigen. Die kann nämlich sofort sagen, ob es eines von der Meier ist.«

»Sarah, kannst du bitte noch einmal zusammenfassen, was wir über Anton Neuberg wissen?«, sagte Stepan.

»Kommt aus der Werbebranche, arbeitete als freiberuflicher Texter«, antwortete Sarah, »und war mit Ruth Neuberg verheiratet. Vor seiner Scheidung von ihr war er auch gut befreundet mit der Meier und dem Beermann. Scheint ein Alkoholproblem gehabt zu haben, zumindest hat er wohl recht viel gesoffen.«

»Wir brauchen einen Aufmacher, der die anderen toppt«, meinte Herbert Kunz.

»Märchenhaftes Schönbrunn, so könnte meine Überschrift lauten«, sagte Sarah. Damit stellte sie unmissverständlich klar, dass sie ihre Rechercheergebnisse nicht an Patricia Franz weiterzureichen gedachte.

Sie fasste die neuesten Informationen zusammen, die sie von seiner Nachbarin und von der Floristin bekommen hatte.

»Gibt das genug her?«, fragte Stepan.

Sarah zögerte. »Tja. Aus dieser Sache mit den Koordinaten jedenfalls, die mit schwarzem Textmarker auf den Bauch der Meier geschrieben worden waren, ließe sich schon was machen, denn die führten dann ja tatsächlich zu dem Neuberg. Und jetzt ist er tot. Wenn du willst? Die Story hätt ich fast fertig, ich würde sie nur noch um ein paar neuere Infos ergänzen.«

»Wann hast du sie denn geschrieben?«, fragte der Chef vom Dienst überrascht.

»Immer mal so zwischendurch.« Mehr sagte sie nicht dazu. Dass es ihr ein Bedürfnis gewesen war, sich das beklemmende Gefühl von der Seele zu schreiben, das der unbekannte Verehrer verursacht hatte – darüber würde sie hier und jetzt ganz sicher nicht sprechen.

»Gut«, sagte Stepan dann und entließ Patricia Franz aus dem Meeting, damit diese sich wieder an die Arbeit machen konnte. »Dich würde ich gerne noch unter vier Augen sprechen«, wandte er sich an Sarah, die sich ebenfalls erhoben hatte, um zu gehen.

»Brauchst du mich dabei?«, fragte Herbert Kunz.

Stepan schüttelte den Kopf.

Was ging hier vor? Sarah nahm instinktiv eine kerzengerade Haltung ein. »Was gibt's?«, fragte sie möglichst gelassen, als sie und der Ressortchef alleine waren.

Stepan räusperte sich und sah ihr offen ins Gesicht. »Du wolltest zwar nicht, dass ich mit David darüber spreche, aber ich gesteh, ich hab's trotzdem getan.«

»Worüber«, fragte sie, obwohl sie längst ahnte, worum es ging.

»Ich hätte dich gerne im Team, und das weißt du.«

»Und wie hat David reagiert?«

»Bist du nicht angefressen?«

»Nein, bin ich nicht.« Im Gegenteil. Sie freute sich über Stepans Beharrlichkeit, sie nun offiziell ins Chronik-Team holen zu wollen. Anfangs hatte sie sich etwas schwergetan mit ihm. Sie hatte ihn für eine faule Sau gehalten, für einen, der es sich am liebsten bequem machte und sich ja nicht zu sehr engagieren wollte. Er wiederum hatte ihr vermutlich unterstellt, dass sie ihren Posten nur besetzte, weil sie mit David zusammen war und der sie deshalb bevorzugt hatte. Doch dann hatte David Stepan überraschend zum Ressortchef befördert. Dies hatte ungeahnte Energien in Stepan freigesetzt, die erstmalig nach dem Neujahrsattentat auf dem Musikvereinsplatz zum Einsatz kamen. Stepan war ein exzellenter Journalist.

»David sagt, ich soll das mit dir besprechen, denn er kann die Entscheidung ja nicht für dich treffen.« Stepan lehnte sich in seinem Stuhl zurück und grinste. »Und sind wir doch einmal ehrlich, du bist ja eh schon Bestandteil der Chronik-Redaktion.«

Sarah machte eine Kopfbewegung in Richtung der Tür. »Ist denn eine Stelle frei, oder nehme ich Patricia damit den Platz weg?«

»Das ist das Los unseres Jobs, Sarah«, meinte Stepan ungerührt. »Wer die besseren Geschichten bringt, wird auf Dauer die Nase vorne haben. Auf dich würde im umgekehrten Fall ja auch niemand Rücksicht nehmen.« Stepan griff nach dem Stift, der vor ihm auf dem Tisch lag, und drehte ihn zwischen den Fingern hin und her. »Und unter uns, Patricia Franz mag eine gute Journalistin sein, aber in einem anderen Ressort. Mir fehlt der Biss in ihren Beiträgen. Sie hinterfragt einfach zu wenig, kümmert sich nur um den Stoff, der an uns herangetragen wird, und sucht nicht auf eigene Faust nach einer guten Story.«

Sarah nickte. Dass sie früher so ziemlich dasselbe über ihn gedacht hatte, behielt sie für sich.

»Sie würde gerne in die Kultur oder zum Lifestyle wechseln«, fuhr er fort, »und hat auch schon mit David gesprochen. Im Moment ist aber nichts frei, sie bleibt also in der Chronik. Sie will aber in erster Linie Innendienst schieben, das heißt Telefonrecherche, Hintergrundmaterial und so. Das brauchen wir eh auch.«

Darum also war es in der langen Unterredung hinter verschlossenen Türen gegangen! Wie hatte sie nur derartig misstrauisch sein können?

»Was wird dann aus meinen Beiträgen für die Wochenendbeilage?«

»Die sollen natürlich fortgesetzt werden. Das heißt für dich – na no na ned – mehr Arbeit, und …«

Sarah holte tief Luft. »Okay.«

Stepan grinste wieder.

»Aber lass mich vorher noch mit David reden.«

32

KEIN ENTKOMMEN

Hilfe! Hilfe, wo bin ich?« Valentina versuchte zu schreien, doch es kam nur ein Krächzen. Ihr Kopf schmerzte. Sie tastete dorthin, wo sie getroffen worden war. Dann rappelte sie sich hoch, sah Ruth vor einer Tür stehen, die Klinke ununterbrochen herunterdrückend, und erschrak.

Wo um Himmels willen waren sie? Es sah aus wie eine Wohnung, komplett ausgestattet. Ruth rüttelte jetzt verzweifelt an der Stahltür. Sie waren also eingesperrt. Ein schmales vergittertes Fenster am oberen Teil der Wand ließ darauf schließen, dass sie sich in einem Keller befanden. Valentina spürte Panik in sich aufsteigen und zwang sich sofort, ruhiger zu atmen.

Ruth ließ von der Stahltür ab und ließ sich auf den Boden sinken. »Also gut. Wir sitzen in einem Keller, das Haus über uns ist leer und steht mitten im Niemandsland. So schaut's aus.«

Das Handy! Valentina suchte nach ihrer Handtasche, fand sie jedoch nicht.

»Meine ist auch weg«, sagte Ruth.

»Also keine Handys«, sagte Valentina tonlos und versuchte, den nächsten Panikanflug abzustoppen. Sie konzentrierte sich auf einen niedrigen rosafarbenen Tisch, auf dem ein Stapel Modezeitschriften lag.

Was um alles in der Welt hatte das hier zu bedeuten?

Der Tisch stand vor einem Sofa. Auf dem Sofa lag ein Zierkissen. Valentina ging hin und nahm das Kissen in die Hand. Die Oberseite war mit dem Motiv eines kleinen Mädchens und eines weißen Kaninchens, das eine Taschenuhr hielt, bestickt. »Ruth, schau mal, das ist doch Alice im Wunderland«, sagte sie.

»Willkommen im Märchen!«, rief Ruth aus.

Valentina warf das Kissen zurück aufs Sofa.

Ruth fasste sie am Ärmel, zog sie hinter sich her in eine Küche und öffnete die Kühlschranktür.

»Verhungern lässt er uns schon mal nicht«, sagte sie, und es sollte zuversichtlich klingen. Sie räumte Wurst, Käse und Mineralwasser heraus und stellte alles auf den kleinen Esstisch in der Mitte. »Wir müssen etwas essen, damit wir bei Kräften bleiben«, sagte sie entschlossen.

Valentina wunderte sich, dass Ruth noch immer die Fassung nicht zu verlieren schien. Normalerweise war sie der besonnenere Part, wenn Ruth in Stresssituationen die Nerven verlor.

»Glaubst du auch, dass Daniela hier war?« Endlich brachte Valentina diese Frage über ihre Lippen, deren Antwort sie mehr als alles andere fürchtete.

Ruth fuhr fort, den Tisch zu decken. Sie fand Teller, Tassen und Besteck in einer Anrichte, alles im Aschenputtel-Design inklusive Zwerge als Salz- und Pfefferstreuer. Es sah aus, als würde sie einen Kindergeburtstag vorbereiten.

»Ja«, antwortete sie schließlich, »ich glaube auch, dass Daniela hier war.« Dann setzte sie sich an den Tisch und begann zu essen.

»Lass uns nachdenken, wie wir hier wieder rauskommen, Valentina.«

Valentina setzte sich ebenfalls an den Tisch, obwohl sie nicht den geringsten Hunger verspürte. Aber wahrscheinlich hatte Ruth recht. Wenn sie jetzt schon aufgaben, hätten sie erst recht keine Chance, dieses Loch jemals lebendig wieder zu verlassen.

»Immerhin sind wir zu zweit«, sagte sie, um sich selber Mut zu machen.

»Was meinst du?«

»Wenn er kommt, versuchen wir, ihn zu überlisten. Eine lenkt ihn ab, und die andere flieht und holt Hilfe.«

»Hast du den Spalt unten in der Tür nicht gesehen? Ich wette, der schiebt uns das, was wir zum Überleben brauchen, da einfach durch. Der kommt hier sicher nicht rein.« Sie sah Valentina an. »Aber er hat Daniela keine Gewalt angetan, immerhin. Er hat sie fünf Jahre hier festgehalten, ist ab und zu vorbeigekommen und hat ihr Futter gebracht, als wäre sie ein Tier im Käfig, und das war's. Kein weiterer Kontakt. Und irgendwann, aus welchem Grund auch immer, ist er einfach nicht mehr gekommen.«

»Aber warum wir beide?«, fragte Valentina. »Warum nicht nur ich? Wenn es darum geht, dass Felix leiden soll, wäre doch auch diesmal nur seine Braut hier eingesperrt worden. Warum du, Ruth?«

»Ich weiß es nicht.«

Valentinas Schultern sackten nach unten. »Was sollen wir nur tun?«

Ruth reichte Valentina ein Käsebrot. »Essen!«

Valentina nahm das Brot und biss hinein.

»Mach dir deinen Feind zum Freund«, sagte Ruth, nachdem sie eine Weile schweigend gegessen hatten. »Wir müssen versuchen, sein Vertrauen zu gewinnen.

Vielleicht wird er dann nachlässig und öffnet irgendwann doch die Tür.«

Sie räumten den Tisch ab, stellten die Lebensmittel in den Kühlschrank und gingen zurück ins Wohnzimmer.

Auf einem alten Sideboard im Stil der Siebzigerjahre stand ein Fernseher.

»Ob der wohl funktioniert oder nur eine Attrappe ist?«, fragte Ruth und drückte auf die Fernbedienung. Das Bild kam sofort. »Na, wenn das kein Komfort ist!«, sagte sie und ließ sich auf dem Sofa nieder. Valentina setzte sich in einen der beiden Sessel gegenüber.

Eine Dokumentation war gerade zu Ende, es folgten die Nachrichten. Als Erstes brachte der ORF eine Meldung über den Fund einer männlichen Leiche in Schönbrunn. Ein Foto wurde eingeblendet.

»Oh Gott, das ist ja Toni!«, rief Valentina erschrocken aus.

»... und es handelt sich dabei um den 34-jährigen Anton Neuberg, der zuletzt von der Polizei gesucht wurde. Er stand unter Verdacht, etwas mit dem Mord an dem ehemaligen Model Daniela Meier zu tun zu haben ...«

»Und ich dachte, der steckt hinter alldem hier«, murmelte Ruth. Sie war käseweiß im Gesicht.

»Aber du hast die Adresse doch von Gerhard bekommen.«

»Schon. Aber irgendwie ... Also der Gerhard kennt den Toni anscheinend von früher, so ganz genau hab ich es nicht verstanden.«

»Was, wenn die unter einer Decke stecken und der Gerhard Tonis Handlanger ist? Dann hätte er jetzt keinen Grund mehr, uns hier festzuhalten. Wenn ihm niemand was nachweisen kann ...« Und wenn es nur ein

Fünkchen Hoffnung war – Valentina klammerte sich daran wie an einen Strohhalm.

»Der kann uns nicht einfach laufen lassen, Valentina, denk doch mal nach. Er hat uns hierhergelockt. Wenn wir das der Polizei sagen, haben die ihn doch sofort auf dem Schirm. Das Risiko kann er nicht eingehen.«

Valentina schlug die Hände vors Gesicht. »Was sollen wir denn bloß tun?«

Hätte sie doch nur auf Felix gehört. »Felix!«, rief sie plötzlich laut.

»Was ist denn mit Felix?«, fragte Ruth.

»Es laufen doch gerade die Nachrichten, also ist es jetzt eins.« Valentina holte tief Luft. »Wir waren um eins mit ihm im Hotel verabredet. Davon abgesehen wollte er, dass ich mich alle halbe Stunde bei ihm melde. Aber weder habe ich mich gemeldet noch sind wir jetzt dort. Ich bin sicher, dass er höchstens noch eine halbe Stunde wartet, bis er die Polizei anruft. Und dann werden sie sofort nach uns suchen.«

»Aber wie sollen die uns finden? Sie glauben ja, dass wir in der Nähe von Wiener Neudorf sind, aber in Wahrheit sind wir knapp vor Baden. Außerdem ist das hier so abgelegen, da kommt doch nie wer drauf.«

Die Wirtsleute, dachte Valentina verzweifelt, und im selben Moment fiel ihr wieder ein, dass das hier eine Falle war und es gar keine Wirtsleute gab. Warum hatte Gerhard sie hierhergelockt? Warum sperrte er sie ein? Was hatten sie ihm getan? Sie begann bitterlich zu weinen.

Ruth erhob sich aus dem Sofa, ging zu ihr und wollte sie umarmen, doch Valentina sprang auf und stürzte aus dem Zimmer in den Nebenraum, in dem ein breites Bett stand. Sie ließ sich der Länge nach hineinfallen und ließ ihren Tränen freien Lauf, bis sie nicht mehr konnte.

Dann setzte sie sich wieder auf, wischte mit dem Handrücken über ihre Wangen und sah sich in dem Zimmer um. An einer Wand prangte ein rosarotes Tattoo mit dem Spruch: »Spieglein, Spieglein an der Wand, wer ist die Schönste im ganzen Land?«

»Du krankes Arschloch«, murmelte Valentina. An der gegenüberliegenden Wand stand ein Kleiderschrank. Ob er etwa auch frische Wäsche für sie organisiert hatte? Sie stand auf, öffnete beide Schranktüren und stieß einen markerschütternden Schrei aus.

Augenblicklich kam Ruth ins Zimmer gestürzt. Valentina war leichenblass geworden. Sie zeigte kraftlos in den offenen Schrank.

»Mein Brautkleid«, stammelte sie, »da hängt mein Brautkleid.«

Wie war das möglich? Sie hatte den Kleidersack doch in ihrem Büro in der Garderobennische verstaut, wo niemand ihn sehen konnte, und es wusste doch auch niemand davon.

Ihre Hände begannen plötzlich zu zittern, und ihr wurde speiübel. Sie drängte sich an Ruth vorbei, rannte zum Klo und übergab sich. Dann wusch sie sich das Gesicht mit kaltem Wasser ab, spülte ihren Mund aus und hielt die Handgelenke unter den eisigen Wasserstrahl. Die Kälte senkte ihren Pulsschlag.

Sie atmete noch ein paar Mal tief ein und aus, bevor sie die Badezimmertür öffnete und hinausging.

Ruth erwartete sie mit einem Glas Wasser in der Hand, das sie ihr reichte. »Sag mal, bist du schwanger?«, fragte sie Valentina.

33

DIE SUCHE

Sagt, habt ihr die aktuelle Polizeimeldung nicht gelesen?« Conny Soe war hereingeplatzt und wedelte mit einem Stück Papier durch die Luft. »Wahrscheinlich nicht, sonst würdet ihr hier nicht so sitzen, als wärt ihr beim Heurigen.«

»Nein. Was ist denn passiert?«, fragte Stepan.

»Das nenne ich Eins-a-Chronik-Redaktion«, spottete Conny.

»Komm bitte auf den Punkt, wir sind hier mitten in einer Besprechung«, sagte der Ressortleiter genervt.

»Valentina Macek und Ruth Neuberg werden vermisst.«

Stepan sprang wie von der Tarantel gestochen auf und stürmte aus seinem Büro hinaus in den Redaktionsraum.

Sarah und Conny liefen hinter ihm her.

»Patricia!«, hörten sie ihn brüllen. »Was ist mit der Polizeimeldung? Warum erfahr ich das von Conny?«

Binnen Sekunden verwandelte sich die Redaktion des *Wiener Boten* in einen Bienenstock. Alles war in hellem Aufruhr über diese unglaubliche Nachricht, die alles andere in den Schatten stellte.

»Die Polizei hat die Vermisstenfahndung sofort eingeleitet und schon ein Großaufgebot mit Hubschraubern und Wärmebildkameras losgeschickt«, berichtete

Conny aufgeregt. »Seit einer halben Stunde sind sie dran. Eine Hundestaffel ist auch unterwegs. Die beiden Frauen sollen in der Umgebung von Wiener Neudorf unterwegs gewesen sein.«

»Conny, versuch den Beermann ans Telefon zu kriegen«, orderte Stepan. »Und Sarah, ruf Stein an. Der weiß sicher, was der Stand der Dinge ist. Wenn nicht, nerv die Pressestelle der Polizei so lange, bis sie was Konkretes rauslassen. Am besten schnapp dir Simon und fahrt der Polizei nach. Ich brauch Fotos!« Stepan war vollkommen aus dem Häuschen und überschlug sich mit Anweisungen. »Patricia, klemm dich hinters Telefon und mach Gott und die Welt verrückt. Versuch an so viele Informationen wie möglich zu kommen, egal was, von mir aus auch, wann die beiden zum letzten Mal auf dem Klo waren. Wenn was dabei ist, was Sarah draußen weiterhelfen kann, schick ihr eine SMS oder ruf sie an! Und Sarah, du gibst Patricia bitte regelmäßig den aktuellen Stand durch. Patricia schreibt die Story nach deinen Inputs.« Er sah hektisch auf die Uhr. »Es ist jetzt vier. Um fünf hab ich die ersten brauchbaren Geschichten auf dem Schreibtisch, ist das klar? Also los, an die Arbeit!«

Er hielt Sarah am Arm zurück. »Die Story mit den Koordinaten bringen wir übermorgen ganz groß, egal, wie das heute ausgeht. Schaffst du das?«

Sarah nickte. »Bleibt mir wohl nichts anderes übrig.«

Sie verabredete sich mit Simon in der Tiefgarage des Redaktionsgebäudes, wo die Firmenwagen mit dem Logo der Zeitung quer über ihren Türen parkten. Simon, wie immer in seinen Skaterklamotten, wartete bereits auf sie und klimperte mit dem Schlüssel des dunkelblauen Opels, Marke Adam.

»Magst du fahren?«, fragte er sie.

»Nein, fahr du! Ich muss unterwegs versuchen, Stein zu erwischen. Stepan will um fünf den ersten Bericht.«

Sie stiegen ein.

Sarah gab sofort Steins Kurzwahl ein, erreichte jedoch nur seine Mailbox.

»Hast du was rausgefunden?«, fragte sie den Fotografen, weil sie wusste, dass er gerne den Polizeifunk abhörte.

»Nur dass die Hubschrauber den Großraum Wiener Neudorf abfliegen.«

»Das ist nichts Neues. Wo genau ist denn das Ziel?«

»Das kennt die Polizei wahrscheinlich auch nicht.« Er fuhr auf den Margaretengürtel.

Sarah wählte noch einmal Steins Nummer. Wieder Fehlanzeige. Einer Intuition folgend rief sie bei Irene Bucher im Salon an. Die hob nach dem zweiten Läuten ab.

Sarah fragte sie ohne weitere Einleitung nach Valentina Maceks Brautkleid.

»Oh Gott!«, weinte Irene Bucher ins Telefon, »wie schrecklich …« Sie war völlig aufgelöst und konnte kaum weitersprechen. Es dauerte eine Weile, bis Sarah dem Gestammel schließlich entnahm, dass das Kleid sich in Valentinas Büro in der Agentur befand.

»Aber warum fragst du? Meinst du, er hat es gestohlen?« Sie begann wieder zu schluchzen und rief: »Um Gottes willen, er bringt sie um!«

Sarah versuchte, sie zu beruhigen. »Bestimmt hängt das Kleid noch dort. Es war nur eine Frage, weiter nichts, Irene.«

Doch Irene war noch immer außer sich. »Ich rufe Felix an, der muss sofort hinfahren und nachschauen, ob es noch dort ist. Nein, ich fahre auch hin und treffe mich dort mit ihm, das werde ich machen!«

»Ja, mach das«, sagte Sarah, obwohl sie keineswegs das Gefühl hatte, dass das eine gute Idee war.

Über ihnen kreiste ein Hubschrauber.

Im Gemeindeamt von Wiener Neudorf war eine provisorische Pressestelle von der Polizei eingerichtet worden. Simon schoss sofort ein paar Fotos. Dann beschloss er, nebenan im Supermarkt Mineralwasser und Wurstsemmeln zu kaufen. »Wer weiß, wann wir wieder etwas zwischen die Zähne bekommen«, meinte er.

Sarah betrat den umfunktionierten Pressesaal. Lediglich eine Handvoll Journalisten trieb sich hier herum, die meisten warteten offenbar in den eigenen Redaktionen auf Neuigkeiten. Sie sah sich um.

»Was gibt's Neues?«, fragte Sarah schließlich die Journalistin eines Konkurrenzblattes, die soeben in Windeseile auf ihren Laptop eintippte.

Die Kollegin schüttelte den Kopf. »Ach, nichts. Wenn du mich fragst, die haben keinen Plan, wo sie nach den beiden suchen sollen.«

Ein Polizist in Uniform kam herein. Er wirkte unscheinbar und wäre Sarah unter anderen Umständen gar nicht aufgefallen.

»Das Sprachrohr«, raunte die Kollegin ihr zu.

Er stellte sich als Polizeisprecher vor und vermeldete, die Suche sei bisher leider erfolglos.

»Aber warum sucht die Polizei dann überhaupt hier?«, fragte ein älterer Journalist.

»Weil Frau Macek ihrem Lebensgefährten am Telefon mitgeteilt hat, mit Frau Neuberg hierherfahren zu wollen. In Wien wird in diesen Minuten ein Mann vernommen, der mit den beiden Vermissten in einer engen Geschäftsbeziehung steht. Einer Zeugenaussage zufolge soll er ihnen nahegelegt haben, in Wiener Neudorf ein Gasthaus für zukünftige Hochzeitsfeiern zu besichtigen. Leider ist bis jetzt unklar, ob die beiden Frauen tatsächlich in Wiener Neudorf angekommen sind. Möglich ist, dass sie bereits in Wien auf dem Weg zu ihrem Auto oder aber dann auf dem Weg hierher entführt wurden.«

»Hat man das Auto gefunden?« »Wird der Mann verdächtigt, der Täter zu sein?« »Können Sie uns den Namen des Mannes nennen?«, prasselten nun die Fragen auf den Polizeisprecher ein.

»Nein, das Auto, mit dem die beiden Frauen unterwegs waren, wurde noch nicht gefunden. Der Mann wird als Zeuge befragt, und seinen Namen können wir zum jetzigen Zeitpunkt nicht preisgeben. Zurzeit werden alle Gastronomen der Region kontaktiert, denn wir wissen nicht, welches Lokal von den beiden Frauen angesteuert werden sollte. Wir wissen weiterhin nicht, ob sie vorher mit dem Wirt Kontakt aufgenommen haben.«

»Aber Sie vernehmen gerade jemanden, der ihnen das Lokal empfohlen hat!«, sagte Sarah.

»Mit etwas Glück wissen wir in einer halben Stunde mehr«, beendete der Polizeisprecher seine Ansage, ohne auf Sarahs Einwurf einzugehen. Er dankte für die Aufmerksamkeit und verschwand ebenso unspektakulär wie er gekommen war.

Sarah war felsenfest davon überzeugt, dass sie in Wien entweder Gerhard Dorfinger oder Josef Volland verhörten. Sie ging nach draußen, suchte in den Untiefen ihrer Tasche nach der Visitenkarte des Fotografen und rief ihn an. Die Mailbox antwortete umgehend. Sie rief Patricia an, bat um die Nummer der Konditorei Voland, und während Patricia danach suchte, setzte Sarah sie in Kenntnis über die letzten Neuigkeiten.

Sofort danach rief sie in der Konditorei an. Eine Frauenstimme meldete sich, und Sarah fragte nach dem Chef, der sofort an den Apparat kam.

»Weißt du schon mehr als wir?«, fragte er sie nach einer kurzen Begrüßung. »Die Polizei lässt uns hier am langen Arm verhungern. Katrin und ich wurden zwar befragt, aber man will uns einfach nichts sagen.«

»Sie vernehmen da gerade jemanden. Was glaubst, könnte das der Gerhard sein?«

»Ich weiß es nicht. Felix sagt, die zwei wollten sich ein besonderes Gasthaus anschauen, ein Tipp von Gerhard. Um eins wollten sie zurück sein, aber sie kamen nicht an. Da hat der Felix dann den Gerhard angerufen, aber der wusste von nichts.«

Wenn das mal so stimmt, dachte Sarah, und laut sagte sie: »Also vorher hat Beermann noch mit Valentina Macek gesprochen?«

»Ja, sie dürften um zehn Uhr rum noch telefoniert haben.«

Damit war jedenfalls definitiv auszuschließen, dass Neuberg etwas damit zu tun hatte, denn um die Zeit war er bereits tot.

»Wir treffen uns jetzt alle bei Felix oben«, sagte Voland. »Sagst du uns Bescheid, wenn du was Neues hörst?«

»Das mache ich«, antwortete Sarah. »Versprochen.«

»Was auch immer es ist«, fügte er leiser hinzu.

Sarah zögerte einen Moment. »Ist gut«, sagte sie dann.

Simon kam auf sie zu. »Hier«, sagte er und drückte ihr eine Flasche Mineralwasser und ein eingepacktes Etwas in die Hand. »Ich hoffe, du magst Pikantwurst mit Gurkerl in deiner Semmel.«

Sarah nickte. Ihr Handy läutete. Sie stellte die Wasserflasche ab, ließ die Wurstsemmel in ihre Tasche fallen und hob ab.

»Das Kleid ist weg!«

Es war Irene, deren Stimme sich fast überschlug.

»Irene! Beruhige dich, du …«

»Hörst du nicht, was ich sage? Das Kleid hängt nicht mehr dort. Felix und ich waren in der Agentur und haben nachgeschaut. Es ist einfach weg!«

»Und wo ist Felix Beermann jetzt?«

»Wir sind schon zurück im Hotel, er spricht mit der Polizei. Wo bist du?«

»In Wiener Neudorf. Es gibt hier eine Pressestelle, die uns Journalisten auf dem Laufenden hält.«

Irene Bucher schnäuzte sich, und Sarah hörte sie ein paar Mal tief ein- und ausatmen. Dann sagte sie wieder etwas gefasster: »Felix vermutet, dass Valentina schwanger ist.«

»Vermutet?«

»Ja. Er hat einen Schwangerschaftstest im Bad gefunden. Positiv. Ob der Kerl sie freilässt, wenn er das erfährt? Bitte rufst du an, wenn du Neuigkeiten hast?«

»Ja, ja, das kann ich machen«, sagte Sarah und seufzte leise, »aber Felix Beermann wird sicher sofort von der Polizei informiert, wenn sich etwas tut.«

»Trotzdem. Bitte.«

»Ist gut. Versprochen.«

Sie legte auf, sah, dass es zehn vor fünf war. Zeit also, die Redaktion anzurufen und Patricia die letzten Infos durchzugeben, damit die den Artikel pünktlich abliefern konnte. Im selben Moment, als ihre Kollegin abhob, kam der Polizeisprecher auf Sarah zu. »Warte kurz, Patricia«, sagte Sarah. »Haben Sie etwas Neues?«

Der Polizist nickte. »Wir haben Ruth Neubergs Wagen gefunden.«

34

GESTÄNDNISSE I

Valentina fingerte nervös an der Fernbedienung herum. Um fünf kamen die nächsten Nachrichten, doch sie wollte den Fernseher nicht zu früh anstellen, weil sie das Nachmittagsprogramm mit all den Sendungen, die penetrant gute Laune verbreiteten, heute auf keinen Fall ertragen würde.

Ruth war schon anstrengend genug. Die Neuigkeit, dass Valentina schwanger war, versetzte sie trotz der widrigen Umstände offenbar in eine nicht enden wollende Euphorie. Als Erstes hatte sie einen eisgekühlten Sekt herbeigeholt, den sie im Kühlschrank entdeckt hatte, »um unseren ungeborenen neuen Erdenbürger zu feiern«, wie sie meinte. Sie trank bereits das dritte Glas, prostete Valentina ununterbrochen zu und geriet zunehmend in Plauderstimmung. Valentina hatte den Sekt dankend abgelehnt, zum einen wegen der Schwangerschaft, aber zum anderen war ihr auch gar nicht nach Feiern zumute.

»Betrunken lässt sich das alles leichter aushalten, glaub mir«, meinte Ruth, und Valentina gab ihr insgeheim recht. Doch sie blieb beim Mineralwasser.

Plötzlich glaubte Valentina, Geräusche gehört zu haben, als kämen Autos näher, und dann sogar Schritte und Stimmen. Sie sprang auf, stürzte zur Tür und hämmerte wie wild mit den Fäusten dagegen.

»Hallo, hallo! Hier sind wir! Hilfe! Hiiilfeee!«

»Was ist los?«, fragte Ruth, die sich in ihrem Vortrag über die frühkindliche Entwicklung gestört fühlte.

»Da draußen ist jemand«, rief Valentina, »sei doch mal still!«

Dann horchten sie beide angestrengt.

Totenstille.

»Dein Gehirn. Es spielt dir einen Streich. Da ist niemand«, sagte Ruth nach einer Weile und schenkte sich noch ein Glas Sekt ein. »Weiß Felix es eigentlich schon?«

Valentina schüttelte den Kopf, und gleichzeitig kamen auch schon die Tränen. Ruth stellte ihr Glas ab, kam um den Tisch herum und umarmte sie.

»Du wirst Mutter, Valentina! Ist das denn nicht wunderbar?«

Valentina befreite sich aus der Umarmung. »Wunderbar?«, rief sie verzweifelt aus. »Wunderbar? Verdammt noch mal, Ruth, wir sitzen hier in diesem Drecksloch fest. Wir werden beide umkommen und mein Kind mit uns. Und du findest das wunderbar?«

Da war es wieder, das Geräusch. Sie war sicher, dass sie sich nicht täuschte.

»Trotzdem ist das wunderbar«, erwiderte Ruth, die inzwischen schon ziemlich angesäuselt war. »In dir entsteht neues Leben. Spürst du schon etwas?«

»Außer dass ich mir immer wieder die Seele aus dem Leib kotzen muss, nichts.«

Sie lief, die Fernbedienung nach wie vor umklammert, in das Schlafzimmer, nahm ihr Hochzeitskleid aus dem Schrank und ging wieder zurück ins Wohnzimmer.

»Das hier«, sagte sie, und ihre Stimme zitterte, »das hier ist der Garant für meinen Tod. In diesem Kleid wird er mich aufbahren, höchstwahrscheinlich auch in Schönbrunn.« Mit einer theatralischen Geste hielt sie das Kleid in die Höhe.

»Valentina, das hier ist für uns beide der Horror«, sagte Ruth beschwichtigend. »Auch ich werde das nicht überleben, wenn uns nicht vorher jemand befreit. Nur dass er mich nicht im Brautkleid aufbahren wird. Keine Ahnung, was er mit mir vorhat, und ich werde es mit großer Wahrscheinlichkeit auch nie erfahren. Aber es bringt nichts, wenn wir uns jetzt gegenseitig fertigmachen.«

Valentina schwieg erschöpft. Sie fragte sich zum wiederholten Mal, wie Ruth in dieser Situation so gelassen sein konnte. Doch vielleicht würde genau diese Gelassenheit ihnen das Leben retten. Denn um Fluchtpläne schmieden zu können, mussten sie gelassen sein, da war Panik die denkbar schlechteste Ratgeberin.

Sie drückte auf den Einschaltknopf der Fernbedienung, und schon ertönte das Intro der »Zeit im Bild«. Die Suche nach Valentina und Ruth stand am Beginn des Meldungsblocks, und sie erfuhren, dass die Polizei um sachdienliche Hinweise aus der Bevölkerung bat.

»Siehst du, sie suchen nach uns«, sagte Ruth und setzte ein optimistisches Lächeln auf.

»Ja. Aber am falschen Ort«, erwiderte Valentina bitter. Sie warf das Kleid über den Sessel und ließ sich aufs Sofa fallen. Sie spürte, wie die Kraft aus ihrem Körper wich, langsam aber stetig, wie Luft aus einem lecken Schlauchboot. Ruth setzte sich neben sie. Valentina sah auf einmal Tränen in ihren Augen schimmern, ohne dass sie weinte. Dann starrten sie beide auf den Bildschirm. Hubschrauber kreisten über Wiener Neudorf. Danach wurden die Hundestaffeln eingeblendet. Es hieß, man habe Ruths Auto gefunden. Valentina beugte sich vor und fragte leise: »Wo?« Als hätte die ORF-Moderatorin sie gehört, sagte sie, er hätte in Baden bei Wien auf dem Privatparkplatz eines Blumenhändlers gestanden.

»Ein Blumenladen! Dass ich nicht lache!«, rief Ruth aus, und dann mussten sie plötzlich beide lachen.

»Die Polizei verhört zur Zeit einen Geschäftspartner der beiden Frauen«, hörten sie die Moderatorin sagen

Ruth und Valentina starrten einander erschrocken an.

»Ob es Gerhard ist?«, fragte Valentina. »Dann wären sie auf dem richtigen Weg. Felix weiß zum Glück, dass Gerhard dir das Gasthaus empfohlen hat. Gerhard wird zugeben, dass es nicht bei Wiener Neudorf, sondern bei Pfaffstätten ist.« Ein Funken Hoffnung kam zurück.

»Hast du's immer noch nicht kapiert, Valentina«, fuhr Ruth sie an. »Das hier ist kein Gasthaus! Wir sitzen in einem gottverlassenen Loch fest, wo uns niemand suchen wird. Und er wird todsicher den Mund halten, ich schwör's dir.«

»Wenn sie ihm nichts nachweisen können, dann müssen sie ihn gehen lassen. Dann wird er herkommen.«

»Und was wird er deiner Meinung nach dann tun? Sich mit uns auf einen Kaffee zusammensetzen und die Lage besprechen?«

»Vielleicht lässt er uns ja laufen, wenn er erfährt, dass ich schwanger bin. Könnte doch sein, dass er kinderlieb ist und dass er ein ungeborenes Kind nicht am

Leben hindern will, so wie T…« Sie schlug sich erschrocken die Hand vor den Mund. Niemals mehr hatte sie dieses Thema ansprechen wollen, Ruths Abtreibung vor fünfeinhalb Jahren. Es war ihr gerade einfach herausgerutscht. Sie wusste, dass sie damit in einer Wunde bohren würde, die niemals heilen würde. Ruth hatte sich jedes Mal sofort in sich zurückgezogen, wenn Valentina versucht hatte, mit ihr darüber zu reden.

Minutenlang herrschte absolute Stille. Die Nachrichten waren längst zu Ende, und die Welt außerhalb ihrer Gefängnismauern drehte sich weiter.

»Toni hat mich nicht zur Abtreibung gezwungen«, sagte Ruth plötzlich sehr leise.

Valentina sah sie überrascht an. »Nicht? Aber du hast damals gesagt, dass er das Kind auf keinen Fall wollte.«

»Es war nicht von Toni.«

»Nicht von Toni?«, wiederholte Valentina ungläubig.

Ruth schwieg.

»Hat er gewusst, dass er nicht der Vater ist?«

Ruth nickte stumm.

»Heißt das, du hast deshalb abgetrieben, und nicht, weil du Toni ohnehin verlassen wolltest?«

Ruth nickte wieder und tat so, als würde sie sich die Haare aus dem Gesicht streichen, um Valentina nicht direkt ansehen zu müssen.

Valentina rieb sich die Stirn. Sie war fassungslos. Wie konnte Ruth das Kind abtreiben, nur weil es von einem anderen Mann war? Sie konnte Frauen verstehen, die abtrieben, weil sie vergewaltigt worden waren. Oder weil sie für sich und das ungeborene Kind keine Perspektive sahen. Es gab viele triftige Gründe für Schwangerschaftsabbrüche. Aber Ruth?

»Warum hast du Toni denn nicht einfach verlassen und mit dem anderen ein neues Leben angefangen?«, fragte sie schließlich.

»Ach Valentina, manchmal bist du echt naiv. Liebesfilm mit Happy End und Sonnenuntergang am Meer? Träum weiter. Hör zu, es ging einfach nicht, und damit basta!«

Was lief hier ab? Valentina fühlte sich wie im falschen Film. Ruth hatte sie die ganzen Jahre in dem Glauben gelassen, Toni hätte sie zu der Abtreibung genötigt – und jetzt das?

»Wer war der Vater?«, fragte Valentina nun ganz direkt.

Ruth schluckte. Dann schüttelte sie den Kopf.

»Ich denke, jetzt ist die beste Gelegenheit dazu, offen zu sein, denn vermutlich leben wir nicht mehr lange, Ruth. Also, wer war der Vater? Jemand, den ich kenne?«

Ruth schwieg.

»Wer?«

»Felix.«

Endlich war es ausgesprochen.

Valentina hielt den Atem an. Die Fotos aus der Kiste in Felix' Abstellkammer. Ruth und Felix, Toni und Daniela … Sie hatte sich also nicht getäuscht. »Und dass du Daniela und Toni in flagranti in deinem Schlafzimmer erwischt hast, stimmte also gar nicht?«

»Doch, ich hab sie wirklich erwischt. Es war nicht gelogen. Das musst du mir glauben.«

Valentina war sprachlos.

»Es passierte hinter unserem Rücken. Verstehst du?«

»Nein, ich verstehe kein Wort.«

»Wenn Toni und Daniela miteinander schliefen, wussten Felix und ich davon, weil wir das vorher …« Sie sprach den Satz nicht zu Ende. Aber Valentina verstand auch so, was sie meinte. Sie hatten es vorher abgesprochen.

»Wir hatten einfach nur Spaß miteinander. Wirklich geliebt haben wir natürlich nur unsere Partner.«

»Natürlich«, wiederholte Valentina tonlos.

»Als ich Daniela und Toni in unserem Ehebett sah, wurde mir plötzlich klar, dass zwischen ihnen mehr lief als Sex. Mir wurde klar …« Sie schluckte. »Mir wurde klar, dass sie sich ineinander verliebt hatten. Verstehst du?«

»Noch immer nicht. Und das hast du Felix dann nicht erzählt? Das kann ich dir nicht glauben.«

»Doch, das kannst du mir glauben. Daniela und Toni haben mich inständig gebeten, das nicht zu tun, und hoch und heilig versprochen, dass es so nie wieder passieren würde. Die Hochzeit von Daniela und Felix stand unmittelbar bevor, und ich wollte das alles nicht gefährden. Wir waren doch so …« Sie stockte sekundenlang und sagte dann: »… gute Freunde.«

Valentina war wie vor den Kopf gestoßen. Ruth kam ihr vor wie eine Fremde.

»Und deshalb hast du abgetrieben«, sagte sie mit schwacher Stimme.

Ruth nickte. »Weder Toni noch Felix wussten, dass ich schwanger war. Ich wollte das Kind nicht, Valentina. Es wäre mir einfach im Weg gewesen.«

Valentina schloss die Augen.

Sie hatte geglaubt, Ruth zu kennen, sogar gut zu kennen. Auch wenn sie ihr manchmal auf die Nerven fiel, so hatte sie sie vor allem geschätzt und bewundert für ihre Kreativität und ihre Begeisterungsfähigkeit. Doch jetzt fühlte sie sich nur noch betrogen von ihr. Und auf einmal kroch eine böse Ahnung in ihr hoch.

»Schläfst du noch immer mit Felix?«, fragte sie Ruth.

35

DAS PRIVILEG

Sie haben die Suche auf den Raum Baden bei Wien erweitert«, teilte Simon Sarah mit. Er hörte den Polizeifunk ab.

»Weil sie Ruth Neubergs Wagen dort gefunden haben?«, fragte Sarah.

Simon schüttelte den Kopf.

In dem Moment rief Patricia an. »Die Polizei hat in Neubergs Wohnung anscheinend Fotos von einem Haus gefunden, das im Bezirk Baden liegt. So wie's ausschaut, bezieht die Polizei das Haus in die engere Suche mit ein.«

»Heißt das, sie glauben, die beiden Frauen sind in dem Haus?«

»Kann sein. Mehr wollte der Pressesprecher vom BK noch nicht sagen. Übrigens hab ich Stepan die Rohfassung des Artikels schon auf den Tisch gelegt. Er will noch zwei Stunden warten, und wenn sich bis dahin nichts weiter tut, gibt er ihn in Druck.«

»Na, das ist doch mal was! Danke, Patricia«, antwortete Sarah zufrieden. »Weiß man schon genauer, wo das Haus ist?«

»Irgendwo in der Einöde bei Pfaffstätten. Wart, ich simse dir die Daten.«

Sekunden später kam die SMS an.

»Komm, fahren wir«, sagte Sarah zu Simon.

Sie gab die Daten in ihr Navi ein, und eine weibliche

Stimme lotste sie in eine Gegend, die sie beide nicht kannten. In Pfaffstätten führte sie die Route über die L4010 vorbei an Weingärten in die Richtung einer Ortschaft namens Einöde.

»Da vorne ist eine Absperrung«, sagte Simon kurz vor Ortseingang.

Polizeifahrzeuge standen links und rechts einer Abzweigung, die laut Navi auf den Höllweg führte. Simon drosselte die Geschwindigkeit, und einer der Beamten trat mit einer Kelle in der Hand in die Mitte der Zufahrtsstraße. Simon bremste, und Sarah ließ das Beifahrerfenster herunter.

»Hier kommen Sie nicht durch. Fahren Sie zurück nach Pfaffstätten oder weiter nach Einöde«, forderte der Polizist sie auf.

»Ist hier in der Nähe das Haus, wo nach den vermissten Frauen gesucht wird?«, fragte Sarah, ohne mit einer Antwort zu rechnen.

Der Polizist schüttelte erwartungsgemäß den Kopf und wiederholte: »Fahren Sie weiter.«

»Okay«, sagte Sarah und ließ das Fenster wieder hoch.

Offenbar war die Information, dass man die Suche auf diese Region ausgeweitet hatte, noch nicht offiziell, denn sie schienen weit und breit die einzigen Journalisten zu sein.

Simon fuhr weiter Richtung Einöde, sie bogen wenige Meter weiter auf einen kleinen geschotterten Platz ein. Simon stellte den Motor ab.

Sarah öffnete das Handschuhfach, nahm eine Landkarte heraus und breitete sie über dem Armaturenbrett aus.

»Schau mal, so weit weg kann das Haus nicht sein, wenn die bereits hier eine Sperre einrichten.« Sie fuhr mit dem Finger den Höllweg nach. »Der Höllweg mündet in den Wienerwald und trifft dort auf den Eckweg, und der wiederum kreuzt den Beethovenweg.«

»Hmhm«, gab Simon von sich.

Sie sah auf und stellte fest, dass er gar nicht mitschaute, sondern Fotos von der Umgebung aus dem Fenster schoss. »Ich kann mir nicht vorstellen, dass da im Wald irgendwo Häuser sind. Und wenn sie in der Einödhöhle oder in der Elfenhöhle suchen würden, wäre ja nicht schon hier eine Sperre«, fuhr sie fort.

»Hmhm ...«

Sarah faltete die Karte wieder zusammen. »Weißt was, Simon? Ab jetzt geht's zu Fuß weiter.«

Der Übertragungswagen eines Fernsehsenders fuhr an ihnen vorbei.

»Alles klar. Hier sind wir richtig.«

Es dauerte nicht lange, bis ihnen klar wurde, dass diese Idee ein Flop war. Auf den Waldwegen wimmelte es nur so von Polizisten. Überall stießen sie auf Sperren oder Suchtrupps, die sie zur Umkehr aufforderten.

Sarah fluchte, als unmittelbar vor ihnen ein Polizist schon wieder ein rot-weiß-rotes Polizeiband ausrollte und damit den Weg verstellte. Er wies sie darauf hin, dass in einem Gasthaus in Einöde soeben eine Pressestelle eingerichtet wurde.

»Dort werden Sie auf dem Laufenden gehalten.«

»Danke«, sagte Sarah, »aber von Pressestellen haben wir im Moment genug. Die rücken ja keine Informationen raus.«

Simon fotografierte einen Hubschrauber, der über sie hinwegdröhnte. Das lenkte den Polizisten ab, und Sarah nutzte diese winzige Chance, ihn mit einer Frage zu überrumpeln:

»Stimmt es, was Ihr Kollege dort drüben behauptet hat, ist das Haus wirklich in dem abgesperrten Areal?«

Der Polizist biss sich auf die Lippen. »Ich bin nicht befugt, Ihnen die Frage zu beantworten«, spulte er die übliche Phrase herunter. »Bitte gehen Sie zur Pressestelle.«

Simon fotografierte jetzt ihn, wie er das Band aufrollte.

»Keine Fotos!«, befahl er. »Bitte gehen Sie! Die Pressestelle stellt Ihnen Bildmaterial zur Verfügung.«

Das glaubst auch nur du, dachte Sarah. Aber sie entfernten sich von der Stelle, es hatte keinen Sinn, mit dem Mann zu diskutieren. Er hatte seine Anweisungen, und an die würde er sich halten.

»So kommen wir nie zu dem Haus«, sagte Sarah, als sie außer Hörweite waren. Sie sah sich um. Die Sonne schien durch die Baumwipfel und zeichnete helle Farbtupfen auf den Boden. Schwärme winziger Mücken schwirrten über dem dichten Unterholz und bildeten dunkle Einheiten. Sarah warf einen prüfenden Blick auf Simons Schuhwerk. Er trug High Top Sneakers. »Kannst du mit denen auch durchs Gestrüpp laufen?«, fragte sie ihn.

Simon sah sie verwundert an. »Na klar.«

»Gut, dann stell dich schon mal darauf ein. Ich versuch's vorher noch einmal bei Stein, vielleicht macht er für mich eine Ausnahme, und wir kommen ganz offiziell an das Haus ran.« Sie war überrascht, als sie das Freizeichen hörte, gefolgt von Steins vertrautem Brummen: »Ich heb nur ab, weil wir Ihretwegen hier sind.«

»Wie bitte?«, fragte Sarah.

»In Neubergs Wohnung lagen Fotos von dem Haus herum, auf einem stand die Adresse dabei, sonst würden wir jetzt noch suchen. Auf einem anderen fanden wir tatsächlich eine Anspielung auf Rumpelstilzchen, er hatte diesen Satz draufgeschrieben, ach wie gut dass niemand weiß und so weiter.«

Sarah lächelte triumphierend. »Ja, und?«, fragte sie gespannt.

»Wir sind an dem Haus. Hier ist nichts und niemand.«

Der Zwölf Apostelkeller!, dachte sie.

»Gibt's einen Keller?«

»Was glauben Sie denn?«, fragte er mürrisch. »Das Haus wird gerade auf den Kopf gestellt, und zwar jeder Zentimeter zwischen Dach und Keller. Da stehen nur Fahrräder und Werkzeug und so Zeugs, was halt in Kellern so rumliegt. Keine Spur von den beiden Vermissten.«

Sarah presste das Handy ans Ohr und überlegte. Sie hatte ihr Vorhaben, sich bis zu dem Haus durchs Dickicht zu schlagen, noch nicht aufgeben. »Ich bin ganz in der Nähe«, sagte sie und gab Simon ein Zeichen, doch den Waldweg einzuschlagen.

»Warum wundert mich das jetzt bloß nicht?«, antwortete Stein seufzend.

»Haben Sie meine SMS mit dem Foto bekommen? Jede Wette, dass es das Strumpfband der Meier ist. Haben Sie es Irene Bucher schon gezeigt?«

»Also schön, kommen Sie her«, knurrte Stein genervt. »Ich muss eh warten, da kann ich mich genauso gut mit Ihnen unterhalten. Ich gebe den Kollegen am Höllweg Bescheid, die sollen Sie durchlassen.«

Bingo! Sarah sah Simon an und streckte den Daumen in die Höhe, während sie Stein fragte. »Weiß man, wem das Haus gehört?«

»Nein. Und das Einwohnermeldeamt von Baden hat schon zu.«

»Also haben Sie einfach so das Haus betreten?«

»Jetzt klingen Sie schon wie die Staatsanwältinnen im Tatort. Selbstverständlich haben wir das. Gefahr im Verzug, haben Sie sicher schon mal gehört. Gut, wir sehen uns.« Sagte er und brach die Verbindung ab.

Ihre Vorfreude darauf, die Suche jetzt hautnah miterleben zu können, beflügelte Sarah gewaltig, und es konnte ihr gar nicht schnell genug gehen, wieder im Auto zu sitzen. Noch im Laufen erstattete sie Patricia telefonisch Bericht.

Die beiden Polizisten standen noch auf ihrem Posten am Höllweg. Sie wirkten entspannt und winkten Simon und sie sofort durch. Es gab nur einen Weg in den Wald, verfahren konnten sie sich also nicht. Die Straße war staubig, da es seit Tagen nicht geregnet hatte. Sie fuhren im Schritttempo weiter. Links säumten Bäume den Weg, rechts waren die Weinberge. Schließlich tauchten sie in den Wald ein.

Nach ein paar Metern entdeckten sie mehrere Polizisten in Uniform, die Suchhunde aus den Käfigen ließen und sie anleinten. Auch sie waren offenbar gerade erst eingetroffen. Während Simon sich auf die Straße konzentrierte, hielt Sarah Ausschau nach Martin Stein. Und wie aus dem Nichts stand er plötzlich vor ihnen mitten auf dem Weg. Simon bremste, und Stein winkte ihn rechts ran.

Sie stiegen aus.

»Aber stehen Sie uns ja nicht im Weg herum! Und behindern Sie unsere Arbeit nicht«, pflaumte Stein sie statt einer Begrüßung an, »bitte auch keine überflüssigen Belehrungen, und belästigen Sie uns vor allen Dingen nicht mit abergläubischem Schnickschnack.« Dann zeigte er auf Simons Kamera. »Ich will kein Foto in der Zeitung sehen, das ich nicht persönlich genehmigt habe. Ich hoffe, Ihnen ist klar, welches Privileg Sie hier genießen. Sie sind die einzigen Journalisten, die näher als hundert Meter an das Haus herankommen.«

Cool down, dachte Sarah. Aber sie kannte ihn, er würde sich schnell wieder abgeregt haben.

Dann gab er ihnen mit einer Handbewegung zu verstehen, dass sie ihm folgen sollten. »Also. Wir wissen inzwischen, dass Anton Neuberg erst seit einem Jahr wieder dauerhaft in Wien lebte. Nach seiner Scheidung war er im Ausland. Italien, Frankreich, Amerika. Hat da und dort gejobbt, war nicht in Wien gemeldet.«

»Könnte es sein, dass er doch in Wien war, während alle dachten, er wäre im Ausland?«, fragte Sarah vorsichtig, um jetzt ja nicht vorlaut zu wirken.

»Wird noch ermittelt. In dem Haus wurde ein Rollstuhl gefunden.«

»Was ist mit den Frauen?«

»Wir durchkämmen das Gelände in einem kilometerweiten Radius. Ein paar Kollegen sind für die Einödhöhle und die Elfenhöhle hier ganz in der Nähe abgestellt.« Sein Funkgerät meldete sich. Bevor er dem Kollegen antwortete, wedelte er Sarah und Simon erst beiseite. Sie bekamen nichts mit von dem Gespräch.

Sarah wusste ein wenig über die beiden Höhlen in diesem Landstrich. Als Stein wieder an ihre Seite trat, sagte sie: »Die Elfenhöhle wird hier in der Gegend auch Schneewittchens Grab genannt.«

Stein zuckte mit den Achseln. »Ist mir unbekannt.«

»Aber mir nicht, Sie können mir glauben. Deshalb sind die beiden Frauen dort sicher nicht.«

»Muss ich das jetzt verstehen, oder ist das Sarah-Pauli-Logik?«

»Also so: Daniela Meier war für den Täter das Schneewittchen. Ihre Affinität zu diesem und zu anderen Märchen war bekannt. Deshalb wird er die anderen beiden Frauen jetzt nicht in eine Höhle bringen, die warum auch immer Schneewittchens Grab genannt wird.« Sie versuchte sich zu erinnern, in welchen Märchen zwei Schwestern vorkamen. »Valentina Macek und Ruth Neuberg könnten Schneeweißchen und Rosenrot sein, oder Goldmarie und Pechmarie ...« In dem Augenblick hatte sie eine Eingebung. »Ja, das ist es! Gibt es einen Brunnen beim Haus?«

»Nein. Sarah, Sie hatten eingewilligt, keine überflüssigen Ratschläge oder Belehrungen ...«

»Schade«, unterbrach Sarah ihn ganz unaufgeregt, »denn wenn es einen gäbe, wüssten wir, dass er diesmal Goldmarie und Pechmarie spielt.«

»Spielt?«, fragte Stein entgeistert. »Sie glauben im Ernst, dass hier einer Märchen nachspielt?«

»Keine Ahnung. Aber es könnte zumindest sein. Wer steht denn bei diesem Fall unter Verdacht? Anton Neuberg ist ja tot. Vielleicht Gerhard Dorfinger?«

»Richtig. Neuberg scheidet als Täter in diesem Fall leider aus. Wasserdichter als der Tod kann kein Alibi sein«, antwortete er, ohne auch nur mit einer Silbe auf Dorfinger einzugehen.

Sarah interpretierte das als eindeutiges Ja.

»Was hat Sie eigentlich davon überzeugt, dass er Daniela Meier auf dem Gewissen hat?«

Stein zögerte, fuhr sich mit der Hand über seinen kahlen Schädel und antwortete: »Briefe von Daniela Meier an Felix Beermann, die sie während ihrer Gefangenschaft geschrieben hat.«

»Hm. Ich glaube ehrlich gesagt nicht, dass er die Meier verschleppt und ermordet hat.«

»Und darf ich fragen, warum nicht?«

»Diese ganzen Hinweise, die ihn als Täter präsentieren, sie sind, ich weiß nicht, irgendwie zu plump, zu vordergründig. Da ist wer anders im Spiel.«

»Soso, Frau Inspektor.«

»Geben Sie's zu, daran haben Sie auch schon gedacht. Stimmt's?«

Stein grinste. »Und auf wen tippen Sie?«

»Gerhard Dorfinger«, antwortete Sarah prompt.

»Nur weil der Ihnen Rosen geschickt hat, was im Übrigen noch gar nicht bewiesen ist, soll er ein Mörder sein? Wo ist das Motiv?«

»Rufen Sie Ihre Kollegen an, die vernehmen ihn doch gerade.«

»Ich weiß«, bestätigte Stein endlich Sarahs Verdacht. »Doch er leugnet, den beiden Frauen den Tipp gegeben zu haben, sich das Haus anzusehen.«

»Hat der Dorfinger vielleicht auch ein Faible für Märchen? Märchenaffin war doch nur Daniela Meier. Und warum sollte er das hier wiederholen?«

Plötzlich schlug sie sich mit der flachen Hand gegen

die Stirn. »Schneewittchen. Wir halten uns die ganze Zeit an Schneewittchen auf. Das hat er beabsichtigt, weil er uns abzulenken wollte. Warum bin ich da bloß nicht schon eher draufgekommen? Die wahre Braut!«

Stein sah sie verständnislos an.

»Ein Märchen von den Brüdern Grimm, in dem die Zahl Drei eine zentrale Bedeutung hat. Es ist in drei Teile gegliedert …«

»Bitte sagen Sie einfach, was Sie meinen, ohne lange Einleitung«, bat Stein sie genervt.

»Ein Mädchen muss im ersten Teil drei Aufgaben erfüllen, die die Elemente Luft, Wasser und Erde repräsentieren. Womit wir irgendwie wieder beim Pentagramm wären. Die vier Eckpunkte des Fünfecks verkörpern bekanntlich die Elemente Wasser, Luft, Erde und Feuer, der fünfte den Geist, die Krönung sozusagen. Ziehe ich Geist und Feuer ab, bleiben Luft, Wasser und Erde.«

Stein schüttelte den Kopf. »Niemand außer Ihnen denkt sich so einen Unsinn aus. Werden Sie doch endlich konkret.«

Aber Sarah war mit ihren Gedanken schon wieder ganz woanders. Sie hatte ihre Augen geschlossen und stellte sich den Grundriss des Hauses vor. Dann legte sie ein imaginäres Pentagramm darüber.

»Hören Sie mir überhaupt zu?«, fragte Stein.

Sein Funkgerät meldete sich. Er wies Sarah und Simon an, da zu bleiben, wo sie jetzt waren, und entfernte sich ein Stück, bis er außer Hörweite war. Sarah beobachtete ihn. Er hörte zuerst aufmerksam zu, dann fuhr er auf einmal herum und starrte das Haus an.

Sarah überlegte nicht lange. Sie ging auf den Eingang

zu und begann, die ineinander verwachsenen Stiele der Kletterrosen vom Gemäuer abzulösen. Es muss hier sein, dachte sie, während sie hochkonzentriert weiterarbeitete.

»Ich hab Ihnen doch gesagt, Sie sollen sich nicht vom Fleck bewegen!«, hörte sie Stein hinter sich. »Was suchen Sie denn da?«

Und da war es. Direkt vor ihren Augen. Es war am oberen Türstock angebracht. »Das Pentagramm«, antwortete Sarah und zeigte auf das Symbol. »Ich hab Ihnen doch erzählt, dass Häuser früher oft mit Schutzzeichen versehen wurden. Und vor allem Bauernhöfe waren …«

»Ruth Neuberg«, sagte Stein, um Sarahs drohenden Vortrag abzustoppen.

»Ruth Neuberg«, wiederholte Sarah nachdenklich.

Rumpelstilzchen. Schneewittchen. Die wahre Braut. Die ausgeklügelten Partyspiele. Ruth Neuberg besaß die Kreativität, sich ein Thema auszudenken, warum also nicht auch eine Geschichte, Figuren und einen Schauplatz? Sarah traute ihr durchaus zu, mit viel Fantasie lose Ideenfäden in einer logischen Abfolge anzuordnen und daraus ein Spiel zu gestalten. Allmählich fügten sich die Puzzlestücke zusammen.

»Vertrauen Sie mir, Stein?«

Der Ermittler hob die Augenbrauen. »Soll ich ehrlich sein?«

»Hören Sie auf mich, nur dieses Mal. Lassen Sie Hunde herbringen. Personenspürhunde, keine Fährtensuchhunde.« Sie zog ihr Handy hervor. »Wenn's Ihnen recht ist, rufe ich Felix Beermann an und sag ihm, er soll mit ein paar Kleidungsstücken von Ruth Neuberg und Valentina Macek hierherkommen.«

»Gut. Einen Versuch ist es wert.«

36

GESTÄNDNISSE II

Valentina war noch nie in ihrem Leben so verstört gewesen wie jetzt. Ruth hatte zwar beteuert, dass Felix und sie nicht mehr miteinander geschlafen hatten, seit Daniela fort war, sondern nur noch befreundet waren. Doch Valentina nahm es ihr nicht wirklich ab.

»Warum seid ihr damals nicht einfach ein Paar geworden?«, fragte sie.

»Weil wir uns nicht geliebt haben. Das verstehst du einfach nicht, ich weiß. Trotzdem wird er sehr traurig sein, uns jetzt beide zu verlieren. Seine Braut und seine Freundin.«

Plötzlich ging Valentina ein Licht auf. »Felix liebt dich nicht. Aber du liebst Felix! Ihr hattet schon was miteinander, bevor er Daniela kennenlernte. So ist es doch, oder?«

»Stimmt nicht ganz. Daniela war ja Rezeptionistin im Beermann-Hotel.«

»Schon, aber kennengelernt hat er sie trotzdem erst, nachdem du sie für das Casting entdeckt hattest.« Ihr Mund war ganz trocken. Sie leerte das Glas Wasser in einem Zug und schenkte sich sofort nach.

»Toni hat sie entdeckt. Und ich habe aus dem hässlichen Entlein einen stolzen Schwan gemacht.«

»Aber Felix hat sich in Daniela verliebt. Und nachdem Daniela fort war, hat er sich in mich verliebt. Und dafür bestrafst du ihn, indem du ihm nimmst, was er liebt?« Diese Vermutung hatte Stein, der Polizist, Felix gegenüber schon geäußert, als er ihn das erste Mal sprach, bald nachdem Danielas Leiche gefunden worden war. Und er hatte damit richtig gelegen.

Eine bleierne Müdigkeit breitete sich in Valentina aus. Am liebsten wäre sie auf der Stelle ins Bett gegangen, eingeschlafen und nie wieder aufgewacht. Doch sie riss sich zusammen und nahm noch einen großen Schluck Wasser.

»Du hast Felix sehr wohl gesagt, dass du von ihm schwanger bist.«

Ruth nippte an ihrem Sektglas. Dann nickte sie. »Zuerst hat er mir nicht geglaubt, aber dann sagte er, finanziell bräuchte ich mir selbstverständlich keine Sorgen zu machen. Als ob es darum gegangen wäre!«

Valentina hörte die Verletzung und den Zorn in Ruths Stimme. »Du wolltest ihn für dich, aber er wollte Daniela nicht für dich verlassen«, sagte sie.

Wieder nickte Ruth.

»Daraufhin hast du euer Kind in dir getötet und Daniela entführt. Wie konntest du denn so sicher sein, dass nicht Toni der Vater war?«

»Toni ist zeugungsunfähig. Wir wünschten uns beide Kinder, aber es klappte nicht. Deshalb ließen wir uns untersuchen, wobei herauskam, dass Toni wahrscheinlich durch eine Krankheit im Teenageralter steril geworden war, es könnte Mumps gewesen sein …« Sie brach ab und trank einen Schluck Sekt.

»Und was hast du Felix gesagt, warum du plötzlich nicht mehr schwanger warst?«

»Dass ich das Kind verloren habe«, antwortete Ruth.

»Das blieb also euer Geheimnis, und nachdem Daniela plötzlich weg war, wurden sowieso andere Dinge wichtiger.«

»Und auf einmal waren wir wieder ein Team, verstehst du? Alles lief wieder besser.«

»Was sagst du da, Ruth? Alles lief besser? Felix leidet bis heute wie ein Schwein. Toni hat noch mehr getrunken als vorher. Er ist aus Wien abgehauen und erst vor einem Jahr zurückgekommen.«

»Wäre er nur geblieben, wo auch immer er war. Aber nein, er kommt zurück und spioniert mir nach«, schimpfte Ruth. »Stell dir vor, der Kerl hat mich doch tatsächlich bis hierher verfolgt.« Sie schnaubte verächtlich. »Und ich Idiotin hab's nicht bemerkt.«

Jetzt wurde Valentina klar, warum Toni sie hatte treffen wollen. Er hatte das Haus und den Keller gesehen und wegen der verrückten Märchenwelt hier unten wahrscheinlich eins und eins zusammengezählt und …

»Warum hat Toni mich angerufen?«, fragte sie.

»Er wollte dir alles erzählen, weil ich ihm die Summe, die er für sein Schweigen verlangte, nicht zahlen wollte. Er glaubte, du wärst eine gute Versicherung gewesen, damit ihm nichts zustößt. Aber der Toni war halt dumm. Zum Glück hab ich zufällig gesehen, wie du in die Konditorei gegangen bist und gleich drauf der Toni um die Ecke kam. Da hab ich natürlich sofort gewusst, was gespielt wurde. Ich hab den Toni abgefangen und ihm eine Anzahlung angeboten, wenn er mit mir kommt, statt dich zu treffen. Einen Tausender hat er auch sofort bekommen.«

»Aber damit hat er sich wahrscheinlich nicht zufriedengegeben, oder?«

»Das war sozusagen der erste Brief.«

»Welcher Brief?«

»Daniela hat Briefe an Felix geschrieben, jeden Tag einen. Die hat der Toni beim Herumschnüffeln gefunden und …«

»… dich damit erpresst«, vollendete Valentina Ruths Satz. Sie spürte, dass sie Kopfschmerzen bekam.

»Ein Tausender für jeden Brief. An dem Tag, als du Daniela gefunden hast …«

»Deine Inszenierung«, fiel Valentina ihr ins Wort. »Du hast ihre Leiche im Rollstuhl nach Schönbrunn gebracht und sie dort aufgebahrt. Diese liebevollen Details. Ich verstehe nicht, dass ich nicht schon viel früher darauf gekommen bin.«

Ruth lächelte stolz. »Jedenfalls stand Toni an dem Tag, als du Danielas Leiche gefunden hast, nach unserem Meeting plötzlich in meinem Büro. Du warst gerade aus der Tür raus, da hat es geklingelt. Ich hab geöffnet, weil ich dachte, du hättest etwas vergessen. Aber es war er. Er hat mir erzählt, er hätte mich beobachtet, wie ich in dem Haus hier draußen verschwunden wäre. Dann hat er mir einen Brief unter die Nase gehalten und gesagt, der müsste mir doch sicher einiges wert sein. So ein Arschloch!« Sie tippte sich an die Stirn. »Außerdem so dumm. Wer ernsthaft glaubt, jemand anders auf Dauer erpressen zu können, ist einfach dumm. Willst du einen lesen?«

»Auf gar keinen Fall.« Das war so ziemlich das Letzte, was sie sich im Augenblick vorstellen konnte.

»Na komm, wir trinken eine Flasche Rotwein dazu, das wird bestimmt lustig!« Offenbar war das ihr Ernst, denn sie gluckste vergnügt.

Valentina schüttelte energisch den Kopf, doch Ruth beachtete sie gar nicht.

»Es ist der Einzige, der übriggeblieben ist. Der war nämlich versteckt, deshalb hat der Trottel ihn nicht gefunden. Alle anderen Briefe lagen in einer Kiste oben im Wohnzimmer. Daniela hat jeden Tag einen durch die Türritze geschoben. Hat wohl gedacht, dass Felix die Briefe per Post zugestellt werden. So ein Dummerchen aber auch.«

Ruth sprang auf, kramte ein Schriftstück aus einer Lade und begann vorzulesen:

»Lieber Felix, liebe Mama, lieber Papa,
seit Tagen kommen keine Lebensmittel mehr durch die Türöffnung. Auch Strom und Wasser sind abgeschaltet. Ich trinke das Kondenswasser aus dem Kühlschrank, doch auch das wird zusehends weniger und der Durst unerträglich.

Ich lebe nun schon seit einer Ewigkeit hinter den sieben Bergen bei den sieben Zwergen. Alle anderen sind auch da. Aschenputtel, Alice im Wunderland und viele mehr. Mama und Papa, ihr sagt jetzt vielleicht, dass ich schon als Kind am liebsten in der Märchenwelt gelebt hätte, als ein Teil von ihr.

Und ich bin hier von Büchern umgeben. Von sehr vielen Büchern. In einem Buch fand ich ein Zitat von Jean Paul Belmondo über das Glück und seinen Feind, den Ehrgeiz. Leider finde ich es nicht mehr. Belmondo meint jedenfalls, dass wir vom Glück zu viel verlangen. Vielleicht war auch ich oft zu ehrgeizig und habe mein Glück herausgefordert.

Anfangs war ich sicher und voller Hoffnung, dass das hier bald ein Ende haben würde. Ich nahm an, sie würden viel Geld von dir verlangen, Felix, um mich dir zurückzugeben. Ich hoffte, dass du ihre Forderungen erfüllen würdest. In einem Interview sagtest du, du wärst bereit, jede Summe zu zahlen. Warum das nicht geschehen ist, werde ich nie erfahren.

Mittlerweile habe ich jede Hoffnung auf eine Rettung längst begraben. Es ist still geworden um mich. Ich bin Teil der Märchenwelt geworden, aus der es für mich kein Entkommen mehr gibt.

Ich liebe euch!

Daniela«

»Tja, mit dem letzten Satz hatte sie wohl recht.« Ruth ließ den Brief sinken und setzte sich wieder aufs Sofa.

Valentina wollte unbedingt Zeit gewinnen und Ruth dazu bringen, sich zu stellen. »Was erzählst du mir da eigentlich? Das alles ist doch völlig absurd.« Sie sah Ruth ins Gesicht. »Wir sind Freundinnen, und wir sind Partnerinnen. Wir haben schon tolle Projekte zusammen auf die Beine gestellt. Warum tust du dann so etwas?«

Ruth musterte Valentina stumm.

Valentina glaubte zu wissen, was sie zu sagen hatte: »Wenn du willst, verlasse ich Felix. Dir zuliebe.«

»Unsinn. Er liebt dich«, erwiderte Ruth.

»Aber ich bin nicht sein Eigentum. Vielleicht hat er eine Zeitlang Liebeskummer. Aber das geht vorbei, und irgendwann erkennt er, dass du die richtige Frau für ihn bist.« Sie trank Wasser in kleinen Schlucken und beobachtete Ruth über den Rand ihres Glases hinweg.

Ruth lachte böse. »Glaubst du etwa, ich falle auf deine Küchenpsychologie herein? Wenn wir zwei Hübschen den Keller verlassen, wandere ich ins Gefängnis, denn du wirst ihnen alles erzählen, was du jetzt weißt. Und das kann ich selbstverständlich nicht zulassen, das verstehst du doch, Valentina.«

»Willst du Felix nicht zumindest einen Brief schreiben und ihm deine Beweggründe darlegen?«

Ruth schüttelte den Kopf. »Felix wird das nicht verstehen.« Sie bedachte Valentina mit einem intensiven Blick und sagte: »Toni hat Daniela auf dem Gewissen, und wir beide sind die nächsten Opfer.«

»Toni war heute Morgen schon tot, er kann also nicht unser Entführer sein.«

»Der Gerhard war sein Handlanger, das war auch dein erster Gedanke«, sagte Ruth und lachte.

Valentina lief ein Schauer über den Rücken, und sie versuchte mit allem Mut der Verzweiflung, Haltung zu wahren.

Da hörten sie ein Geräusch.

Valentina sprang auf, lief zur Tür und schlug mit aller Kraft dagegen. »Hallo! Hier sind wir! Hallo!«

»Das sind nur Wanderer, die ein Glas Wasser wollen. Die gehen wieder, wenn sie sehen, dass niemand da ist. Ich habe nämlich die Haustür abgeschlossen.«

»Was, wenn es doch die Polizei ist und sie die Tür hier finden?«

»Was höchst unwahrscheinlich ist«, antwortete Ruth gefährlich ruhig. »Aber selbst wenn sie die Tür finden – sie werden sie nicht öffnen können. Es ist eine in die Mauer eingelassene Stahlsicherheitstür. Sie müssten schon das Haus abtragen, und das, meine Liebe, dauert.« Sie lächelte triumphierend, stand auf und ging in die Küche.

»Wo ist der Schlüssel?«, schrie Valentina ihr nach.

»An einem sicheren Ort, mach dir da mal keine Sorgen«, rief Ruth aus der Küche. Valentina hörte ein Scheppern, eine Schublade quietschte, und dann kam Ruth wieder zurück. Sie hielt ein großes Fleischmesser in der Hand und lächelte Valentina an. »Nur für den wie gesagt höchst unwahrscheinlichen Fall, dass du recht behältst.«

In der Sekunde begriff Valentina das ganze Ausmaß der Tragödie.

»Du selbst warst es. Du bist nach Baden gefahren, hast deinen Wagen dort abgestellt und bist wieder zurückgekommen. Wir sollen hier wie Daniela verhungern und verdursten oder …« Sie starrte voller Grauen auf das Messer in Ruths Hand. »Wie bist du wieder zurückgekommen?«

»Ich hab eins der beiden Fahrräder, die hier stehen, ins Auto gepackt und bin hinterher einfach zurückgeradelt. Baden ist ja nur einen Katzensprung entfernt von hier.«

»Wann hast du das getan?«, fragte Valentina leise.

»Du hast nach dem Schlag auf den Kopf sehr lange geschlafen, meine Liebe.«

»Wo ist der Schlüssel?«, wiederholte Valentina ihre Frage. Ihre Stimme zitterte.

»An einem sicheren Ort. Das habe ich doch schon gesagt.«

»Ich werde mich wehren.«

»Ach tatsächlich?« Ruth sah auf die Uhr. »Das Schlafmittel in deinem Mineralwasser wirkt in ungefähr drei Minuten. Ich glaube nicht, dass deine Retter so schnell sind.«

37

JONES UND NORA

Jones hieß der Belgische Schäferhund und Nora die Golden-Retriever-Hündin. Sarah musste zu ihrem Leidwesen draußen vor dem Haus warten. Felix Beermann stand wie ein Häufchen Elend neben ihr. Er war gleich mit einem ganzen Koffer voller Kleidung gekommen, weil er nicht wusste, welche Stücke sich am besten für die Hunde eigneten, um die Duftmoleküle aufzunehmen.

Sarah hatte sich Beermann anders vorgestellt, viel größer und weniger zerbrechlich. Aber schließlich befand der Arme sich ja auch in einer absoluten Ausnahmesituation.

»Das Haus gehört wirklich der Ruth?«, fragte er zum wiederholten Mal ungläubig. »Niemand von uns wusste, dass sie überhaupt ein Haus besitzt. Und die Polizei glaubt tatsächlich, dass die beiden hier eingesperrt sind?«

Sarah zuckte mit den Achseln und sagte nichts dazu. Sie beobachtete, wie die uniformierten Polizisten ihre Hunde auf die Suche vorbereiteten. Simon hielt die Szenen mit der Kamera fest. Jones wurde auf Ruths Duftmoleküle angesetzt, Nora auf Valentinas.

»Glauben Sie, dass das etwas bringt?«, fragte Felix Beermann skeptisch. »Wenn noch nicht einmal sicher ist, ob sie wirklich hier sind?«

»Ich bin felsenfest davon überzeugt, dass sie hier sind«, antwortete Sarah, während sie dem Hundeteam dabei zusah, wie es im Haus verschwand. Das Warten ab jetzt würde unerträglich werden, wusste Sarah. Doch immerhin hatte sie die Gelegenheit, sich eingehend mit Beermann zu unterhalten.

»Was glauben Sie, wer hat Ihre Lebensgefährtin und Frau Neuberg entführt?«

»Ich weiß es nicht«, antwortete er mit gepresster Stimme. »Die Polizei verhört zurzeit den Fotografen Gerhard Dorfinger.«

»Das hat man uns Journalisten auch gesagt.«

»Er soll Valentina und Ruth, also Frau Macek und Frau Neuberg, mit dem Tipp, sich das Haus für Veranstaltungszwecke anzusehen, hierhergelockt haben. Aber das ergibt doch gar keinen Sinn, wenn das Haus eh der Ruth gehört!«

»Ich hab zuerst auch den Dorfinger verdächtigt. Aber es stimmt, was Sie sagen. Und ich glaube inzwischen, dass Ruth Neuberg selber ihre Finger im Spiel hat.«

Felix Beermann sah sie erschrocken an. »Ruth? Wie kommen Sie denn darauf?«

»Na ja, ich hab in den letzten Tagen viel herumgefragt und recherchiert zu diesem Fall«, begann Sarah vorsichtig, »ist halt mein Beruf. Eva Weber hat mir erzählt, Ruth sei ein Ass darin, für die großen Hochzeitsgesellschaften, die sie organisieren, Spiele zu erfinden. Austüfteln, Spielen, Initiieren, Inszenieren – das dürften also ihre Stärken sein.«

»Das ist richtig, dafür ist sie sehr begabt«, pflichtete Felix Beermann ihr bei.

»Meine These in diesem verwickelten Fall ist die, dass

hier jemand ein Spiel mit uns allen spielt, ein ziemlich verwirrendes und böses, das muss man schon sagen. Aber auch raffiniertes. Zeichen und Symbole kommen da vor, auch solche, die in Märchen einen Stellenwert haben, Rück- und Querverweise auf Ereignisse und Figuren … Also jemand hat das Ganze bis ins Detail durchdacht und geplant. Und konsequent umgesetzt.«

Beermann starrte sie mit großen Augen an. »Und Sie meinen, Ruth …?«

»Es war ein Spiel, um uns zu beschäftigen, wie sie es sonst mit den Hochzeitsgästen zu tun pflegt, während sie durchführen kann, worum es ihr wirklich geht.«

»Valentina zu entführen?«, fragte Felix Beermann leise. »Warum nur habe ich das nicht längst durchschaut?«

»Ich nehme an, Ruth Neuberg ist eine Künstlerin im Verstellen«, sagte Sarah. »Und wegen der Märchen wollte ich Sie fragen, Ihre … also ich meine Daniela Meier kannte sich damit gut aus, oder?«

»Ja, sie war geradezu besessen, was das betraf. Sie sammelte mit großer Leidenschaft antike und auch längst vergriffene Ausgaben von ›Grimms Märchen‹ und verbrachte Stunden um Stunden auf Bücherflohmärkten und in Antiquariaten, wann immer sich dazu die Gelegenheit bot. Ein paar Exemplare stehen bei mir daheim im Regal.«

»Wissen Sie, ob Ruth Neuberg diese Leidenschaft teilte?«

Felix Beermann nickte. »Ja, ich glaube, das verband Daniela im Grunde mit Ruth.«

»Mir ist außerdem aufgefallen, dass Ruth offenbar auch Ahnung von Symbolen hat. Das ist nämlich mein

Steckenpferd, wissen Sie, ich schreibe wöchentlich Kolumnen über Aberglauben. Ruth wusste, dass Voland eine alte Bezeichnung für den Teufel ist. Das bekam ich nebenbei mit, als Katrin Voland mich fragte, ob auch Kuchen und Mehlspeisen tiefere Bedeutungen haben können. Ruth schlug spaßeshalber vor, eine Teufelstorte zu kreieren.«

»Warum tut sie denn bloß so etwas?«, fragte Felix Beermann kopfschüttelnd. Sarah fragte sich, ob er überhaupt zugehört hatte oder ob er ihr nur einfach nicht folgen konnte. »Sagen Sie's mir. Ich kenne Ruth Neuberg nicht. Ist es Neid? Hass? Was könnte ihr Motor sein? Haben Sie nicht Ihre beiden Frauen durch Frau Neuberg kennengelernt?«

Aus dem Haus hörten sie auf einmal lautes Gebell.

»Die Hunde, sie haben etwas gefunden!«, sagte Sarah. »Sie sind hier, oder sie waren hier …«

Stein kam auf sie zu. »Die beiden Hunde stehen vor einer Ziegelwand und bellen wie verrückt. Dabei ist dort nichts außer Steinen.«

»Da kann nicht nichts sein«, rief Sarah aus, »es sind Spürhunde, auf deren Wahrnehmung können Sie sich verlassen!«

»Das sagen die Hundeführer auch.«

Diese kamen soeben mit den Hunden an der Leine wieder nach draußen.

»Lassen Sie mich in das Haus gehen«, sagte Sarah entschlossen.

Stein zögerte, doch dann willigte er ein. »Schön, dann kommen Sie. Sie auch, Herr Beermann.« Zu Simon, der sich im Hintergrund gehalten hatte, sagte er scharf: »Keine Fotos! Verstanden?«

Der Fotograf nickte und meinte, er bleibe eh lieber im Freien.

Sie gingen hinein. Stein wies Felix Beermann an, in der geräumigen Diele auf einem Stuhl Platz zu nehmen und zu warten. In einer Ecke stand der Rollstuhl.

Sarah folgte ihm. Sie stiegen eine betonierte Kellertreppe hinab und standen wenige Schritte weiter vor einer Ziegelwand.

Sarah begann, die Steine abzuklopfen.

»Was machen Sie da?«, fragte Stein.

»Erinnern Sie sich an meinen Artikel über den Zwölf Apostelkeller? Darin schreibe ich über den Hohlraum hinter einer Wand, in dem sich Briefe, Botschaften und andere Geheimnisse verbergen. Und jetzt suche ich hier nach einem solchen Hohlraum.«

Stein sah ihr zweifelnd dabei zu. »Und was glauben Sie zu finden?«

»Eine Geheimtür.«

»So wie in dem Schloss von König Blaubart, meinen Sie?«

»Oh, Sie kennen sich also aus.« Sarah legte ihren Kopf ein wenig schief, während sie fortfuhr, die Wand abzutasten. »Hoffen wir mal, dass wir keine toten Frauen hinter der Wand finden. Und jetzt stehen Sie da nicht so herum, helfen Sie mir lieber!«

Sarah sah ihn von der Seite an. Stein zierte sich ein wenig. Es war ihm offensichtlich peinlich, eine solche – wie er sicher dachte – Hokuspokus-Methode anzuwenden. Doch dann überwand er sich und begann an der anderen Seite der Wand zu klopfen. »Wehe, diese Aktion ist nicht von Erfolg gekrönt, Sarah.«

Ohne darauf einzugehen, flüsterte Sarah: »Wann

bekommt der Beermann eigentlich die Briefe von der Meier?«, flüsterte sie.

»Sobald der Fall abgeschlossen ist«, antwortete Stein ebenso leise.

In dem Moment entdeckte Sarah einen Granitstein.

38

GESTÄNDNISSE III

Valentina war nicht eingeschlafen. Sie hielt den Atem an und lauschte konzentriert. Einmal dachte sie, Hundegebell gehört zu haben. Aber das konnte auch irgendwoher aus dem Wald kommen. Spaziergänger unterwegs mit ihren Hunden. Dann war wieder alles still.

Sie sah Ruth an. »Du bluffst. Da ist gar kein Schlafmittel im Wasser«, sagte sie und beobachtete ihr Gesicht, damit ihr keine noch so kleine Regung darin entging, die sie verraten würde.

Ruth hielt ihrem Blick problemlos stand und sagte nur gelangweilt: »Wenn du meinst.« Sie sah das Messer in ihrer Hand fast zärtlich an und fuhr mit einem Finger leicht über die Klinge – eine Geste, die Valentina unwillkürlich zusammenzucken ließ.

»Angst?«, fragte Ruth boshaft.

»Du wirst mich nicht töten«, antwortete Valentina tapfer.

»Du, da sei dir mal nicht so sicher. Daniela …«

Valentina fiel ihr sofort ins Wort: »Du hast Daniela einfach verdursten lassen. Das ist etwas anderes, als einem anderen Menschen ein Messer in den Leib zu rammen. So eine Brutalität traue ich dir nicht zu.«

Dann hielt sie einen Moment die Luft an. Es war gefährlich, Ruth zu provozieren, dessen war sie sich nur allzu bewusst. Vor Angst schlug ihr das Herz bis zum Hals, und ihr war die ganze Zeit übel. Was, wenn Ruth es tatsächlich fertigbrachte, sie abzustechen? Das kleine Wesen in ihrem Bauch würde mit ihr sterben. Bei dieser Vorstellung brach sie beinahe in Tränen aus, doch sie riss sich zusammen. Es kam nicht in Frage, Ruth gegenüber Schwäche zu zeigen.

Plötzlich schoss aus dem Nichts etwas auf sie zu. Es bellte laut.

»Ein Hund!«, schrie Ruth.

Ein zweiter Hund schoss herein. Die Tür stand plötzlich offen. Immer mehr Menschen kamen herein. Valentina begriff nicht, was da passierte, bis Ruth sie von hinten packte, ihren Kopf an den Haaren zurückriss und ihr das Messer an die Kehle setzte.

»Keinen Schritt weiter!«, zischte sie.

Die Hunde wurden zurückgepfiffen. Zwei Polizisten hielten die Waffen auf Ruth gerichtet.

»Nicht schießen!«, ordnete Martin Stein an. »Was haben Sie jetzt vor, Frau Neuberg?«, fragte er ruhig.

In dem Moment tauchte Felix hinter ihm auf.

Ruth war für den Bruchteil einer Sekunde irritiert, und ihr Griff lockerte sich. Valentina hatte jedoch nicht den Mut, sich zu bewegen.

»Ja, was hast du jetzt vor, Ruth?«, wiederholte Felix Steins Frage und ging einen Schritt weiter in das Zimmer hinein.

Stein hielt ihn zurück. »Kommen Sie, Herr Beermann«, sagte er. »Stellen Sie sich bitte hinter mich!«

Nur widerwillig ließ Felix sich darauf ein.

»Wieso sind Sie hier? Wie haben Sie uns gefunden?«, fragte Ruth. Der Ärger darüber, dass ihr ausgefeilter

Plan offenbar nicht aufging, war ihr deutlich anzumerken.

»In der Wohnung Ihres Exmannes lagen Fotos von dem Haus, auf deren Rückseite die Adresse stand«, antwortete Stein.

»Dieses Arschloch!«, rief sie wütend. »Und ich dachte, er hätte nur Danielas Briefe mitgenommen, um mich erpressen zu können!« Doch dann besann sie sich eines Besseren und fragte: »Was ist mit dieser Journalistin, Sarah Pauli? Ist die auch hier?«

Stein war überrascht.

»Ja, ich weiß nämlich, dass Sie sie ganz gut kennen«, sagte Ruth, »die Society-Reporterin hat's mir gesteckt.«

Stein machte eine Handbewegung in Richtung der Tür, ohne Ruth auch nur eine Sekunde aus den Augen zu lassen.

Sarah trat ein.

»Sieh an, sieh an«, meinte Ruth, »da ist sie ja, die Sarah Pauli.«

»Hallo, Ruth.«

Ruth drückte das Messer eine Spur näher an Valentinas Kehle. Valentina hielt ihre Augen geschlossen.

»Ich wette, du warst es, die den Schlüssel zu meinem Versteck gefunden hat. Hab ich recht?«

Sarah nickte. »Aber leicht hast du es mir nicht gemacht, das geb ich zu. Bis es mir plötzlich wieder einfiel, als ich den Stein entdeckte. Die wahre Braut, die ihre Kleider und Edelsteine unter einem Stein vergrub. Da wusste ich, dass du den Schlüssel nicht hinter der Wand versteckt hast. Aber wozu das alles, warum diese ganze Inszenierung, Ruth?«

»Eure Conny hat mir mal erzählt, dass du dich mit

Aberglauben und Mystik auskennst wie keine Zweite. Daraufhin habe ich eine Zeitlang deine Artikel gelesen und dich analysiert. Das war so einfach. Und dann gefiel mir die Idee, dich ein wenig herauszufordern. Du hast die Aufgabe gut gemeistert. Respekt.« In ihrer Stimme war ein Funken ehrlicher Bewunderung.

»Deine Freundinnen haben erzählt, dass du die besten Spiele für Hochzeiten ausklügelst.«

Ruth lachte kalt auf. »Wohl wahr, wohl wahr. Da bin ich die Meisterin. Und das sage ich in aller Bescheidenheit. Hast du denn auch das Rätsel um deinen Rosenkavalier gelöst?«

»Jacob, das warst du, nach Jacob Grimm, dem Bruder von Wilhelm Grimm.«

»Du bist wirklich gut, alle Achtung!«

Was läuft hier?, dachte Valentina, die Augen noch immer fest geschlossen. Das hört sich ja an wie ein Kaffeekränzchen. Im selben Moment hörte sie Steins ungeduldige Stimme.

»So, Ende der Plauderstunde. Frau Neuberg, legen Sie jetzt bitte das Messer zur Seite und lassen Sie Frau Macek los.«

Doch Ruth ignorierte die Aufforderung und rief: »Sie ist schwanger, Felix! Na, was sagst du jetzt? Du willst doch nicht, dass ich dein zweites Kind auch noch töte, oder?«

Valentina riss entsetzt ihre Augen auf.

Felix wurde schlagartig weiß wie eine Wand.

»Tja, jetzt bist du baff, nicht wahr? Ich hab es damals nicht verloren, sondern wegmachen lassen. Ich hab's getötet, jawohl.« Die letzten Worte spuckte sie ihm nur so entgegen. Dann ließ sie Valentina auf einmal los und versetzte ihr einen so heftigen Stoß nach vorne, dass diese stolperte und hinfiel. »Geh!«, schrie sie, »geh schon zu ihm!« Und mit einer theatralischen Geste ließ sie das Messer zu Boden gleiten.

Valentina kam sofort wieder auf die Füße und stürzte auf Felix zu, der sie sofort fest in seine Arme schloss.

»Ihr werdet nicht glücklich miteinander! Niemals! Hört ihr?«, rief Ruth. Es klang wie ein böser Fluch, den sie gegen Valentina und Felix ausstieß.

Eine junge Polizistin ging zu ihr und legte ihr Handschellen an. Ruth ließ es widerstandlos mit sich geschehen. Sie hielt sich kerzengerade und vermittelte den Eindruck, ihre Niederlage mit Fassung zu tragen.

Sarah beobachtete sie. Was verbarg sich hinter dieser Maske? Trotz der grausamen Verbrechen, die sie begangen hatte, war Sarah in diesem Moment zutiefst geschockt darüber, dass eine intelligente und ambitionierte Frau sich in einen solchen Sog aus Eifersucht, Hass, Verzweiflung und schließlich Verderben hatte ziehen lassen. Hätte es einen Wendepunkt in Ruths Leben gegeben, die Lösung des Knotens wie im klassischen Drama und doch noch eine Chance auf Glück – der Tod zweier und das Unglück mehrerer Menschen wären so sicher nicht passiert.

Valentina indes ließ ihren Tränen endlich freien Lauf. Seelisch und körperlich vollkommen erschöpft und zugleich unsagbar erleichtert ließ sie sich, von Felix gestützt, aus dem Zimmer und dem Haus hinaus nach draußen führen. Es war bereits Abend, und sie sog die frische Luft und den Duft des Waldes tief ein.

Ein Arzt kam und bat sie, auf der Veranda Platz zu nehmen.

»Ich bin in Ordnung, bestimmt«, sagte Valentina, »bitte, ich will nur noch nach Hause.«

»Ich muss Sie nur kurz durchchecken«, sagte der Arzt beruhigend und legte ihr eine Blutdruckmanschette um den Oberarm. »Es geht auch ganz schnell.«

»Wir bräuchten noch Ihre Aussage für das Protokoll«, meinte Stein.

»Bitte, geht das auch morgen?«, fragte Valentina mit flehendem Ton.

»In Ordnung.« Stein nickte und sah den Arzt fragend an.

»Blutdruck ist in Ordnung«, sagte dieser. Er leuchtete mit einer kleinen Lampe in Valentinas Augen. »Ja, ich denke, Sie können jetzt nach Hause. Legen Sie die Beine hoch und trinken Sie so viel wie möglich.« Und zu Felix sagte er: »Kümmern Sie sich um sie. Es kann sein, dass in den nächsten Tagen Beschwerden auftreten. Auch wenn ihr Körper die Sache im Moment verkraftet, wissen wir nicht, wie sie sich auf die Schwangerschaft Ihrer Frau auswirkt und ob die enorme psychische Belastung zu Reaktionen führt, die wir jetzt nicht vorhersehen können. Also wenn irgendwelche Beschwerden auftreten, zögern Sie auf keinen Fall, sofort einen Arzt zu rufen. Ich gebe Ihnen auch noch ein leichtes Beruhigungsmittel mit, damit sie auf jeden Fall erstmal schlafen kann.« Er drückte Felix eine Schachtel in die Hand.

Felix versprach, auf Valentina Acht zu geben.

Dann führte er sie am Arm bis zu seinem Wagen, half ihr beim Einsteigen und stieg selber ein. Einen Moment lang war es vollkommen still. Dann wandte Felix sich

Valentina zu und sagte leise: »Vielleicht ist es nicht angebracht, das jetzt zu sagen, aber ich bin sehr glücklich, dass ich euch beide wiederhabe.« Sie sah ihn an, nahm seine Hand, küsste sie und ließ sie wieder los.

Während der Fahrt sprachen sie kein Wort miteinander. Valentina hielt ihre Augen geschlossen und dachte darüber nach, wie sie es ihm sagen sollte, dass sie ihn verlassen würde.

Im Penthouse wurden sie von ihren Freundinnen und Freunden schon voller Ungeduld erwartet. Sie fielen einander lachend und weinend vor Erleichterung um den Hals. Felix mixte Drinks für alle, die sie jetzt gut gebrauchen konnten. Valentina reichte er diskret einen Apfelsaft. Ihm war klar, dass ihr im Augenblick nicht der Sinn danach stand, auf die Schwangerschaft anzustoßen.

Nicht lange danach wurde Valentina von einer bleischweren Müdigkeit übermannt. Sie wollte nur noch schlafen und schlug den anderen vor, am nächsten Abend wiederzukommen. »Dann kann ich euch alles ausführlicher erzählen. Aber jetzt kann ich nicht mehr, ich hoffe, ihr seid mir nicht böse.«

Alle hatten vollstes Verständnis und verabschiedeten sich, nicht ohne ihnen beiden eine gute Nacht zu wünschen und Valentina zu raten, sich unbedingt zu schonen.

»Ich mach uns noch einen Tee, oder willst du lieber auf der Stelle ins Bett?«

»Nein, ich trinke gern noch einen Tee, vielen Dank.«

Sie hörte das Wasser kochen, Felix goss auf und kam mit zwei Tassen in der Hand zurück.

»Danke auch, dass du meine Mutter nicht geholt hast.«

»Das war ein hartes Stück Arbeit«, lachte Felix.

Valentina saß auf dem Sofa und hatte die Beine hochgelegt. Sie klopfte einladend auf den Platz neben sich.

Felix ging zu ihr und nahm sie in den Arm. Sie schloss die Augen. Eine Weile saßen sie einfach nur so da.

»Lass uns die Hochzeit absagen«, durchbrach Valentina irgendwann die Stille.

Felix löste sich von ihr und sah sie entgeistert an.

»Ich liebe dich, Felix. Aber die letzten Tage haben mich daran zweifeln lassen, ob ich bereit bin für die Ehe mit dir.«

Sie erzählte von Ruths Geständnis, von der Schwangerschaft und ihren Vereinbarungen, was den Partnertausch anbelangte.

»Aber das ist alles so lange her, Valentina. Es ist Vergangenheit. Heute ist heute.«

Valentina schwieg, und Felix schien zu begreifen, wie ernst es ihr damit war. »Warum?«, fragte er leise.

»Ich denke, Felix, dass du dich erstmal von Daniela verabschieden musst, bevor du dich wirklich auf eine neue Beziehung einlassen kannst. Daniela war die ganze Zeit da, und sie stand immer zwischen uns.«

Felix wollte etwas erwidern, doch Valentina legte sanft ihren Finger auf seine Lippen.

»Ich weiß, was du sagen willst. Aber ich weiß auch, dass es so war. Ihre Kleidung, ihre Fotos und ihr persönlicher Kram in deiner Abstellkammer. Ihre Bücher in deinem Regal. Die alten Grimm-Ausgaben, sie sind doch von ihr, oder?«

Felix sah sie betreten an.

»Weißt du«, fuhr sie fort, »ich kann es verstehen. Du konntest nicht aufhören, sie zu lieben, solange es noch die Hoffnung gab, sie lebendig wiederzusehen. Wie hättest du das auch können sollen? Aber das Leben ging weiter, und du hast dich auf mich eingelassen. Auf einmal jedoch gab es die schreckliche Gewissheit, dass Daniela nie wieder zurückkommen würde. Und seitdem quält dich das schlechte Gewissen. Wie kannst du glücklich sein mit mir, wo sie jahrelang gelitten hat, um dann jämmerlich zu sterben? Du hast über all das nie mit mir gesprochen. Aber ich habe es die ganze Zeit über gespürt, und es hat mich sehr unglücklich gemacht.«

Wieder wollte Felix etwas sagen, doch Valentina sprach schon weiter.

»Daniela hat dir Briefe geschrieben, während sie dort eingesperrt war.«

»Sie hat was?«, fragte er verblüfft.

»Du bekommst sie sicher von der Polizei ausgehändigt, sobald sie den Fall abgeschlossen haben. Toni hat sie in Ruths Haus gefunden und mitgenommen, um Ruth damit zu erpressen. Ruth hat eine Weile mitgespielt und ihm für jeden Brief 1000 Euro bezahlt.«

»Wie konnte er nur so dumm sein? Er hätte sich doch denken können, dass sowas nicht lange gut geht«, sagte Felix kopfschüttelnd.

Valentina strich ihm sanft über die Wange. »Ich wünsche dir nur, dass ihre Briefe dir helfen und dich nicht noch unglücklicher machen.«

Felix sah sie tieftraurig an. »Es tut mir so leid«, murmelte er.

»Eines Tages kannst du Abschied von ihr nehmen und sie gehen lassen. Aber das braucht seine Zeit.«

Sie sahen einander an und schwiegen.

Irgendwann fragte Felix zaghaft: »Und unser Kind?«

»Es soll seine Mutter und seinen Vater haben.« Sie lächelte. »Du kannst es sehen, wann immer du möchtest. Und ich würde mir sehr wünschen, dass du bei der Geburt dabei bist. Bist du?«

»Das werde ich mir auf gar keinen Fall entgehen lassen.« Felix versuchte ebenfalls ein Lächeln, doch es geriet ein wenig schief.

»Soll ich dir eine eigene Wohnung im Hotel einrichten lassen?«, fragte er.

Valentina lächelte noch immer. »Nein. Ich will heim. Heim in die Schönbrunner Schlossstraße.«

»Wann?«

»Gleich morgen, nach meiner Aussage im Präsidium.«

Er presste die Lippen so fest aufeinander, dass sie nur noch ein schmaler Strich waren. Es tat Valentina weh, ihn so leiden zu sehen.

»Gib mir Zeit«, sagte sie leise.

39

DIE GEWONNENE WETTE

Bis auf den *Wiener Boten* berichteten die Zeitungen am nächsten Morgen ausführlich über die Suche nach den Vermissten, weil diese erst nach Redaktionsschluss gefunden und befreit worden waren.

Simons Fotos waren brillant geworden. Er hatte noch am Abend selbst mit Martin Stein geklärt, welche davon veröffentlicht werden durften.

»Das ist aber ein Entgegenkommen unsererseits«, betonte Herbert Kunz später. »Denn eigentlich geht es ihn nichts an, welche Fotos wir rausbringen.«

»Aber es ist auch kein Fehler«, meinte Sarah, »wer weiß, wann wir wieder mal was brauchen von Stein. Und immerhin waren wir die Einzigen, die so nah dran sein durften. Das haben wir ihm zu verdanken.«

Stepan gab Sarah recht, und die anderen waren ohnehin ihrer Meinung.

Darüber, Gerhard Dorfinger aus der Berichterstattung auszuklammern, waren sich rasch alle einig. Er war völlig unschuldig zum Handkuss gekommen. Die Befragung durch die Polizei hatte klar ergeben, dass er weder über Ruths Pläne noch über die Existenz des Hauses Bescheid wusste. Und die Rosen, die er in der Gentzgasse gekauft hatte, brauchte er nachweislich für ein Fotoshooting.

»Und was war das jetzt mit dieser Märchensache?«, fragte Kunz.

»Diese Märchensache sollte uns verwirren und auf eine falsche Fährte führen«, erklärte Sarah. »Aber am Ende hat sie uns doch irgendwie ans Ziel geführt.«

»Valentina Macek hat mich übrigens heute Morgen angerufen«, sagte Conny plötzlich in die Runde. »Die Hochzeit ist abgeblasen, die beiden trennen sich.«

Stepan runzelte die Stirn. »Warum denn das? Hat die Macek das nicht dazugesagt?«

Conny schüttelte den Kopf. »Und so verschwiegen, wie die beiden sich der Presse gegenüber verhalten, werden wir den Grund wohl niemals erfahren. Aber sie hat mir versprochen, mich zu ihrer nächsten Promi-Hochzeit einzuladen.«

»Das heißt, sie führt die Agentur weiter?«, fragte Patricia Franz.

»Ja. Unter ihrem Namen.«

»Apropos«, sagte Sarah. »Conny, du schuldest mir eine Flasche Sekt.«

»Wieso das?«

»Der dritte Strauß Rosen, erinnerst du dich an unsere Wette? Ich habe gesagt, dass es der letzte ist, und du meintest, wir reden nach dem vierten weiter.«

»Ah! Und?«

»Ruth Neuberg war Jacob, der Rosenkavalier. Somit habe ich gewonnen. Morgen Abend im *Panorama*? Chris hat Dienst.«

Conny stöhnte und nickte dann.

»Wäre Anton Neuberg zur Polizei gegangen, anstatt seine Exfrau zu erpressen, wäre er jetzt noch am Leben«, stellte Patricia Franz fest.

»Ja, er schon«, sagte Sarah. »Aber Daniela Meier hätte er nicht retten können. Ruth Neuberg kam nicht damit klar, dass der Beermann die Meier heiraten wollte. Also musste sie verschwinden. Ruth Neuberg hat die Hoffnung, dass Felix Beermann sich doch für sie entscheiden würde, lange nicht aufgegeben.«

»Doch dann kam Valentina Macek«, meinte Günther Stepan.

»Genau. Und damit fing das grausame Spiel von vorne an.«

»Aber warum immer unmittelbar vor der Hochzeit?«

»Weil es dann ernst wird. Heiraten bedeutet eine Beziehung auf Dauer. Jede andere Verbindung kann schneller in die Brüche gehen als eine Ehe.«

»Ein Blödsinn!«

»Ja, aber sie glaubt dran.«

In den nächsten Tagen überschlugen sich – wie zu erwarten war – die Meldungen des Boulevards. »Die Mörderin mit dem Engelsgesicht« und »Täterin aus dem Märchenland« waren nur zwei der vielen fantasievollen Überschriften, mit der man die unfassbare Geschichte einer vermeintlichen Freundschaft einleitete. Untermauert wurden die Artikel durch Interviews mit den Menschen aus dem Agentur-Umfeld, sofern sie sich dazu hatten breitschlagen lassen.

Dann verstummte das Medienecho schlagartig. Die Geschichte war so schnell zu Ende wie sie aufgebauscht worden war, und man widmete sich mitleidlos neuen Skandalen und Katastrophen.

Gabi schlug einen gemütlichen Abend mit gutem Essen und gutem Wein vor. »Wir müssen endlich mal wieder zur Ruhe kommen«, sagte sie und bat Sarah und David, pünktlich zu Hause zu sein. Zu Hause, das war die Wohnung am Yppenplatz.

Sie aßen alle vier mit großem Appetit. Danach erboten sich Chris und David, den Tisch ab- und die Küche aufzuräumen. Gabi und Sarah zogen sich mit einem Glas Rotwein ins Wohnzimmer zurück.

Eine Weile später steckte Chris den Kopf durch die Tür. »Gehen wir?«

Gabi nickte, trank ihr Glas leer und erhob sich.

»Wo wollt ihr denn hin?«, fragte Sarah überrascht.

»Wir übernachten in Gabis Wohnung«, antwortete Chris.

Sarah folgte den beiden in den Flur. »Na dann. Gute Nacht!«

Sie ging in die Küche, wo David soeben das letzte Weinglas abtrocknete. Sie umarmte ihn von hinten und schmiegte sich eng an ihn.

»Ich liebe dich.«

»Ich liebe dich auch.«

Er befreite sich sanft aus ihrer Umarmung, drehte sich um und lächelte sie liebevoll an. »Aber weißt du, was mir schleierhaft ist?« Er zupfte an ihren Ohrringen. »Du trägst praktisch ununterbrochen Amulette und Talismane, und trotzdem ziehst du das Böse magisch an. Ist das normal?«

Sarah grinste. »Aber ich bekämpfe ja das Böse. Wer weiß, was ohne die Corni passieren würde.« Dann nahm sie ihren Schmuck ab und legte ihn mit einer großen Geste auf den Küchentisch. »Jetzt bin ich völlig schutzlos. Willst du's ausprobieren?«

Wortlos schob David sie ins Schlafzimmer. Sie küssten

sich im Stehen. Sarah drückte mit dem Fuß die Tür ins Schloss. Dann liebten sie sich mit einer Intensität wie schon lange nicht mehr.

Später, als sie mit geschlossenen Augen nebeneinanderlagen, müde und zufrieden, überraschte David Sarah mit einer Frage.

»Kannst du mir sagen, warum so viele Frauen gerne in Schönbrunn heiraten?«

Sarah öffnete die Augen, drehte sich auf die Seite und stützte sich auf dem Ellbogen ab. »Vielleicht weil sie sich dort ein Mal im Leben wirklich wie eine Prinzessin fühlen können?«

»Würdest du bei deiner Hochzeit ein weißes Kleid tragen?«

Sarah dachte nach. »Hm. Ich glaube schon.«

»Und Schönbrunn? Wäre das ein Ort, der dir gefallen würde?«

»Wo ich mich ein Mal im Leben wie eine echte Prinzessin fühlen kann? Na klar!« Sie musste grinsen.

Dann stutzte sie plötzlich. War das Davids Art, ihr einen Heiratsantrag zu machen?

»Warum fragst du?«

»Ach, nur so.«

DANK

Zuerst möchte ich mich bei Ihnen, liebe Leserinnen und Leser, bedanken, dass Sie sich für diesen Roman entschieden haben. Viele von Ihnen halten meiner Sarah Pauli seit ihrem ersten Fall die Treue. Dies ist für mich eine riesige Motivation, mir immer neue Geschichten für Sarah auszudenken.

Ebenso danke ich allen Menschen, die mir geholfen und mich inspiriert haben, dieses Buch zu schreiben:

Meiner Familie danke ich für ihre Geduld während der Schreibphasen und für ihre Anfeuerungsrufe zwischendurch.

Ein herzlicher Dank geht an meine Lektorin vom Goldmann Verlag, Kerstin Schaub, für die wunderbare Zusammenarbeit bei allem.

Auch danke ich Manuela Braun und Barbara Henning, die sich immer wieder für Sarah Pauli ins Zeug legen.

Ein ebenso herzlicher Dank für die wohltuende gemeinsame Arbeit am Text geht an meine Lektorin Karin Ballauff in Wien.

Ein großer Dank geht auch an meinen Agenten Peter Molden für die wunderbare Betreuung und fürs An-die-Hand-Nehmen, wenn's aufregend wird.

Danke für euer Vertrauen und für eure tolle Arbeit.

Ihr seid großartig!

Beate Maxian

Die Österreicherin Beate Maxian wurde in München geboren und verbrachte ihre Jugend u. a. in Bayern und im arabischen Raum. Heute lebt sie mit ihrer Familie abwechselnd in Oberösterreich und Wien und arbeitet neben dem Schreiben als Moderatorin und Journalistin sowie als Dozentin an der Talenteakademie. Ihre in Wien angesiedelten Krimis um die Journalistin Sarah Pauli haben eine treue Leserschaft erobert und sind Bestseller in Österreich. Des Weiteren ist Beate Maxian die Initiatorin und Organisatorin des ersten österreichischen Krimifestivals: Krimi-Literatur-Festival.at

Mehr zu Beate Maxian unter www.maxian.at

Die Wien-Krimis von Beate Maxian
in chronologischer Reihenfolge:

Tödliches Rendezvous. Ein Wien-Krimi
Die Tote vom Naschmarkt. Ein Wien-Krimi
Tod hinter dem Stephansdom. Ein Wien-Krimi
Der Tote vom Zentralfriedhof. Ein Wien-Krimi
Tod in der Hofburg. Ein Wien-Krimi

(Alle auch als E-Book erhältlich)